Min ven Flicka

Af samme forfatter

Tordenskyen (da. 1948, org. 1943)

De grønne vidders land (da. 1948, org. 1946)

Mary O'Hara

Min ven Flicka

Oversat af

Margrethe Spies

BF

Bechs Forlag – Viatone

1

Højt oppe på den lange bjergryg, de kaldte »Svajet«, bag avls-
gården og sognevejen sad drengen på sin hest med front mod
øst og øjnene blændet af den stigende sol.

Det var, som kom en fornem person på besøg, når solen
pludselig dukkede op over østhimlens mørke skybræmme.
Det var, som om den bukkede artigt til højre og venstre, mens
den smilede og oplyste hele verden, indtil alt måtte gengælde
dens smil.

Gårdens lune taggruppe dybt under ham begyndte at blive
rød – ikke blot ubestemmeligt mørk; møllevingernes spinkle
tralleværk i den dybe dal glimtede og tindrede. Den gengældte
solens smil.

»God morgen, min herre,« råbte Ken og svingede sin arm
til hilsen. Den lille, tætbyggede, brune hoppe foretog et plud-
seligt, vildt spring.

Han red på dens nøgne ryg og måtte klemme hælene i dy-
rets sider for ikke at falde af. Det fik den til at lave et nyt
rejehop og denne gang med hovedet mellem forbenene. Den
landede på stive ben og med krum ryg; så gik den over til buk-
kespring.

Én gang, to gange, tre gange – Ken blev smidt ud over he-
stens hals, men holdt knugende fast på tøjlerne.

Hesten rykkede baglæns og slog i tøjlerne for at frigøre sig,
mens den satte benene hårdt og skrævende i jorden som en
hund, der rusker i et bukseben.

»Du kan tro nej!« gispede Ken, idet han satte sig over ende
med front mod hesten og et fast greb i tøjlerne. »Denne gang
skal du ikke få lov til …«

Hesten slog arrigt med hovedet fra side til side. Ken bed
tænderne sammen i vrede. »Hvis du også sprænger denne tøjle
…«

Tanken gjorde ham pludselig snu, og han dæmpede stemmen, til den blev lokkende venlig. »Så, så, Cigaret – vær nu en rar pige – sådan, lille ven – ja, du er flink, er du ...«

Hesten reagerede straks for det ændrede tonefald. Den rejste det ene af sine ører, som havde ligget fladt ind til hovedet, og så nøje på ham for at blive klar over, om han var til at stole på. Den følte sig beroliget og tog et skridt frem.

Ken rejste sig forsigtigt og begyndte at kæle for dens hoved. Hans stemme var beroligende venlig, selv om ordene var fornærmelige.

»Sådan, lille ven – dumme fjols – nå, kom så da – din kvajpande – er du gået helt fra forstanden? –« Noget værre kunne man ikke spørge om på Goose Bar Ranch, hvor en hest uden sine sansers fulde brug var en hest uden ret til at leve.

Cigaret følte sig endnu ikke helt beroliget, men den stod stille og nød Kens kærtegn, mens den afventede begivenhedernes udvikling.

»Tror du virkelig, jeg nogensinde ville ride på en kedelig gammel støder som dig, hvis jeg havde min egen hest ligesom Howard?«

Rynkerne forsvandt af hans pande, og hans øjne fik et drømmende udtryk. »Hvis jeg bare måtte få en plag selv ...«

Det havde han sagt længe. Undertiden sagde han det i søvne. Det var hans første tanke, da han for tre dage siden vendte hjem til gården. Han sagde eller tænkte det, hver gang han så sin broder ride Highboy. Når han betragtede sin far, var der et bedende udtryk i hans øjne – en bestandig længsel efter at få en plag, som helt var hans egen. »Hvis jeg fik en plag, ville jeg gøre den til verdens vidunderligste hest. Jeg ville altid have den hos mig, når jeg spiste, og når jeg sov, ligesom araberne gør det i den bog, far har stående på køkkenhylden.« Han strøg Cigaret over næsen – ubevidst, mekanisk. »Jeg ville anskaffe et telt og sove i det, og plagen skulle være ved min side, og jeg ville lære den at leve nøjagtigt, som jeg selv levede; jeg ville fodre den så godt, at den blev større end alle andre heste på gården; den skulle være hurtigere end alle de andre, og jeg ville dressere den, til den fulgte mig som en hund, hvor jeg gik ...« Hans fantasier standsede, fordi han følte sig gennemglødet af salig lykke ved tanken om at gøre en hest så hengiven, at den fulgte ham overalt.

Der var endnu ingen varme i solens næsten vandrette stråler, og dagningens blæst over bjerget var kold, så Ken kom til at skælve i sin tynde, blå bomuldssweater. Han vendte sig mod blæsten, inddrak noget af dens friskhed og utøjlede frihed, der berusede ham og gav ham lyst til at løbe, råbe – eller ride og ride – hele den lange dag – alt hvad benene kunne strække og uden stop ...

Han var barhovedet, og blæsten filtrede hans bløde, glatte, brune hår, viskede lidt farve i hans smalle kinder, som endnu var blege fra vinterens skoledage. Hans ansigt var smukt med sit udtryk af drengens friske og kåde naturglæde og med mørkeblå, drømmende øjne.

Han måtte se at komme op på Cigaret igen.

I samme nu som tanken passerede hans hjerne, var Cigaret klar over den og drejede hovedet lidt for at se på ham. Hestens krop spændtes.

Først måtte han gøre den en undskyldning. Det var kun fair at indrømme over for Cigaret, at fejlen var hans. Han havde klemt hælene i dens sider.

Han vidste præcis, hvad faderen ville sige, hvis han fortalte ham om hændelsen.

»Cigaret lavede bukkespring og smed mig af.«

»Hvad gjorde du selv? Klemte hælene i hende?«

»Javel, sir.«

Han og Howard var opdraget til at sige javel og altid titulere deres far med »sir«, fordi han havde været officer i hæren, inden han blev ranchejer, og lagde stor vægt på at opretholde disciplin og respekt.

Mens Ken samlede tøjlen og førte den op over Cigarets hoved, nynnede han sagte: »Javel, sir! – Nej, sir! – Javel, sir!

– Nej, sir! hvilket syntes at have en beroligende virkning på dyret.

Da hans far sad op på Cigaret for at vise ham, hvordan det skulle gøres, stod den stille som en statue. Den hverken trippede eller hoppede, og den skridtede roligt afsted med sin rytter som en fredsommelig søndagsrytters hest i en park. Men når *han* sad op, skete det jævnligt, at den fire, fem gange i træk smed ham af, bare fordi han ikke kunne lade være med at klemme hælene i dens sider, når han kom overskrævs på dens ryg. Det ville hesten ikke finde sig i, og han kunne ikke lade være med det.

Han drejede Cigaret så meget, at han stod på dens venstre side og lidt højere end hesten. Det var ikke nogen særlig stor hest, men alligevel var det et højt hop for en dreng at komme op på dens ryg, og undertiden hævede han sig ikke kraftigt nok i armene. Sidste sommer kunne han slet ikke klare det og måtte altid sidde op fra en stenblok eller et gærde, når han ikke havde sadel på dyret. Denne sommer var det foreløbig kun mislykkedes for ham nogle få gange.

Han tog fat i manken og støttede højre hånd mod dens ryg, sprang og trak samtidig, så han hang på dens side i strakte arme. Så svingede han det blå bukseben forsigtigt over dens ryg og lod sig langsomt glide til sæde med slapt hængende ben, som hans far gjorde det.

»Cigaret stod roligt. Han strammede tøjlen, gav den et par lette schenkler og red.

Det skiftende vejr var noget af det mest spændende på ranchen, som han boede på hver sommer, når de fik fri fra skolen i Laramie. Der skete altid noget – storme og regnbuer, stille, solvarme dage, voldsomme tordenvejr eller frost, ja undertiden endog snefog. Folk sagde, det skyldtes gårdens beliggenhed i otte tusind fods højde.

Nu havde alle himlens skyer fået glød af solopgangens farver i en mosaik af lyst og mørkt røde nuancer eller knaldblå som lyn. Blæsten blev kåd og støjende, mens den kæmpede imod en og sendte krusede ilinger over »grøngræsset«, til det lignede silkemoiré.

»Grøngræs – grøngræs ...« sang han, mens han galoperede afsted og tænkte på, hvor forskelligt viddernes »grøngræs« var fra det grønne græs på småplænerne foran huse i Laramie. Herude i det vilde strakte det sig så langt, man kunne se. Sorthalede harer skjulte sig i det, hoppede op over det og gled med blæsten i lange svævende spring. De var så store som små rådyr. Herude i bjerglandet kaldte man det »grøngræs« i ét ord; og det spillede en stor rolle. Man læste tidligt om foråret i aviserne: »Allerede nu grøngræs i Federal Valley.« Alle spurgte: »Har De fået grøngræs på Deres ejendom? Hos os *er* det kommet!«

Det var vigtigst om våren efter de sidste store snestorme i maj, når alle heste og alle kreaturer var magre og svage efter den lange vinter. Det var, som ville grøngræsset aldrig vise sig, og man kunne ikke holde det ud. Da kom det, først som et svagt, grønt skær på de sydlige og østlige bjergskrænter, hvor kreaturerne nippede og gumlede det i sig; inden længe lignede det grønt fløjl, og sidst i juni blev det som nu. Et hav af vindkruset græs.

Ken nåede bjergtoppen, holdt an og så sig om. Herfra kunne han se over hundreder af miles grøngræs. Mod syd lå den store, bølgende højslette, som strakte sig til Twin Peaks, og bag dem skimtedes det grænseløse, vilde landskab, med knudrede, forrevne klipper, mystiske sænkninger, dunkle kløfter og nøgne fjeldblokke indtil Coloradodalens brede, dyrkede lavland. Bag dalstrøgene fandtes bjergmassivet Neversummer Range, der altid dækkedes af skinnende sne, hvad enten det var vinter eller sommer.

Han lagde hovedet tilbage og inddrak duften af renhed, grønt, sne og blæst – den var både skarp og herlig.

Det var det, han havde ventet på alle de lange, uudholdelige skolemåneder med endeløst lektieterperi og årsprøver ...

Han blev grebet af en ubehagelig fornemmelse. Howards

og hans vidnesbyrd kom med gårsdagens post ledsaget af et brev fra rektor til hans far, kaptajn McLaughlin. Hans far smed brevene på bordet sammen med nogle aviser og en del regninger, som han senere ville kigge på. Når Ken vendte hjem til morgenmaden, havde hans far sikkert åbnet brevene.

Der var den forbandede årsprøve – Ken vidste, at han ikke havde klaret sig ret godt ...

Hvad mon klokken kunne være? Han så ned mod gården. Fra det høje udsigtspunkt faldt terrænet mod nord i brudte bølger og åbne græsninger. Lige før de lave enge og vandløbet en mile borte fandtes en lille kløft i de lave højder. Den indrammedes på den østre side af en klippevæg og på den vestre af en stejl skrænt. Begge sider var beklædt med tætte, mørke nåletræer. Inde i kløften voksede popler og slanke espetræer. Et næsten udtørret vandløb og en vej snoede sig gennem slugten fra staldene og hestefoldene ved gården til en v-formet rydning. Den var græsbevokset og overgroet af popler. Hans mor kaldte den grønningen.

I selve snævringen stod vindmøllen, så dens vinger, der hævede sig sølvblanke over træerne, selv på stille dage kunne fange ethvert vindpust, som sugedes ind gennem den smalle kløft.

Bag møllen i en lun krog af bakken til venstre lå arbejdernes hus, næsten skjult og udmærket skærmet mod vinterstormene. Lidt længere nede langs v-ets venstre gren fulgte gårdens lange, uregelmæssige, murede hovedbygning. Den lå på en temmelig stejl skråning, så gulvene faldt et trin fra køkken til spisestue, fra spisestue til dagligstue og et tredje trin fra dagligstue til arbejdsværelse.

Den lange bygning mønstredes af højrejste, røde tages krimskrams, den lange, græsgroede terrasse langs østsiden og den lave stenmur, som afgrænsede terrassen.

Endnu så man intet tegn til liv dernede. Det var nok for tidligt, mente Ken. Jo, forresten – der kom røg op af begge skorstene. Så havde Gus tændt op i køkkenet for Kens mor og var i gang med at lave sin egen morgenmad i arbejderhuset.

Ken så mod kostalden, der fandtes ved grønningens laveste ende, en stor kasse, hvis grund var gravet indtil fire fod, ja måske mere, ned i jorden. Dens svagt skrånende, skarpryggede tag lukkede sig så tæt ned over stalden, at man oppe fra bjerget ikke så mere end en strimmel på ti, femten fod af dens hvidkalkede mur.

Gule jerseykøer stod ved lågen til malkefolden i Kalvehaven mod øst. De ventede på, at Tim skulle komme og lukke dem ind. Når de var malket, ville han slippe dem ud gennem leddet mod nord, hvorfra de ville traske over engen til vandløbet og stå der i de varmeste timer under høje popler, hvis rødder gik dybt og vandsugende ned under bækkens bund.

Langt borte, på den anden side af engene og bjergene, som fulgte, dampede et langt fragttog op ad jernbanen. To legetøjslokomotiver og et legetøjstog, der næsten ikke syntes at bevæge sig. Det kørte op ad stigningen fra øst og skulle videre vestpå. Inden længe ville det nå pashøjden, Rocky Mountains Divide, hvor det skulle frakoble sit ene lokomotiv og begynde farten nedad mod Stillehavet i stigende hast – til det drønede afsted ...

En ekkorungende fløjten brød stilheden. Toget nærmede sig vejskæringen ved Tie Siding.

Køerne var på vej ind i malkefolden – den lille sorte pløk dernede var Tim, som lukkede leddet tilbage.

Der var ikke lang tid til frokost. Nu var alle vågnet. På vej ned ad trappen ville hans mor råbe: »Så står vi op, drenge!« Hans far ville sætte sig op i sengen med pjusket hår og krøllet pyjamas og række hånden ud efter en cigaret.

Så for pokker – hvis hans far allerede havde læst skolens udtalelser! Og det var ikke engang alt, der var også dækkenet – det forsvundne dækken.

Kens blik gled bort fra gårdens bygninger og fulgte bjergsiden. Dækkenet, dækkenet –! Hver gang han bad sin far om at måtte få en plag, sagde McLaughlin: »Du skal få en hest, når du fortjener det – ikke før!« Måske var dækkenet blevet hængende i en busk, måske lå det på en af de store sten – eller måske nede i kløften. Det var godt, jeg vågnede så tidligt! Nu bliver Howard nok muggen, fordi jeg ikke vækkede ham. Han vil altid med ud. Han kan ikke vågne af sig selv, men det kan jeg ...

En sorthalet texashare sprang op næsten lige under hesten. Cigaret hoppede til side, men Ken sad fast, og da haren svævede bort i lange spring, udstødte han et vræl og satte efter den.

Cigaret elskede at strække ud.

Idet Ken, som McLaughlin havde lært sine drenge at gøre det, lænede sig bagover med fødderne fremme og godt ude til siden og med løse tøjler, red han et steeplechase

Hare, hest og dreng forsvandt over Svajets højderyg.

2

Nell McLaughlin trak spisebordet ud fra hjørnet, slog dets klapper op, så der blev rigelig plads til fire personer, og bredte en rødternet dug over det.

Det rummelige køkken var fyldt af klart sollys fra vinduerne, som vendte ud mod terrassen. Det tegnede gyldne rektangler på gulvets æblegrønne maling. Foran vasken, komfuret og brødbordet lå hæklede, ovale forliggere med kulørte blomstermotiver. En lille, brun kat sad ved komfuret og vaskede ansigt.

Hverken barnefødsler eller strengt arbejde på gården havde skæmmet Nells ungpigeskikkelse. Som syvogtrediveårig så hun ikke meget ældre ud, end da hun vandt sølvpokalen på Brynn Mawr skolen som sin klasses bedste allround idrætskvinde.

Hun var middelhøj, langbenet og slank. Kroppens runde

kurver blev holdt på plads af spændstige muskler, og når hun gik, var der noget svævende let over hende, der stammede dels fra hendes stærke vitalitet, dels fra hendes knejsende holdning. Hendes lille hoved var rede til at se hvad som helst i øjnene – fare, uvejr, elskov, håb og frygt.

Hendes hud var solbrændt til en lys, brungul lød, ikke tør og vejrbidt, men glat og smidig med en glans, som skyldtes omhyggelig pleje; hendes lidt brede mund havde smalle, lyserøde læber med smukke rene linjer og følsomme kurver. Hendes silkeglatte hår var også lysebrunt og lå kortklippet over panden, medens resten var redt stramt tilbage og samlet i en lille nakkeknude. Når hun red, pillede hun ofte sine få hårnåle af og lod håret flagre frit i blæsten. Så så man tydeligt, at Ken havde arvet sin mors ansigt, den klare pande, de mørkeblå øjne med deres frie og fjerne blik.

Ken kom for sent til morgenmaden.

Idet han trådte ind, skævede han først til sin far for at se, om han skulle have læst skolens vidnesbyrd.

Så sagde han: »Godmorgen, mor, godmorgen, far,« trak den sidste ledige stol ud fra bordet – en grønmalet tremmestol med et sæde flettet af ugarvede læderstrimler – og satte sig. Hans hjerte hamrede, fordi faderens ansigt havde sit forbitrede udtryk, og Howard udstrålede selvretfærdighed. Howard fik altid fine vidnesbyrd fra skolen.

De to drenge vekslede blikke over bordet.

Howard regnedes for den kønneste af dem. Han havde sort hår som sin far og skilte det omhyggeligt i midten. Han havde faderens smalle læber, vandrette øjenbryn og samme dristige, lidt arrogante knejsen med nakken. Det gjorde, at han allerede nu virkede særpræget, udviklet og karakteristisk, medens Ken virkede ufærdig og uberegnelig. Hans ansigt havde undertiden sin egen poetiske, drømmende skønhed, men det kunne også virke karakterløst med træk, som slet ikke passede sammen.

Ken var bange for at se på sin far. Det var drøjt at skulle møde hans gnistrende, blå blik. Det var, som om hans øjne glødede koldt i det lange, mørke ansigt med dets fremspringende hage. Ken følte gang på gang sit eget blik vige skræmt fra et møde med faderens, så han måtte vende sig bort eller se ned mod gulvet.

McLaughlin tog et kort og et brev, der lå åbent ved hans plads. »Jeg går ud fra, det ikke vil overraske dig meget, at du ikke har klaret din oprykningseksamen,« sagde han. »Måske har du lyst til at se dine karakterer?«

Han smed kortet over til Ken.

Nell McLaughlin rakte Ken en blå lerskål fyldt med havregryn, hvorover der var hældt fløde og drysset brunt sukker. Hun sagde: »Lad ham spise sin morgenmad først;« men Ken tog kortet og prøvede at fæstne blikket ved det. Det var ham i den grad imod, at han næsten intet kunne se.

Der var stille i stuen, mens han studerede sine karakterer. Howard smilede og spiste bacon. Nells udtryk var bekymret. Hun så ned, mens hun smurte et stykke ristet brød.

Ken læste alle karaktererne og nåede omsider til resultatet af årsprøven i engelsk.

Han så op og mødte faderens blik.

McLaughlin bøjede sig frem over bordet. »Det kunne – blot for en ordens skyld – interessere mig at vide, hvordan du bærer dig ad med at få *nul* i et enkelt fag!« sagde han. »Fyrre i historie! Sytten i regning! Men et *nul!* Mellem os sagt, Ken – hvad foregår der egentlig i din hjerne?«

»Ja, lad os høre, hvordan du bærer dig ad med det, Ken,« kvidrede Howard drillende.

Nell sendte sin ældste søn et skarpt blik. »Spis din mad, Howard,« sagde hun bistert.

Ken vidste ikke, hvad han skulle svare. Hans kinder brændte, mens han bøjede sig over skålen og begyndte at spise havregryn.

McLaughlin skubbede tallerkenen fra sig og tog sin pibe op af lommen. Der hørtes ikke en lyd, mens han stoppede og tændte den. Da det var gjort, tog han brevet og læste det højt.

Kære kaptajn McLaughlin.

Med største beklagelse må jeg meddele Dem, at Kens eksamenskarakterer sammenholdt med gennemsnitsresultaterne af hans præstationer i årets løb ikke muliggør hans oprykning i en højere klasse. Dette er så meget mere beklageligt, som det dårlige resultat i højere grad skyldes hans sløsethed *og* uopmærksomhed end manglende evner. Hvis han havde arbejdet nogenlunde jævnt hele skoleåret, ville han utvivlsomt være blevet oprykket til sjette klasse; men som det er, må han fortsætte endnu et år som oversidder i femte.

Idet jeg sender de bedste hilsener til fru McLaughlin og Dem selv, er jeg Deres meget forbundne

Leonard Gibson.

McLaughlin lagde brevet fra sig, så over bordet på Ken og dernæst på sin pibe, som var gået ud.

»Heldigvis,« fortsatte han, idet han rakte efter en tændstik, »er der næsten to og en halv måned, til skolen atter begynder. Du skal nu i sommer arbejde en time hver dag med dine lektier, så du måske kan indhente det forsømte.«

Nell McLaughlin så, at Ken dukkede sig som for et hårdt slag, og hans blik søgte med et fortvivlet udtryk det vidtåbne vindue.

»Ken!« sagde McLaughlin, og hans stemme lød hårdt som et piskesmæld, »er du blevet stum? Hvad har du at sige til din undskyldning, dreng?«

»Jeg ved det ikke,« svarede Ken.

»Hvad foretog du dig i årsprøven i engelsk? Hvad var det for spørgsmål, du ikke kunne klare?«

»Vi skulle skrive en stil.«

»Hvad skrev du?«

»Jeg kunne ikke få begyndt på den.«

»Skrev du ikke et ord?«

Ken rystede på hovedet.

»Kunne du slet ikke finde på noget?«

»Jo, jeg havde planlagt det hele. Jeg ville skrive en historie om, hvordan du mistede din polohoppe – hvordan Albino stjal den fra Banner –. Kens øjne mødte faderens blik. »Vi måtte selv om, hvad vi ville skrive, men det skulle være mindst to sider ...«

»Hvad skete der så med dig?«

»Jeg – jeg – kom til at tænke på det. Jeg tænkte på Sigøjner og Albino – og hvordan det havde set ud, da han lokkede hende bort – og hvor han fik hende hen – og alle de vilde heste i hans stod – og hvor de alle sammen kan have opholdt sig dengang. Alt sådan noget. Jeg troede, der var masser af tid – jeg troede, at timen lige var begyndt – og så ringede klokken ...«

»Uden at du overhovedet kom i gang?«

Howard sagde: »Han gloede hele tiden ud ad vinduet – det så jeg.«

Tårerne brændte i Kens øjne. Bare faderen snart ville holde op med at se på ham.

Der blev banket på køkkendøren, og McLaughlin råbte: »Kom ind!«

Det var den svenske forkarl, Gus, som kom med sin store filthat i hånden. Han bukkede kejtet med sin undersætsige krop som en ærbødig hyldest til Nell, så først på hende og sagde: »God morgen, missus,« og derefter »God morgen, chef.«

Han gik ikke helt ind, men blev stående i døren lænet til den ene side af karmen og med en hånd støttet mod den anden side, lidt genert og med et pudsigt, barnligt smil om munden. Hans runde, røde ansigt var indrammet af hårets tætte, grå krøller.

»Hvad skal vi lave i dag, chef?«

Ken og Howard holdt inde med spisningen for at lytte.

Kun Gus og måske til nød deres mor kunne spørge McLaughlin om hans planer og gøre sig håb om et svar. Når drengene spurgte ham, sagde han altid: »Lad os nu se.« Måske svarede han dem slet ikke, og da hver eneste sommerdag var fyldt med begivenheder så spændende som en cirkusforestilling, tilbragte de den meste tid i en sådan spænding, at de var ved at sprænges. De løb i hælene på deres far og prøvede at være alle steder samtidig for ikke at gå glip af noget.

Vejret spillede altid en rolle for gårdens arbejdsplan. Inden McLaughlin svarede, kiggede han derfor ud ad vinduet mod den dybblå himmel og de store, hvide, kuplede kumulusskyer, som drev hurtigt med blæsten.

»Der er storm i de højeste nåleskove,« sagde Nell »Jeg hørte det straks i morges – som brænding – som dump brølen.«

»Vindmøllen snurrer som kæp i hjul,« sagde Howard.

»Vejret holder nok i dag, måske også i morgen,« sagde Gus, »men der står tunge skybanker i sydvest. Det brygger sammen til uvejr.«

McLaughlin sad lidt i tavs eftertanke og dampede på sin pibe uden i ringeste grad at generes af de fire par øjne, der iagttog ham, eller de fire mennesker, der ventede på hans ord.

Omsider sagde han, som til sig selv og uden at se på Gus: »Det er en god dag til flytning af hestene.«

»Javel, chef. Det er på tide, at vi får hestene væk fra engene. Nu gror græsset, og vi skulle gerne snart have vand over dem.«

Howard kunne ikke holde mund: »Må jeg hjælpe med at flytte dem i år, far?«

Ken spurgte ikke, fordi han vidste, det var håbløst.

McLaughlin vendte blikket mod Howard, men tænkte ikke på ham og svarede ham ikke. Han røg, og Gus ventede. Omsider sagde han: »Ja. Vi har en måned tilbage endnu inden dyrskuerne. Jeg har fået fire af de ældre heste i form, så de kan lejes ud til rodeoen. De er absolut sikre. Vi må have redet treåringerne til. De kan ikke tåle at vente længere.«

»Du vil da ikke selv ride dem til, Rob?« spurgte Nell med høj og skræmt stemme.

Hendes mand svarede ikke.

»Du lovede mig det sidste år!« udbrød Nell atter.

»Det er min fejl, at de har fået lov at løbe vildt så længe.«

»Det er hverken din eller andres fejl. Du har ikke haft tid. Du har ikke haft hjælp til at passe tyve heste, for slet ikke at tale om hundrede.«

»Nej – men jeg kan ikke lade dem vente længere.«

»Du må ikke!« Nells pupiller udvidedes, så hendes blå øjne blev næsten sorte.

»Hør nu, Nell ...«

»Jeg kan ikke holde det ud!« Hendes glatte, brune ansigt rødmede hedt. »Din kamp mod hesten og hestens kamp mod dig. Disse vræl og styrt og støv og sved – jeg bliver syg af at se på dig!«

Gus kom med et forslag. »Der er sikkert gode hestedressører – *bronco busters* – i byen på denne tid, mens de venter på rodeoen.«

McLaughlin rynkede panden. »Jeg skal ikke have mine heste tæmmet af en *bronco buster*.«

»Men, Rob...«

Han rejste sig. »Det spolerer en hest!« Han råbte højt, mens han afleverede en af sine yndlingstirader. »Der går noget af den tabt, og det kommer aldrig igen. Der går noget i stykker for dyret. Det bliver aldrig mere en fuldkommen hest. Jeg hader den metode at vente, til en hest er fuldvoksen og har fået sine egne vaner og så tæve sjælen ud af den, til man får en krikke, der er mærket af skræk og mistillid og et oprindelig godt sind ødelagt – den vil aldrig nogen sinde vise et menneske tillid. Hvis jeg ikke havde tillid til mine egne heste, så ...«

»Men det er jo kun treåringer!« insisterede Nell. Howard og Ken så forbløffede på hende. Hvordan kunne hun være så frygtløs, når deres far var gal i hovedet og råbte op?

Der var noget yndigt og blidt over hendes rødbrune hår og det smukke, glatte ansigt, men der var ikke spor blidt i det beslutsomme blik, hvormed hun trodsede sin mand.

»Desuden,« sagde hun, »*er* de tæmmet en lille smule, husker du nok. Det er noget andet, end hvis det var helt vilde heste – *broncoer* – som kommer direkte herind fra udmarkerne.«

McLaughlin sad nogle øjeblikke uden at svare og henvendte sig så til Gus. »*All right,* Gus ...«

»Må jeg hjælpe med at flytte dem, far?« spurgte Howard på ny.

»Nej!« tordnede McLaughlin. »Det er hårdt nok for en enkelt mand at drive hundrede heste, hvoraf halvdelen er vilde *broncs* – eller *loco* – og alle så sprælske som bare fanden efter at have strejfet om en vinter til ende, uden at man også skal have en knægt til at dukke op netop på det sted, hvor han kan få hele bundtet til at gå amok!«

»Kan jeg ikke få lov bare at åbne leddene for dig, mens du driver dem herned?« spurgte Howard dybt skuffet ved tanken om at blive snydt for den lange dags ridt, for det nøjere eftersyn af alle de nye vårføl, den spændende tur op på sommergræsningerne ved nummer tyve sammen med den store hingst, Banner, og hans stod af følhopper.

Faderen overhørte spørgsmålet og henvendte sig atter til Gus. »Du og Tim må hellere arbejde med overrislingsgrøfterne i dag. Vi skal have dem i orden, inden vi leder vandet ned i engene.«

»Javel, sir.«

»Indfang Shorty og giv ham en sadel på. Jeg skal være oppe ved stalden senest om en halv time.«

»Javel, sir.«

Gus forlod køkkendøren.

McLaughlin lagde piben fra sig og trak sin kaffekop nærmere. Der var tavshed nogle øjeblikke, til Howard spurgte Ken: »Hvilken hest red du i morges?«

»Cigaret.«

McLaughlin kiggede op. »Har du været ude på Cigaret?«

»Javel, sir!«

»Kunne du indfange og binde hende, uden at hun ødelagde noget?«

»Nej, sir.«

»Hvad ødelagde hun – en tøjle?«

»Nej – det vil sige – ikke i dag. Hun sprængte en tøjle i går.«

»Hvad ødelagde hun i dag?«

»Karabinhagen på grimetøjlen.«

»Har jeg ikke sagt dig, at du ikke kan binde den hoppe med en grime? Har jeg ikke sagt, du altid skal binde hende med en halsrem?«

»Jo, sir.«

»Hvorfor gør du det så ikke?«

»Jeg troede – jeg troede –«. Ken kunne ikke forklare sig. Ordene blev borte for ham. Han gylpede nogle slurke mælk i sig.

»Du *troede?* Ulykken er, at du aldrig tænker dig om!«

McLaughlins stemme var blevet mildere.

Så begyndte Howard. »Har du fundet dækkenet, Ken?«

»Hvilket dækken?« spurgte McLaughlin, som atter var klar til at bruse op.

»Jeg tabte et dækken i en af udmarkerne i går eftermiddags, da vi red en tur,« svarede Ken.

»Tænk, gjorde du?« Hans far var på ny sarkastisk. »Du red vel i sadel uden at have spændt gjordene ordentligt?«

»Javel, sir,« svarede Ken stædigt, »men jeg fandt dækkenet nu til morgen.« Hans stemme sitrede.

»Var der noget i vejen med det?« spurgte McLaughlin bidsk.

Ken vred sig som en orm. »Ja, der var altså – en rift. Det havde hængt i pigtråden ...«

McLaughlin råbte vredt: »Hvad skal jeg dog stille op med dig? Du er en idiotisk hvalp, der glemmer og smider tingene væk – eller ødelægger dem ...«

Ken stirrede på sin tallerken. Hans kinder brændte, og halsen var lukket af en kvælende klump. »Far – bare jeg måtte få et føl.«

»Hvad skulle det kunne hjælpe?«

»Howard fik et føl. Han var kun ni år, da du gav ham Highboy; og han har selv tæmmet den. Jeg er ti år, og selv om du gav mig et føl nu, kan jeg alligevel aldrig indhente Howard, for jeg kan ikke ride på den, før det bliver en treåring, og så er jeg blevet tretten.«

Nell lo. »Det regnestykke klarede du i hvert fald rigtigt.«

McLaughlin svarede: »Howard har aldrig fået mindre end femoghalvfjerds point som gennemsnitskarakter i skolen. Han lægger mærke til, hvad jeg forklarer ham, smider ikke grejerne væk, splitter dem ikke ad og ødelægger dem på andre tossede måder.«

Ken vidste ikke, hvad han skulle sige til dette, så han blev ved med at se ned.

»Smed Cigaret dig af?« spurgte Howard opmuntrende.

»Ja,« svarede Ken.

»Klemte du hende med hælene?« spurgte hans far.

»Javel, sir,« svarede Ken mekanisk.

»Striglede du hende tør, da du kom hjem?«

Det var håbløst! Intet lod sig skjule. Ken vendte sig opgivende mod faderen. »Jeg – nej, sir! Hun løb fra mig.«

»Løb hun fra dig? Hvor?«

»Ved leddet ud til sognevejen – mens jeg var ved at lukke det – det var på vej til folden ved staldene.«

»Hvordan skete det?«

»Jeg – jeg havde tøjlen i hånden, og jeg stod dér ...«

»Hvorfor gjorde du det?«

»Ikke for noget. Jeg så mig bare om – jeg så tilbage på bjergene – og så lidt efter ville hun græsse og gav bare et lille ryk, og så var hun løs – og vidste det – og jeg kunne ikke fange hende. Hun stak af.« Ken syntes, det var bedst at fortælle alt med det samme og få det overstået. »Og så fik hun et ben i tøjlen og sprængte den.«

»Jeg syntes, du sagde, at du ikke havde sprængt nogen tøjle i dag?«

Ken kviede sig. »Jeg troede, du mente en grimetøjle, ikke en bridontøjle.«

Mærkeligt nok sagde hans far intet til denne forklaring.

Han så tankefuldt på Ken. »Hvad tænkte du på, da du stod ved leddet – eller stod du kun og gloede?«

»På mit føl.«

»*Dit* føl! Du har jo ikke noget!«

»Det føl, som jeg har i tankerne.«

»Jaså! Du ejer altså et føl – i tankerne?«

»Javel, sir!«

»Så lad det hellere blive der, hvor det ikke kan løbe sin vej fra dig.«

Ken spurgte i desperation: »Vil du ikke nok give mig et føl, far?«

McLaughlin sad tavs nogle øjeblikke og så nøje på sin lille dreng. »Du kommer først til at tage dig sammen, Ken. Jeg ved ikke, hvad jeg skal stille op med dig. Du tænker dig aldrig om – går kun rundt og drømmer og dvasker. Første gang du rider ud, smider du et dækken væk...«

»Men jeg fandt det jo igen ...«

»Ja, du fandt dit dækken og mistede din hest. Ulykken er, at du aldrig prøver at tage dig sammen.«

»Jamen, det gør jeg.«

»Det vil jeg se, før jeg tror det. Kom, Howard. Du kan ride med mig ud til engene og åbne leddene.«

Ken skubbede sin stol tilbage fra bordet. »Må jeg hjælpe med?«

»Nej, du må ikke. Du skal læse lektier – en time hver dag efter morgenmaden! Glem det ikke!«

McLaughlins skrammede ridestøvler med de tunge, klirrende sporer bevægede sig i hårde trin over køkkengulvet. Howard skridtede bagefter og var så ædel, at han ikke sendte Ken et nedladende blik.

Nell tog sit forklæde og bandt det uden på den korte blå- og hvidternede kjole. Hendes bare ben var smukt brunede af solen, og hendes små, lidt benede fødder stak i et par fikse, brune mexicanske *huaraches*.

Ken stod bedøvet og stirrede på døren, som havde lukket

sig bag hans far og Howard.

Han følte moderens hånd på sit hoved. Med nænsomme strøg rettede den hans skilning. »Kennie,« sagde hun. »Du kan ride en hvilken som helst hest her på gården; hvorfor vil du absolut selv have et føl?«

»Åh, mor – det er jo ikke bare det at ride. Jeg vil have et føl, som skal være min ven. Det skal være *mit – helt mit eget* – mor ...«

Mens hun så på hans opadvendte ansigt, sved det hende i hjertet, at han så lidenskabeligt og intenst længtes efter at eje et føl – og hun forstod ham. Hun selv havde det ligesom Ken – *helt mit eget* – og hun vendte sig fra ham for at tage af bordet.

Nells kat mjavede tiggende ved hendes sko.

»Nej, Pauly – dette her er til hundene.« Nell havde nogle baconstumper og majsmelgrød på en stor tallerken. Hun rakte den til Ken.

»Bær det ud til hundene, min dreng.«

Chaps, den fede, krøllede sneppehund med lange hårtjavser på forbenene, var derude og savlede af iver. Den gule collie med hvid børstekrave om halsen og sørgmodige, brune øjne stod beskedent, høfligt og tålmodigt ventende, mens den logrede med sin langtoede hale og betragtede Ken.

Han stillede tallerkenen fra sig og vendte langsomt tilbage til køkkenet.

Hans mor havde travlt. Hun satte en tallerken mad til Pauly nær ved komfuret, tog dugen af bordet og rystede den, lukkede bordklapperne ned og skubbede bordet ind i hjørnet ved vinduet.

Hun tog de små, ovale forliggere op fra gulvet. »Kom her, Ken! Bær dem udenfor og ryst dem godt.«

Hun gik til vasken og hældte kogende vand i stegepanden.

Der, hvor hun stod, kunne hun se ham gennem døren. Han rystede forliggerne meget langsomt – han legede med dem – og prøvede at skræmme hundene. Det mindede hende pludseligt om, da hun var en lille pige og af sin mor blev sat til at ryste forliggere uden for døren efter morgenmaden. Det var i deres sommerhus ved Cape Cod, efter at det var blevet for varmt at opholde sig i Boston ...

Panden fyldtes af vand ...

Hun plejede den gang at ryste tæpperne ganske langsomt, ét efter ét, medens hun så sig om, indsnusede den salte luft og lyttede til brændingens dæmpede buldren mod kysten, indtil moderen inde fra huset råbte, at hun skulle skynde sig med de småtæpper ...

Det kogende vand løb over og skoldede hende på hånden ...

»Skynd dig nu med de forliggere, Ken!«

Han kom ind med tæpperne. »Hvis blot jeg måtte få det føl?« sagde han som i trance.

»Nu skal du gå op og læse lektier, Ken, så du kan få det overstået.«

»Hvor skal jeg lægge tæpperne?«

»Læg dem på stolen. Jeg skal alligevel have gulvet fejet.«

Ken lagde dem fra sig og gik nølende hen mod døren til spisestuen. »Hvor skal jeg sidde med lektierne?«

»Hvor har du dine skolebøger?«

»I reolen oppe på mit værelse.« Han forsvandt gennem døren, og hun hørte hans slæbende trin op ad trappen.

Hun sukkede. Nu spekulerer han ikke på andet end det føl hele sommeren, tænkte hun. Bare Howard ville lade være med at drille ham så meget. Det nytter ikke at tale med Rob om det, han støtter bare Howard – siger, at Ken må kunne tåle den slags. – Jeg skal prøve at få lukket munden på Howard – bare Rob dog ville give Ken et føl ...

Hun skyndte sig at tørre tallerknerne og stillede dem på plads.

Der var ingen optændingspinde i køkkenet, så hun løb ud til brændebunken bag huset, hvor hun tog øksen og begyndte at hugge kvas så ivrigt og oplagt, som var det en tennisketsjer, hun svingede.

Det er rart, Gus ikke er i nærheden, tænkte hun. Da Gus for et par dage siden så hende i færd med at hugge brænde, havde han lempeligt fravristet hende øksen. »Vi er tre mandfolk på gården, missus, og så skulle De selv hugge brænde? Nej – det går ikke, så længe gamle Gus er i nærheden!«

De sagde altid formelt *missus,* og titlen havde i begyndelsen forekommet Nell meget pudsig. Inden længe lærte hun, at herude i vesten betød det simpelthen »kvinden« og dermed alt, hvad dette begreb omfattede af ømhed og moderlighed. I denne mandfolkeverden med ægtefælle og sønner, faste karle, løse arbejdere i høbjergningstiden og hestehandlere, betød dette at være gårdens frue, at der var en, de alle tog hatten af for, en, de alle hilste og adlød ærbødigt. I de store byer kunne kvinder blive arbejdsmaskiner eller hærdes til at trodse vanskelighederne på maskulin vis, men ude på gårdene – agerdyrkende farme eller opdrætternes *ranches* – måtte man, selv om man malkede køer og dresserede heste, vedblive at være kvindelig i al sin færd, ellers berøvede man de mange mænd noget væsentligt, noget så sødt og uundværligt som sukkeret i deres kaffe.

Hun bar optændingsbrændet ind, fyldte det i kurven ved komfuret og tog kosten. Gennem vinduet så hun en prangende rundbælg tumle over grønningen båret af vindstødene. Hun stod stille, mens hun iagttog den, hendes læber var let skilte, og hendes øjne strålede. Hun hørte kulingens drøn i nåleskoven – det lød som brænding, syntes hun – som havet. Hun kunne se træerne duve og svaje i blæsten. Det var en sådan dag, hun helst ville være ude, ride over højderne, hvor vinden kunne ruske hendes hår og drive hende flagrende med sig, som den havde drevet rundbælgen over grønningen.

Men først skulle hun feje gulvet, rede senge, gøre rent i huset og have maden færdig til middag. – Hun begyndte på rengøringen, mens hun sang:

Oh, the ship she sailed
Across the sea,
Good-bye, my lover, good-bye –

3

Da Ken forlod køkkenet, viste vækkeuret på væghylden ved krydderiskabet tyve minutter i ni. Han spekulerede på, om han skulle regne sin læsetime fra dette klokkeslæt eller fra det øjeblik, han trådte ind i sit værelse, eller måske først fra det nøjagtige tidspunkt, da han havde lektiebøgerne liggende fremme på bordet. Det var et meget vigtigt problem, som han ikke uden videre kunne løse. Derfor gik han langsomt og slæbende op ad trappen i håb om, at også denne tid kunne indgå i den befalede lektietime.

Han standsede på afsatsen foran billedet af anden. Hvis han blev stående og så på andebilledet, kunne han trænge ind i en ny verden. Han vidste nøje, hvordan det skulle gøres. For at komme ind i en sådan ny tilværelse skulle man blot i tankerne reducere sig selv til samme størrelse som det, man så på.

Når han lå ved bækken med ansigtet nær vandet og blev liggende længe nok, mens han forestillede sig, at han var en af de små krabber, der smuttede fra sten til sten, eller en af ørredungerne på størrelse med en lille elritse, fik han efterhånden en tydelig fornemmelse af, at han befandt sig nede i vandet, så han næsten vidste, hvorfor småfyrene bevægede sig fra sted til sted, hvorfor de værdigt nærmede sig hinanden, passiarede et øjeblik og skyndte sig videre.

Det var uhyre spændende at trænge ind i en fremmed verden, navnlig når ens sædvanlige verden og kravene, den stillede, kedede en – som nu.

Men han var ikke tryg ved at blive stående. Hans mor kunne sikkert høre, at han ikke var gået helt op ad trappen. Han fortsatte opstigningen, gik langsomt gennem den brede gang, ind i sit værelse og lukkede døren hårdt i efter sig. Måske ville hans mor kontrollere, at hans læsning varede en fuld time.

Han så på vækkeuret, der stod på kommoden – næsten ti minutter i ni – det var pudsigt –.

Han stod stille nogle øjeblikke og så sig om. Han og Howard havde hver sit lille værelse.

Ken elskede sit værelse. Væggene var hvidkalkede, og der var et stort vindue ud mod terrassen og grønningen. Han havde en herlig udsigt. Sollyset strømmede ind.

Ken holdt allermest af sin lille nøddetræsseng, fordi den frem for noget andet var hjemmet. Egentlig følte han sig hjemme overalt, bortset fra skolen. De forenede Stater var hans hjem, og han kunne tydeligt føle det, når man sang *The Star Spangled Banner*. Gården her var hans hjem. Men sengen var det mest af alle ting. Når han lagde sig i den om aftenen, var det, som om han sank ind i en venlig favn.

Den var ikke særlig ordentlig. Drengene skulle selv rede deres senge, og han skyndte sig altid at få det overstået, inden han red ud om morgenen. Nu kunne han passende rette lidt på den. Det var en god og nyttig ting – næsten lige så vigtig som lektierne – måske kunne sengeredning blive medregnet i timen. Tæppet, der var lysegrønt med mønster af blå og blegrøde blomster, lå skævt og rynket over det byltede sengetøj. Han trak det tilbage, men gik i stå, fordi han kom til at kigge på væggen ved hovedgærdet.

Billederne – et på hver side af sengen – var otte tommer i kvadrat og havde yderst en flad træramme på en tommes bredde.

Inden for rammen ...

Han slap sengetæppet, gik nær til et af billederne og stod stille fordybet i en grundig betragtning af det. Det var nogle sjove mennesker! Det var bønder, havde hans mor fortalt, rimeligvis schweizere.

De gik i noget sært tøj. Manden var i hvid skjorte og havde broderede seler over den, på hovedet havde han en bulehat med en fjer og på benene korte knæbukser. Han holdt en fløjte i hånden!

Kvinden var i hvid bluse, et sort, snøret livstykke, vide skørter og havde et tørklæde på hovedet. Hun sad på en flad sten, som ragede ud over en å, og holdt sine bare ben dyppet i vandet. Hun bøjede sig frem og strakte armene for at kunne holde fast på en lille nøgen dreng, der stod i vandet og lænede sig mod hende. Han så ud til at være forskrækket og havde hævet den ene fod op over vandfladen, fordi en stor and, der svømmede rundt med sine ællinger, var søgt hen til hans ben. Hans krøllede hårtop var nøjagtig lige så gul som ællingerne, og under den så man hans runde ansigt med dets forskrækkede udtryk. Hans øjne var meget blå, hans kinder fede og røde. Drengens mor smilede overbærende til ham.

Faderen, der opholdt sig et godt stykke bag dem, skulle åbenbart beskytte dem, for han sad meget årvågen og var rede til når som helst at bruge sin fløjte.

En sådan verden havde Ken aldrig været i.

Han klatrede over sengen og kiggede nøje på det andet billede, der også forestillede bønder, men de var inde i huset.

På den ene endevæg af hans værelse fandtes det mærkeligste billede af dem alle.

Ken gik hen for at betragte det. I dets ene hjørne stod en tekst, som han kunne uden ad:

»Bed mig ikke om at forlade dig eller vende tilbage, for
    dér hvor du går, må jeg gå, og dér hvor du bor, må jeg
                                                    bo.«

Det var et ørkenbillede. En mand stod rede til at gå og så efter den unge pige, han ventede på. Men hun var løbet fra ham og havde slået armene om en kvinde. Teksten nede i hjørnet var noget, hun sagde. De var klædt i lange, folderige og stærkt farvede sjaler.

»Bed mig ikke om at forlade dig,« mumlede han. Der var noget meget tiltalende ved ordene, som fik ham til at mumle dem i rytme. Der var i dette billede noget mystisk, som ikke fandtes i de andre, noget fuldvoksent, gådefuldt og spændende.

»Bed mig ikke om ...« Det gav et sæt i ham, og han skyndte sig atter hen til sengen, da han hørte raske trin over køkkengulvet i stueetagen. Uden for køkkendøren lød hans mors stemme: »Kom her, Kim! Kom her, Chaps!«

Nu redte han sengen rigtigt og glattede tæppet over den. Det så pænt ud. Han kiggede længe på det, mens han blev enig med sig selv om, at nu *måtte* han vist tage fat på sine bøger.

Hans skrivebord stod nær ved vinduet. Det var et almindeligt bord med nogle få skuffer, og over det hang en lille reol med tre hylder. Der stod ikke bare skolebøger, men også nogle eventyrsamlinger, foruden »Castle Blair« – og hvilken verden åbnede den ikke for læseren – en hel bande børn, som boede på et slot i Skotland! Han kendte slottet lige så godt som de. Så var der bogen »Hinsides Nordenvinden«. Og der var ...

Hans blik gled over rygtitlerne, og han sukkede dybt. Han befandt sig slet ikke godt og spekulerede på, om han måske skulle kaste op.

Ken tog beslutsomt regnebogen frem, satte sig ved bordet, åbnede den og faldt i staver.

Shorty – den grimme, brune Shorty med stort hovskæg over koderne og tyk pandelok, med så korte ben, at hans far sagde, den var bygget som en grævlingehund.

Men han rider altid Shorty, når der er strengt arbejde at klare, tænkte Ken. Howard har Highboy. Gud ved, om de har fået sadlet? Hvis jeg bare måtte ride Shorty, kunne jeg sikkert alene drive hestene sammen. Den gør det helt af sig selv og ved altid bedre end nogen anden, hvor stoddene befinder sig, når man skal have fat i dem – Gud ved, hvordan den bærer sig ad, men den kan vel lugte dem. Den ved, i hvilken retning de har tænkt at stikke af, og den finder altid genveje, så den kommer foran dem. Mon den kan lide at gøre det? Den er jo selv en hest og burde egentlig holde med de andre heste i stedet for at hjælpe med til at fange dem. Det er vel noget i retning af at lege »sidst«. Far siger, at Shorty er den klogeste hest på gården, men jeg kan ikke lide den. Der er noget simpelt ved den. Jeg kan meget bedre lide Banner ...

Kens øjne blev drømmende fjerne, mens hans tanker fremtryllede billedet af Banner, den store gyldenbrune hingst, som avlede den normale, årlige tilgang af tyve føl. Alle unghestene – treåringer, toåringer, etåringer og de sidste vårføl – var faldet efter ham.

Banner var kongelig. Han var aldrig blevet redet af nogen, men han og Rob McLaughlin var venner og forstod hinanden. Nell sagde, at før hun kom her til vesten, havde hun aldrig anet, hvor meget en hingst kan ligne et menneske.

Ken havde set sin far stå ganske nær Banner, så de havde front mod hinanden. Banners ører var rejst og dens næse stukket frem med spilede bor, som ville de indånde den karakteristiske lugt af manden. Banner stod på stive, lidt skælvende ben og snusede. Han holdt aldrig af at komme for nær til et menneske.

Også Kens far stod på stive, skrævende ben, som man ofte så ham i marken. Han foldede armene over brystet, lagde det runde hoved med det tætte, krøllede sorte hår godt tilbage og talte med dæmpet, monoton stemme, som kun »Banner« kunne høre. Det var, som lagde de råd op med hinanden.

Det var Banner og hans far, der drev ranchen.

Pludselig hørte Ken lyden af heste, som nærmede sig huset.

Han sprang så ivrigt op, at stolen fiskede i et af bordbenene, og han faldt, så lang han var. Han kom hurtigt op og hen til vinduet. Dér var de! Chaps var også med. Chaps og Shorty var vældig glade for hinanden. Shorty ville altid gerne have Chaps med, fordi Chaps var en fornuftig hund. Det var Kim ikke. Han var nok spærret inde. Han lavede altid ulykker. Chaps sprang og dansede under Shortys mule, ja næsten mellem hans forben. Når han gjorde det, så det altid ud, som om han snappede efter Shortys næse, men det havde hesten ikke spor imod. Måske var det deres måde at kysse på. Banner kunne ikke lide det – Chaps havde at holde sig på afstand af hingsten.

Ken lænede sig så langt ud ad vinduet, at han kunne se de sidste heste, mens de i luntetrav passerede grønningen og forsvandt bag husgavlen.

»Ken!« Det var Nell, som kaldte fra det åbne vindue under ham. »Hvad laver du?«

Han skyndte sig tilbage til bordet og sørgede derved for at kunne svare uden egentlig løgn. »Jeg arbejder med regneopgaver.«

»Hvad var det for et rabalder?«

»Min stol væltede.«

»Hvad væltede den over?«

»Den væltede bare sådan ...«

Nell tav, og Ken samlede al sin energi om at skule til den åbne regnebog. Han måtte lægge en plan. Han ville repetere stykket om brøkers forkortelse. Det var ret morsomt. Det var sjov at overstrege tallene både under og over brøkstregen og ende med, at det hele blev til ingenting.

Han ledte efter sit kladdehæfte, åbnede alle skufferne og fandt det.

Så hørte han Nell komme op ad trappen. Hun åbnede døren.

Hun havde nogle rene løbere over armen, gik hurtigt ind i værelset og skiftede løberen på kommoden.

»Ken! Mon det ikke var en god idé, at du brugte disse læsetimer til din stil?«

»Hvad for en stil?«

»Den du ikke fik skrevet. Hvis du nu skrev den rigtig pænt, kunne vi sende den til rektor og fortælle ham, hvordan det gik til, at du ikke fik gjort noget ved den til årsprøven – at du kom til at tænke for meget over den – så vil han måske give dig en pæn karakter for arbejdet.«

»Stilen om Albino,« sagde Ken eftertænksomt, mens hans blik søgte mod vinduet. »Hvordan skulle den begynde?«

»Har du noget papir?«

»Ja.«

»Så lad, som om du skulle fortælle en eller anden om det – en, der ikke ved besked i forvejen. Mig, for eksempel. Jeg kunne jo have glemt det hele. Hvem var for resten Albino?«

Ken smilede skævt og sagde: »En stor, hvid hingst – den var vild, en rigtig *bronc* – som kom over grænsen fra Montana, da de havde den store tørke. Far sagde, han var en grim satan, men pokker til hest ...«

»Det lyder storartet,« opmuntrede Nell. »Hvad foretog han sig?«

»Huggede alle andres hopper, og da de havde den store fælles sammendrivning af heste om foråret seks år senere, fangede de ham og alle hans hopper, og alle opdrættere her omkring fandt ved den lejlighed nogle af de følhopper, som var blevet borte for dem, og Albino havde også taget Sigøjner.«

»Hvem var Sigøjner?«

»Det var fars polohest, som han havde haft med sig fra hæren, og han havde indlemmet hende i følhoppernes stod, og han regnede med at få en masse gode føl af hende.«

»Og hvad så?«

»Men Albino stjal hende, eller også løb hun frivilligt over til ham. Da de så fangede dem begge to det forår, du ved, fandt de også Sigøjner med fire føl, og far tog dem alle sammen med tilbage til gården. Og alle hendes føl og plage var rene skønheder, de var både stærke og hurtige, men forfærdeligt vilde. Far solgte to vallakplage og anbragte hopperne i avlsstoddet, men han kunne aldrig tæmme dem. Han sagde, at der var skidt blod i Albino. *Loco,* forstår du. Raket er en af dem. Hun var den bedste af de fire.«

»Hvordan gik det Sigøjner? Lever hun?«

»Nu er hun tre og tyve år og har ikke så mange tænder tilbage, så hun er lidt sølle at se på, fordi hun ikke kan tygge foderet ordentligt, men hun foler næsten hvert år, og det er altid nogle udmærkede føl.«

»Ved du hvad, Ken – det er jo en glimrende stil, du har fortalt mig. Jeg synes, du skulle kalde den *Historien om Sigøjner.*«

Hun gik hen til ham og stod bag hans stol.

»Begynd på den med det samme, min dreng.«

»Nu er timen jo næsten forbi.«

»Du kan skrive den færdig i morgen.«

Ken sukkede dybt og skrev »*Historien om Sigøjner*« med pæne bogstaver øverst på arket.

Nell forlod værelset. Han hørte hende åbne døren til kosteskabet, hørte hende tage tæppemaskinen ud og gå ind i sit eget værelse, hvor hun fejede gulvet.

Han hævede hovedet og lyttede efter lyde langt borte. Hvor langt mon de nu var nået ned ad vejen? Hvordan ville Banner opføre sig, når Shorty var med? Hingste kan ikke lide vallakker – de bryder sig kun om hopper – Banner ...

Hans hidtil så modvillige blyant tegnede et langt hesteansigt – to årvågent rejste ører – den begyndte på en manke, som flagrede i blæsten.

Ken styrtede afsted. Han skød genvej. De havde været borte næsten en time, og de var til hest ... Måske kunne han møde dem halvvejs på tilbageturen og se hele hesteflokken passere forbi. Han skulle finde et godt skjulested, så hans far ikke opdagede ham.

Han travede langs overrislingsgrøften. Den var tør, fordi vandet endnu ikke var ledt ned over engene. Ved at følge den kunne han undgå leddene og vejen. Howard *var* måske blevet anbragt ved et eller andet led.

Han så sig godt for. Ikke en hest at øjne noget sted. Hvis jeg nu havde haft min egen hest, tænkte han, kunne jeg have redet. Den kunne sagtens holdes i kort jagtgalop ad overrislingsgrøften.

Et filter af tjørn og bitre slåenbuske, som groede ind over grøften, spærrede hans vej, men han masede sig igennem dem.

Hvor pigtrådshegnene passerede grøften, lagde han sig fladt ned og mavede sig under dem.

Han pustede anstrengt. Han tabte altid vejret hurtigt i den første tid, han tilbragte på gården efter den lange vinter i Laramie. Han satte farten ned og fortsatte i luntetrav. Vejen faldt ham lang.

Han forlod grøften og klatrede op ad en bjergknold. Herfra kunne han se Gus og Tim på arbejde ved vandingsgrøften i den skæve eng, og han kunne høre deres stemmer. Tim svang en hakke. Lyden af dens slag nåede ham først nogen tid efter, at han havde set den ramme jorden.

Godt og vel en mile længere borte kunne han se Castle Rock, den store fremspringende stenblok, der rejste sig halvfjerds fod høj med tårne og tinder og volde som en rigtig befæstet borg. Den knejsede over espetræslunden ved engens fjerneste ende.

De måtte være dér nu, et eller andet sted i nærheden af klippen. Hans far var ved at samle hopperne og deres føl, trænge dem ud fra skovstykket for at drive dem langsomt gennem engen. Han jagede aldrig med dem. Han holdt dem gående i langsomt skridt hele dagen, lod dem standse for at græsse og havde kun hånsord tilovers for ryttere, der galoperede rundt og råbte op, mens de drev hesteflokke i trav.

Ken fortsatte ned ad bjergskrænten med kurs mod den store klippe. Han løb så længe, han orkede, og standsede så for at få vejret og lægge en plan.

Han befandt sig nu på det åbne græsland, som sænkede sig ned mod pigtrådshegnet omkring engen. Herfra kunne han se det store led stå vidtåbent og bundet tilbage. Det var gjort, for at hopperne skulle søge op til stedet, hvor han nu befandt sig. Der gik en slags vej, som det ville falde dyrene naturligt at følge. Den drejede først mod nord, derefter mod øst over græsmarkerne, til den løb sammen med vejen, der førte fra Lincoln-chausséen til gården. Måske ville hans far drive dem denne vej, gennem grønningen og kløften og op til staldene for at give dem et foder havre, inden de skulle videre gennem hjemmefolden og derfra til græslandet ved Svajet.

Hvis han kunne finde et gemmested her i nærheden, hvorfra han havde udsigt til leddet, kunne han se dem passere ganske nær forbi.

Han så sig om efter et skjul. Hist og her fandtes forrevne og fremspringende blokke af undergrundens lyserøde granit, hist og her små grupper af ribsbuske.

Han valgte buskene, satte sig i skjul bag en af dem og gispede efter vejret. Nu måtte han have åndedrættet bragt i orden.

De var da en farlig tid om at komme. Han stak hovedet frem fra busken, lyttede og spejdede, men der hørtes ikke en lyd, og han kunne heller ikke se en eneste hoppe på engene. De var nok alle sammen inde i espelunden, hvor træer og klippeblokke skjulte dem. Han trak sig tilbage bag busken, lagde sig på ryggen og var pludselig meget træt og meget lykkelig. Skolens vidnesbyrd, det tabte dækken og den tvungne lektielæsning – alt dette ubehagelige – var nu veloverstået. Græsset omkring ham duftede sødt. Snart skulle han se sin far og Banner drive avlshopperne og føllene op fra engen. Himlen var så nær. Den spændte sin blå kuppel over ham. Her på gården kunne man altid se, at himlen var buet – den var ikke flad. Skyerne virkede meget massive med klare og sælsomme former. Vinden drev dem gennem det blå rum – inden længe sov han fast.

Han vågnede med et sæt af en så dyb bevidstløshed, at han syntes, at han måtte have sovet flere timer.

Han var helt fortumlet og satte sig over ende, mens han prøvede at samle tankerne. Så huskede han pludselig alt og kom på benene – var det mon for sent? – måske havde de passeret stedet, mens han sov – han løb fra sit skjul bag busken og hovedkulds ind i hesteflokken.

Hopperne var på vej op fra engen og bevægede sig næsten lydløst på græsset. McLaughlin var bag dem og Banner midtvejs på den ene flanke af stoddet. De gik roligt som køer på vej til malkepladsen.

Forrest var en kraftig, langbenet hoppe med skinnende sort hårlag. Hun satte mulen i vejret, og hendes vilde, stirrende øjne havde hvide ringe. Det var Raket, Albinos gale datter.

Da Ken for ud fra sit gemmested bag busken og var nær ved at tørne sammen med hende, snøftede hun rædselsslagen og gik øjeblikkelig på bagbenene.

Et øjeblik stod Ken under hendes forbens sorte, svinglende hove og kunne lugte sveden på hendes krop, så vred hun sig sidelæns, satte af i et vildt spring og flygtede. Ken syntes, der var hundreder af heste, som stejlede, sprang og spredtes i flugt.

Føllene var skrækslagne. De gjorde brat omkring og galoperede efter deres mødre, som de holdt sig så tæt til, at man skulle tro, de var bundet til dem med usynlige reb.

Ken så kun hestekroppe og hesteben, der tordnede forbi ham, og efter dem føllene som mindre, ilende skygger. Så hørte han sin far råbe, hørte hans langtrukne kalden: »Hoa! – Hoa! – Hoa dér!« Den nåede vidt og plejede altid at virke meget beroligende på heste, men denne gang var det, som om de slet ikke hørte ham.

Ken klatrede hurtigt hen til nogle sammenbunkede klippeblokke og op på dem, så han kunne se alt, hvad der skete.

Raket var flygtet i en retning vinkelret på marchvejen og fløj nu afsted som en væddeløbshest med alle de andre efter sig. Hun havde kurs mod den stejle skrænt, Rock Slide, et sted hvor græslandet blev afbrudt af en lang, krum, nøgen klippe, hvorunder nye græsgange bredte sig. Den var så stejl, at han og Howard ikke kunne gå ned ad den, men måtte sætte sig på hælene og glide. Ingen hest, uanset hvor sikkert den stod på sine ben, kunne klare skrænten, den ville styrte og rulle, slynget fra klippeblok til klippeblok, til den nåede bunden, og sådan ville det gå enhver, som fulgte den – alle avlshopper, alle plage og føl ville styrte hovedkulds ned, rulle, slå kolbøtter og knuses mod sten.

»Hoa! – Hoa! – Hoa!« lød McLaughlins stemme desperat og dog beroligende. Han galoperede, alt hvad han kunne, for at afskære Raket vejen mod afgrunden, men hun havde stort forspring, og Shorty var langsom i bevægelserne.

Ken stønnede. Rock Slide – den sorte galning Raket. – Den var gået amok, og for en gangs skyld syntes hans fars stemme magtesløs.

Da så Ken, hvordan Banner, den store hingst, brød frem gennem flokken. Dens rødgyldne hud lyste som en flamme i sollyset. Dens hove tordnede.

»Åh, skynd dig, Banner – skynd dig!« råbte Ken i sin kvide, mens han hoppede op og ned på stenbunken

Banners ører lå fladt tilbage, den havde sænket hovedet og strakt det fremad, så det lignede en direkte forlængelse af halsen. Den var rasende. Intet kan gøre en hingst mere flintrende gal, end at en hoppe bryder ud af flokken under hans kommando. Hvis han blot kunne nå Raket, ville han slå hende halvt ihjel ...

De to heste tordnede afsted i konvergerende retninger, men Banner vandt ind på Raket. De mødtes ganske nær ved Rock Slide. Banners hoved rejstes pludseligt over Rakets, hårene i hans gyldne manke blandedes med hendes sorte, hans mund var åbnet, de store tænder blottede.

Han smækkede kæberne sammen, Raket udstødte et rasende hvin og stoppede brat. Banner gjorde lynsnart omkring og slog bagud, så hans hove ramte hendes sideben med et drønende spark. De andre hopper standsede op omkring dem.

Banner syntes at være alle vegne på samme tid, bidende, drivende, drejende og sparkende hopperne tilbage. Efterhånden som de gjorde omkring og kom i gang sænkede han atter hovedet og angreb dem. Han svingede frem og tilbage i lange halvkredse, til de alle havde ændret front og var kommet i fart på ret kurs tilbage mod græslandet og vejen.

Ikke en eneste hoppe gået tabt – ikke en plag eller et føl lemlæstet eller ødelagt – selv den vilde Raket gik ydmygt, stakåndet og skumplettet tilbage mod vejen ...

Den rædsel, Ken endnu følte, gjaldt ham selv. Tænk, om hans far havde set ham! Det var ikke sikkert. Måske troede han, det var noget andet, som havde skræmt hestene, en prærieulv for eksempel, eller Rakets særlige form for vanvid.

Han lod sig glide ned fra den store sten og blev siddende på jorden. Han måtte være ganske godt skjult på dette sted, der var omgivet af stenblokke og ribisbuske.

Hans hænder var iskolde, og de sitrede af rædsel over, hvad han havde bedrevet, eller hvad tabet af følhopperne – blot nogle få af dem – ville have betydet for hans far.

Han hørte hestenes hovslag fjernere og fjernere og begyndte at ånde en smule lettet op. Så faldt en skygge over ham, han kiggede i vejret og så sin far på Shortys ryg.

Ken mødte kun et kort nu det gnistrende vrede blik under den brede stetsonhats nedkrammede skygge, før han bøjede hovedet og sad tavs.

»Jeg – jeg ville bare gå ud for at se hestene,« mumlede han omsider.

McLaughin sagde intet.

Ken kiggede på ny op på ham, og udtrykket i faderens ansigt gjorde ham brændende hed over hele kroppen.

Han råbte fortvivlet: »Det var ikke med vilje, far – det var ikke min mening at skræmme dem –.«

Han ville gerne have fortsat, have forklaret, at han var faldet i søvn, og at han, så snart han vågnede, løb frem fra sit skjul for at se, om hestene allerede havde passeret ham – og så var Raket lige ud for ham. Men han fik ikke tid til noget forsvar. Uden at svare, uden at komme med nogen bebrejdelse, vendte McLaughlin Shorty og red i kort galop efter hopperne.

Ken følte det, som var han blevet forvist fra gården, lukket fuldstændig ude fra alle de interessante opgaver, som Howard fik lov at deltage i. Men værst af alt var dog, at hans far havde lukket sit hjerte til for ham. Han havde altid håbet, at han kunne blive sin fars ven, og nu skete dette forfærdelige så kort tid efter, at han var kommet hjem. Ken følte sig kraftesløs svag af fortvivlelse. Han støttede panden mod sine optrukne knæ og knyttede næverne hårdt.

Lidt efter gled han til hvile på ryggen og sov atter – en dybudmattelsens søvn denne gang som erstatning for de timer, han havde mistet ved at ride ud tidligt om morgenen.

Først længe efter middag vækkede et fjernt, skrattende og sørgmodigt høgeskrig ham. Han åbnede øjnene og så lige op i den blå himmel, hvor rovfuglen kredsede over ham.

Vinden var løjet af. Høgen kredsede og skreg atter. Ken gabte inderligt og blev liggende med en arm inde i ribisbusken, mens han iagttog høgen.

Omsider satte han sig op, støttet til stenen. Hans blik gled over landskabet og så alt, men åndsfraværende og ubevidst.

Næppe tolv fod fra ham kom et væselhoved på en lang hals op af et markmusehul under en stor sten. Dens bløde pels var gråbrun som jorden. Havde den ikke bevæget sig en lille smule, og havde Ken ikke netop set på stedet, hvor den kiggede frem, ville han aldrig have opdaget dyret. Det mindede ham om et lille periskop, som blev stukket op af jorden. Hoved og hals gik ud i et, så det næsten kunne se ud, som om øjnene og de bitte små ører var anbragt på selve halsen. Den snoede sig pudsigt, mens væselen så sig om. Pludselig var det, som om den stirrede direkte på Ken. Efter at den nogle øjeblikke ganske uanfægtet og vurderende havde betragtet ham, trak den hovedet tilbage og forsvandt.

Ken sad stille og prøvede at knytte trådene mellem de overståede og de ventende begivenheder. Han skulle snart stå ansigt til ansigt ikke blot med sin far, men alle på gården, og de ville uden undtagelse være klare over, at han næsten havde skræmt avlshopperne i døden på Rock Slide.

Nu kunne han naturligvis ikke gøre sig håb om at blive ven med sin far.

Denne sommer fik han i hvert fald intet føl.

Høgen kredsede lavere og skreg på ny, men Ken hørte det ikke. Den svingede helt ned over ham med sine seks fod brede, brune vinger spredt og kløerne spilede til greb om stenkanten.

Da dens skygge ramte ham, så Ken op og gav et sæt af forskrækkelse. Høgen slog nogle voldsomme slag med vingerne og gled sidelæns bort.

Ken rejste sig og begyndte hjemturen.

Hvis han ikke kunne få et rigtigt levende føl, kunne han i hvert fald tænke sig til et. Han fik et nyt udtryk i øjnene. Måske et der lignede Raket – sort og skinnende blankt med næsen i sky og vajende manke og hale. En plag med al Rakets vildskab og djævelskab i kroppen –.

Eller som Banner. Hvor pragtfuldt havde det ikke været at se ham fare afsted efter Raket – se ham herse med alle hopperne – hans lange, smalle ansigt under den brede pande, hårlagets gyldne flammeskær – det var så klart som kulgløder i komfuret –.

Kens læber skiltes lidt i et smil.

4

Banner fik sit navn som toårig plag den dag, da Nell første gang så ham.

Hun red alene en tur over Svajet en eftermiddag i august. Hesten gik i kort, let galop, og hun drejede under ridtet en blød snoet læderpisk med sin højre hånds fingre. Den vante sydvestvind fra Rocky Mountains sang i hendes ører og vævede et luftslør mellem himmel og jord. Hendes hvide silkeskørt fyldtes af blæsten og bovnede op som en ballon. Græsset på bjergskrænterne lagde sig for blæsten, krusedes i bølger og rejste sig atter med en uafladelig, sagte mumlende lyd.

Nogle steder var høhøsten i gang, og dens stærke, krydrede duft – sensommerens duft af hø og mynte, nåletræer og sne – var så bittersød og stærk, at den sved i lungerne. Milevidt borte råbte en rancher til sine heste, og lyden nåede hende som et ekko, der blev musikalsk og gribende på grund af fjernheden. Hun var ganske betaget af fryd, mens hun stadig drejede sin bløde cowboypisk mellem fingrene og lod sig vugge i sadlen af hestens rytmiske bevægelser. Hun følte sig så legemløs let, det var, som om jorden hævede sig fra begge sider mod denne pashøjde i en bølge, og som om hun blev båret lettere end skummet over bølgens kam.

Den grå vallak, hun red, spidsede pludselig øren. Hun var kommet i nærheden af følhoppernes stod. Efter et sving på ridestien så hun dem i tydeligt alarmberedskab med front mod hende og hovederne årvågent rejst. Nell holdt hesten an og sad stille for at kigge på dem. Nogle af dem galoperede bort – føllene tæt trykket ind til deres mødre – for at standse noget længere fra hende, hvor de gjorde omkring og atter spejdede mod ryttersken.

En enkelt hest med smukt, kastanjebrunt hårlag, en ung, frygtløs og eventyrlysten plag skilte sig ud fra flokken og nærmede sig hende i frit, spændstigt trav. Der var en næsten glødende nysgerrighed og forventning over plagens knejsende hoved og spilede næsebor. Dens gyldne hale var løftet højt, så dens hår bredte sig som vifter til begge sider, dens smukke, tætte og lyse manke bølgede, og det så ud, som sejlede dyret med blæsten ombølget af vajende bannere.

Deraf kom dens navn, som blev nøjagtig stambogsført for avlshingsten på Goose Bar Ranch, Banner faldet efter Hamilcar ved araberhoppen El Kantara.

Efterhånden som årene gik, blev hans mørke, kastanjebrune hårlag blegere, mens den blonde hale og manke mørknede, så hingsten nu i sin fulde kraft var lysende rødgylden overalt. Navnet passede stadig til ham. Han havde ikke mistet spor af sin utæmmede gratie eller sin ungdoms hede frimodighed.

Det var endnu, som gled han med blæsten for fulde sejl, når han kom i sit svævende trav med knejsende hoved og de frie, spændstige bevægelser.

Da månen denne aften hævede sig over kimingen, stod hingsten efter dagens lange rejse med følhopperne til sommergræsgangene, som han så ofte gjorde det, på en af de isolerede, stenhårde klippetoppe, der fandtes spredt langs Svajet. Han stod som på en slisk med forbenene højest, hovene solidt plantet på selve klippetoppen og den lange, skinnende krop skrånende nedad. Hans hoved knejsede, hans ører var rejst i vagtsom lytten. Han var et symbol på kongelig magt og vælde.

Under ham og rundt om ham bredte sig en større verden, end selv han med al sin styrke og hurtighed nogen sinde kunne tage i brug, den samme verden af bjerge og sletter, højland og klipper, taffelland og fjelde, som Ken havde frydet sig over i den tidlige morgen.

Inden for en radius af få hundrede meter fandtes hans hopper – godt en snes og deres føl – som alle var trætte efter dagens lange vandring fra engene til bjergets skrænter. Nogle græssede, nogle havde lagt sig på siden i den uklædelige afslappelse, der virker så grotesk, når det gælder fuldvoksne heste, men så bedårende kejtet, hvor det gælder føl. Græsset under dem var blødt og fjedrende som en vældig pude, muld og heste var hinanden så nær som to sammenpressede håndflader, mens de lå dér i tryg søvn under den årvågne hingsts beskyttelse.

En fjern torden af hovslag dunkede gennem luften og svandt på ny. Banner drejede øjeblikkelig hovedet og spidsede øren. En mile eller måske længere borte var en flok årsplage på farten. Et eller andet havde skræmt dem, eller måske skulle de kun have luft for deres overskud af ung kraft og tossede omkring, mens de gjorde nat til dag.

Nærmere hørtes en lille, skræmt vrinsken, kun et lille, bange pip i natten. Et føl havde græsset for langt borte fra moderen, var pludselig blevet klar over sin ensomhed og havde i rædsel følt hele sin verden slået over ende.

Banner iagttog roligt den langbenede unge, der galoperede fra hoppe til hoppe, snusede til dem og peb af skuffelse.

Omsider hævede den flegmatiske mor hovedet fra græsset og kaldte på fyren. Han standsede midt i et galopspring, gjorde omkring, vrinskede og løb hen til hoppen for straks at stikke hovedet ind under dens bug. Føllet pattede på den gummiagtige, sorte pose, der føltes så fast og varm mod dets læber, og bællede beroliget og veltilpas modermælken i sig.

Omsider drejede Banner sin vældige hals og så i en ny retning – ned mod gården, hvor dens guddom holdt til.

Havre!

Lugten af den store, hårde, muskuløse hånd, som holdt foderkarret!

Den bydende stemme, der gik hingsten til marv og ben!

Alt dette hørte sammen med den største godhed, Banner nogen sinde havde kendt. Hans verden strakte sig ikke længere. Han og McLaughlin drev denne ranch i fællesskab. Om efteråret skilte de vårføllene fra deres mødre på den måde, at Banner drev, bed og sparkede hopperne bort, mens McLaughlin lukkede føllene i fold. I vinterens hårdeste snestorme bragte Banner hopperne hjem over milevide stræk i sikker forvisning om, at McLaughlin før deres ankomst ville have åbnet led og porte og have fyldt foderskurets hække med hø. Nu og da havde Banner måttet gøre – eller finde sig i – noget, han ikke forstod; men også det anerkendte han. Når Robert McLaughlins gnistrende øjne befalede, krævede Banner ikke mere forklaring.

Nu steg der røg op af stuehusets skorstene.

Banner kunne både se og lugte den. Det var en kendt og god lugt. Hans rejste ører sitrede og lyttede anspændt. Undertiden kunne han skelne stemmer, råb, hundeglam, klavermusik eller radio i den blanding af gode lyde, som nåede ham. Det hørte jo sammen med Rob, med husly og foder og kammeratskab. Denne aften hørtes ikke andet end dunkene fra vindmøllens pumpeværk.

Banner drejede hovedet tilbage og stod med halsen strakt. Månen skinnede ham i ansigtet. Den gyldne glød, der fandtes i hans øjne, når han var på vagt, slukkedes, og øjenlågene lukkedes halvt i.

Også Nell kiggede mod den stigende måne.

Hun stod i dagligstuens dør og så ud over terrassen og grønningen.

Det var en hollandsk dør, delt på tværs i to halvdele. Nell støttede albuerne på den nederste halvdørs kant og hagen i sine hænder, idet hun bøjede sig let forover.

Hun havde redet tur om eftermiddagen og var stadig iført sine sorte ridebukser og en hvid silkebluse.

Hun var, som så ofte, dødtræt om aftenen og måtte dog minde sig selv om, at hun skulle skrive breve og lægge dej til næste dags bagning; men alligevel stod hun ørkesløs her og så ud over grønningen.

Hun tænkte på Ken, på hvad han havde lavet i dagens løb og på, hvor rasende Rob havde været.

Der var ikke blevet sagt et ord til Ken om sagen.

Howard, som altid fulgte sin fars eksempel, ignorerede også Ken. De talte om hopperne, om plagene, om hvor højt græsset var, hvilke hopper der endnu ikke havde folet, og om den lange ende af en lasso, som stadig sad om halsen på Raket. Den stammede fra et tidspunkt, der lå mere end et år tilbage, da Rob havde prøvet at få Raket i boks og den havde sprængt tre lassoreb i træk. Nell måtte køre ind til byen efter nye reb, til de inde i Cheyenne begyndte at spørge om, hvad det var for et balstyrigt bæst, kaptajn McLaughlin prøvede at tæmme.

Når McLaughlin havde måttet opgive forsøgene og ladet Raket være, skyldtes det, at den havde sparket tømmeret om den smalle indgang til boksen fuldstændig i splinter og derved havde skamferet sine ben og krydset, så han frygtede, den skulle blive invalid.

»Jeg har altid været ked af den løkke, hun har om halsen,« sagde Rob, mens de spiste aftensmad. »Jeg er bange for, den kvæler hende en skønne dag, hvis hun hænger fast i en busk eller et pigtrådshegn. Man må aldrig slippe et dyr løs med et halsreb, ja ikke engang med en grime på – ikke hvis det løber vildt omkring i længere tid.«

»Hvad gør det, om den kvæler hende?« spurgte Howard. »Du har altid sagt, at hun ikke var til nogen nytte for dig.«

»Vi har et ansvar for vore dyr,« svarede hans far. »Vi udnytter dem; vi spærrer dem inde, vi tager deres naturlige foder og vand fra dem; men det kræver, at vi fodrer og vander dem. Vi berøver dem friheden, binder dem, tvinger dem i seletøj, men det betyder, at vi er forpligtede til at yde dem en anden slags beskyttelse end deres naturlige. Så snart man har lagt reb på en hest, så snart man har gjort den uegnet til at passe på sig selv, så er det ens pligt at passe på den. Forstår du ikke det? Det reb, hun har om halsen, betyder en fare for hende. Jeg har anbragt det dér; men så er det også min pligt at få det fjernet.«

Ken havde ikke mælet et ord, men spist sin mad i tavshed.

Da han ved sengetid gik hen til sin mor for at give hende et godnatkys, lagde hun sin hånd på hans nakke, og han trykkede et kort øjeblik sin pande imod hende. Så kyssede han hende hurtigt, gik over til sin far og gav ham et kys, hvorpå han skyndte sig i seng.

Der må simpelthen gøres noget ved dette, tænkte Nell. Bare Rob dog ville give ham et føl.

Hinsides grønningen rugede klippen som en sort silhuet mod den gyldne lysvifte, månen spredte bag den.

Granerne stod ubevægelige. Aftenen var stille og lummer. Højderne steg til højre og endte i klippen, som ragede ud over kløften. Til venstre sank konturen mod et intet ind over Kalvehaven. De unge popler – en halv snes eller så – Rob havde selv plantet dem – svajede sagte over grønningen. De var aldrig helt i ro. Deres kuplede løvtag dirrede af talløse blade, som hviskede sagte. De var lysere grønne end noget andet her

– som en ung piges sarthed set mod bjergets sorte granskæg.

Hvor havde det krævet tons af vand at få dem til at gro! De havde slæbt vand i spande – hundreder af spande fra bækken – og tømt det over poplernes rødder. Alligevel gik mange af dem ud, og nye måtte plantes i stedet. Rob måtte ustandseligt udplante små, nye popler. Havde han ikke været så stædigt udholdende, ville de aldrig være groet op. Om efteråret blev deres blade bleggule, faldt af og hvirvledes af blæsten over grønningen i snurrende søjler og kredse.

Jeg er glad for, at jeg har grønningen, tænkte hun. Det er som landsbyernes grønning hjemme i New England. Dette her minder meget om øststaterne – nej ikke helt! Ude øst på er der lunt og hyggeligt. Derude findes ingen afstande, ingen fjernhed, ikke det store, tomme rum – den grænseløse ensomhed. Der er ikke milevidt mellem mennesker. Ikke som her kun dyr. Græs og dyr og himlen. Man kan lugte ensomheden. Nej – det er tomheden, man kan lugte! Naturligvis kan man lugte den. Den *er* tom. Andre steder er landet fuldt af huse, fabrikker byer, mennesker og menneskeværk; men dette her er næsten ødemark. Den ejer sin egen søde, friske, syngende vildskab – man kan ånde her så frit som intet andet sted, lige fra man vågner om morgenen. Man *bæres* af denne øde friskhed. Det er, som kunne man svæve ud gennem vinduet ind i den blå himmel og selv være lige så ung og uberørt som landet.

Det er kun huset, der minder om øststaterne. Et New England landsted af blegrøde sten – ikke som vestens almindelige gårde. De er kun grimme arbejdshuse. Uordentlige! Gamle kasserede maskiner flyder overalt. Forfaldne bygninger stiver hinanden af. Man har vel ikke tid til andet, ikke den mindste smule energi eller et enkelt rådigt minut, når man har sluttet den forfærdelige, håbløse kamp for tilværelsen. Man har solen anbragt på et galt sted, hvor den svier og brænder og udmatter. Man har sorte skygger, hvor man ønsker solskin og varme. Ingen bekvemmeligheder. Bygningerne ligger i en tilfældig bunke – og dér bliver de liggende.

Hun hævede hovedet og snusede. Blomsterbedet nedenfor terrassen var fyldt af iris, forglemmigej, ridderspore, syren og petunier. Det var syrenduften, der mættede aftenens luft. Underligt at have syrener så sent på året – i New England ville de for længst være afblomstret.

Hun følte to små bløde poter mod sit ben. Pauly mjavede tiggende. Da Nell ikke ænsede det, begyndte katten at klatre op ad hendes ridebukser med kløerne i tøjet. Da den nåede hendes bæltested, måtte hun i selvforsvar tage den op og anbringe den i sin venstre, bøjede arm. Det var kattens yndlingsplads. Den lagde sit venstre forben om Nells hals og holdt fast med en fløjlsblød pote, hvor ikke den mindste klospids stak kradsende frem.

Nell rettede sig op med et suk, lagde sin kind mod Paulys bløde pels og glattede kærtegnende dens hår. Så tog hun sykurven frem og Kens flængede dækken.

Hun gik ind i arbejdsværelset til Rob og satte sig nær hans skrivebord, hvor han var i færd med at føre regnskab.

5

Den store gasolinlampe med glødenet på Robs skrivebord dannede en lyskreds, som omfattede dem begge i stuens halvmørke.

Nell sad med det ene ben oppe under sig. Det smalle ansigt med de fine, klare træk var bøjet over arbejdet, og hendes hår skinnede som rødbrun silke i lampeskæret. Hun havde altid passet godt på sine hænder med de lange, spidse fingre og mandelformede negle. De var stadig så glatte som de brune æg, hendes røde Rhode Island-høns lagde. Når hun talte, gestikulerede hun. Hænderne havde noget ærligt og oprigtigt over sig, noget der aldrig ville gramse gnieragtigt eller selvisk, noget troskyldigt spørgende og åbenhjertigt i de yderste, spinkle fingerled, der bøjede lidt bagover, som altid hos mennesker med et poetisk sind.

Rob iagttog ofte hendes hænder og syntes, de bevægede sig mærkelig viljeløst, som svajende tang. – Ken havde samme slags hænder. De tog ikke fast greb om noget. Men Nells var hurtige og sikre, som hun sad der og stoppede det flængede dækken med krydsende, blå uldtråde.

Nu og da kiggede hun fra arbejdet op på sin mand. Hans runde hoved, hvis tætte, sorte hår sad som en stram nakkehue om kraniet, havde så rene og hårde linjer som ansigtsprofiler på mønter. Da hun havde siddet tavs en tid, sagde hun pludseligt: »Rob – giv Kennie et føl!«

Rob svarede ikke. Måske havde han ikke hørt hende. Han var tavs og fordybet i sit arbejde. På bordet foran ham lå en stabel regninger og et kladdeark, hvorpå han skrev notater og tal.

Regninger, tænkte Nell. Hvis mon det er, som særligt optager ham? Han er så bekymret i denne tid. Han tumler ustandselig med tal, altid regnskaber, og jeg ved, han afskyer det. Han hader regning lige så inderligt, som Ken gør det – han har aldrig før været så optaget af sligt.

Hun tænkte pludselig højt. »Du plejer aldrig at tumle så meget med regnskaber, Rob.«

Det fik ham til at reagere, idet han netop da var færdig med en sammenlægning og markerede slutsummen med en tyk streg. Han lo kort og lænede sig tilbage i stolen.

»Jeg havde aldrig anset det for nødvendigt.« Han strakte sig dovent, rakte ud efter piben, som lå på askebægeret, åbnede sin lommekniv og begyndte at kradse asken ud.

»Går vi fallit?«

»Nå-e – nej! Vi er bunden meget nær –.« Hans stemme døde hen i tavshed, og Nells øjne flakkede angst, som ventede hun at se en eller anden lurende fare skjult i en mørk krog af huset.

»Har vi ikke altid været det? Er det blevet værre?« spurgte hun.

Han smilede lidt skævt. »Der gik lang tid, før jeg blev klar over det,« sagde han og tog sin tobakspung.

»Klar over hvad?«

»At jeg for hvert år, der går, bliver mindre og mindre værd i penge, i stedet for at det skulle gå til den modsatte side.«

»Går det os virkelig sådan, Rob?«

»Ja, det gør! En opdrætter og en landmand kan ikke vide, om han arbejder med tab eller fortjeneste, hvis han ikke hvert år gør meget nøje status. Det var noget, jeg engang læste i en af landbrugsministeriets meddelelser. Det fik åbnet mine øjne for problemet. Det er nemt at forstå, hvor nærliggende det er. Ens udstyr slides og ødelægges, bygningerne forfalder, man får tab i husdyrbestanden, gælden øges – men det sker alt sammen så gradvist, næsten umærkeligt, at man ikke ænser det. Man lader det hele køre og synes, at det går, som det plejer. Du kan finde mange eksempler her fra egnen. En eller anden sølle djævel prøver at forny et lån, måske at tegne et nyt lån, som han trænger meget hårdt til at få, og så opdager han, at der ikke findes værdier tilbage, som banken kan bruge til sikkerhed. Han har i lang tid været på retur – og han har aldrig vidst det. Opdagelsen rammer ham pludseligt. Han er fallent – og den foregående dag troede han, at han var kapitalist! Nu gør jeg mig den ulejlighed at finde ud af, hvordan jeg selv er stillet.«

»Og hvordan går det så? Går det også tilbage for os?«

»Ja, det gør!«

»Men vi sparer da mere og mere. Vi bruger langt færre penge end før; vi har ikke nær så megen hjælp – vi er praktisk talt gnieragtige –.«

»I begyndelsen havde jeg stadig nogle penge – det der var tilbage af kapitalen, da vi havde købt gården. Det var min mening at lade penge stå – og det burde jeg have gjort. Jeg havde håbet at kunne sende drengene på et universitet; men nu er den plan gået i vasken. Jeg troede naturligvis, at når jeg fik opdrættet af heste sat godt i gang, når de blev gamle nok til salg, skulle jeg tjene de udlagte penge hjem igen og lidt til, men udgifterne har altid været større end indtægten. Når man har så mange fuldblods heste, for eksempel, og stadig lægger nye til, bliver skatterne simpelthen ødelæggende.«

Navnlig dette kunne gøre Rob rasende. »Det er en idiotisk lov, der lægger store skatter på stambogsførte heste. Det burde være omvendt. Man skulle knalde sådanne skatter på alle de elendige bastarder, Wyoming er fyldt med, til man fik skidtet udryddet. Det ville være til gavn for staten. Jeg ville ønske, at vi ikke havde andet end stambogsførte heste her på gården. Dette afkom af Sigøjner og Albino har bragt en masse skidt blod ind i bestanden.«

Han sad et øjeblik med rynket pande. »Men det værste af alt er, at jeg ikke kan sælge mine heste med fortjeneste. I reglen kan jeg ikke engang få dækket mine omkostninger.«

Denne oplysning fik Nell til at gyse. Alt hos dem afhang af hestene.

»Priserne vil måske stige sagde hun, men hendes stemme sitrede af den angst, hun følte i sit hjerte.

Rob slog hårdt i bordet med bagsiden af hånden. »Nu er der en ting her, for eksempel – det er dyrlægens, Hicks' regninger – de kreperer mig. Han kan ikke gøre for det. Jeg bebrejder ham ikke noget, men det rokker ikke ved kendsgerningen. Tre besøg a femten dollars, og så døde hoppen alligevel –.«

Han lænede sig atter tilbage og dampede på piben, mens Nell fortsatte stoppearbejdet.

»Det er galt nok at betale dyrlægeregninger, når hestene kommer sig, selv om man aldrig kan vide, om man nogensinde får solgt dyret, så ens udgifter bliver dækket – men når de dør! Ved Gud, om jeg vil gøre det mere! De må klare sig, som de kan, enten de er syge eller sunde. De kommer sig, hvis man ikke gør noget og opgiver dem; de dør, hvis man henter dyrlæge og gør alt muligt for dem.«

Når Rob talte sådan, kunne det ske, at Nell følte en bølge af angst skylle igennem sig – næsten panisk rædsel. Åh Rob, Rob, hvad skal vi dog gøre? Hvis du bare var blevet i hæren og aldrig havde købt denne gård – men du ville absolut have den – du er akkurat som Ken. Når du virkelig ønsker et eller andet, er der intet, som kan få dig til at opgive det – og det hele skete kun, fordi du er så forelsket i heste, og fordi du var en glimrende rytter i West Point.

Hendes øjne var skjult for ham. Med sænkede låg fulgte hun uldtrådens væven ud og ind gennem dækkenstoffet. Hendes hænder dirrede ikke, så de derved kunne røbe hendes angst – den angst hun havde følt i årevis –.

»Dyrlægen må vente på sine penge,« sagde Rob. »Jeg må skylde ham dem – og flere til, for jeg skal have ni toåringer kastreret.«

»Hvornår kommer han?«

»Engang i denne uge. Jeg sagde, han selv kunne vælge dagen, da jeg nu har fået plagene i folden. Den arme djævel! Jeg gad vidst, hvad han lever af? Der er aldrig nogen, som betaler hans regninger. De har simpelthen ikke råd.«

»Rob, er der *aldrig* nogen, som tjener penge på opdræt?«

Han rystede langsomt på hovedet. »Ikke nu om stunder. Førhen lod det sig gøre, da der ikke fandtes markhegn og skatter – da man lod sine kreaturer græsse frit på statens jord – det var dengang, de store kvægbaroner dominerede. Dengang tjente man formuer på kvæg. Men det er forbi.«

»Jamen, Charley Sargent da? Han tjener sine penge på at opdrætte væddeløbsheste.«

»Han scorer måske engang imellem en gevinst. Et slumpheld – men i det store hele taber han mange penge i stedet for at tjene dem. Han arvede en formue. Nu bruger han den på en måde, som passer ham bedst, ved at opdrætte væddeløbsheste.«

»Var får ikke bedre?«

»Der er penge at tjene på får, hvis man har de rette græsgange til dem – det vil sige i de gode år, når priserne ligger rigtigt. Men det er hasard. Man kan tjene en masse og tabe en masse. De opdrættere, som nu driver fåreavl, er nye folk, som er gået ind til det med frisk kapital i ryggen. Jeg traf Summerville i Landmandsbanken og kom i snak med ham. Han sagde, at der ikke var nogen i Wyoming, som var solvente for tiden undtagen de opdrættere, som driver deres gårde for lyst og skaffer pengene fra andre erhverv. Og han ved, hvad han taler om,« tilføjede Rob bittert.

»Men hvorfor – hvorfor –,« sagde Nell, som ikke evnede at slutte sætningen. Hun følte på ny den paniske skræk.

»Hvorfor prøver vi da på det?« sagde Rob. »Jeg tror jo endnu, at heste må være det bedste at arbejde med.«

Han er akkurat som Kennie, tænkte Nell. Har han først fået en idé i hovedet, kan han aldrig mere slippe den.

»En stambogsført, veltæmmet fireåring af god afstamning er i hvert fald mindst dobbelt så meget værd som en præmietyr – måske fire gange så meget værd. Det er rigtigt, at en hest æder dobbelt så meget som et kreatur, og at man derfor på samme areal kun kan have halvt så mange af dem; men hvis der blot kom ordentlige priser på ædle heste, kunne man godt tjene penge. Det er priserne, som ligger i et galt plan.«

»Der er jo næsten ikke andre købere end hæren –.«

»Nej; og den betaler ikke nok! Ved hærens remontedepot koster det dem næsten tusind dollars at præstere en god fireåring; men os private opdrættere betaler man kun halvandet hundrede dollars, måske hundrede og femoghalvfjerds, for en tilsvarende hest. Til den pris kan man kun sælge med tab.«

»Men så til polo?«

»Poloheste er det eneste håb. En veldresseret polopony bliver betalt med priser fra to hundrede til to tusind dollars. Men dem skal man sælge enkeltvis under sadel – ikke i vognladninger. Jeg har desværre ingen forbindelser, som kan præsentere mine heste eller skabe kontakt med de rette købere.«

»Når drengene bliver voksne –.«

»Ja, netop! Howard og Ken. Med den start, vi har givet dem, vil de blive glimrende ryttere, de kan lære at spille polo – præsentere og sælge hestene, og til den tid, Nell ...«

Han vendte sit blik mod hende, og det var så intenst, at hun næsten ventede, hans øjne ville gløde i mørket – som katteøjne.

Hun lagde sit sytøj sammen og fjernede det. Den lille brune kat, der havde klemt sig ned ved hendes side i lænestolen, rørte på sig, strakte sig, trimlede mjavende om på ryggen.

»Hvorfor får du så travlt?« spurgte Rob.

»Jeg er færdig med at stoppe.«

»Vent lidt. Jeg er straks færdig.« Han lagde piben fra sig og tog atter blyanten. Nell lænede sig tilbage i stolen.

Pauly lå på ryggen med lukkede øjne. Nells fingre sank i dens bløde, cremegule bugpels.

Nell begyndte at falde i søvn. Hun sank dybere og dybere i en salig, træt og lun følelse – så rettede hun sig op med et sæt.

Rob strakte en hånd ud og greb hende om armen. »Bliv lidt.«

»Så falder jeg i søvn. Jeg skal have lagt dej til bagningen i morgen.«

»Kan du ikke lade være med at bage? Gør som overalt på landet – giv os dåsemad. Køb dit brød inde hos Safeway i byen.«

»Det stads! Det er lavet af oppustet savsmuld og smager ikke af noget som helst – man kan blæse det tværs over bordet.«

»Jeg er ked af, at du skal slide så hårdt.«

»Det betyder ikke noget, du – og drengene elsker brødet.«

»Det samme gør jeg.«

»Ja – og jeg selv.«

»Men du arbejder alt for meget. Det er galt nok, at jeg skal slide og slæbe – du burde ikke –.«

Nell rejste sig, og Pauly sprang ned på gulvet med en lille fornærmet knurren. »Kom ind igen, Nell, når du er færdig.«

Hun gik ud i køkkenet, hvor en petroleumslampe stadig brændte – en skærmlampe på væggen over det store, sorte komfur.

Rob gjorde sine beregninger færdige, lukkede regnskabsbogen, lagde den til side og støttede hagen i den ene hånd, medens den anden åndsfraværende bankede med blyanten på trækpapiret. Han havde set det skræmte udtryk på Nells ansigt, da hun sad hos ham med sytøjet, og tanken nagede ham. Og så fortalte jeg hende endda kun halvdelen af den ubehagelige sandhed, tænkte han. Jeg burde aldrig have indladt mig på dette. Hvad er det for en tilværelse, jeg har beredt hende? Fanden skal tage mig, om ikke jeg opgiver den! Jeg forlod hæren. Nu skal jeg forlade gården ... Nej! Endnu er jeg ikke slået ud, ikke på langt nær! Drengene bliver voksne ... Howard kan allerede hjælpe mig noget. Ken ... Herregud, Ken! Hvad skal jeg stille op med den lille slapsvans? Jeg kunne have rusket tænderne ud af kæften på ham i dag. Han er aldrig, hvor han burde være, han kan ikke løbe et ærinde for mig og komme hjem til tiden, han kan aldrig gøre noget rigtigt og aldrig huske, hvad man siger til ham. Giv ham et føl, sagde Nell. Give ham et føl, fordi den lille idiot sendte alle mine følhopper i vild panik mod afgrunden og Rock Slide! Havde der ikke været for Banner ... Du alstyrende! Hvor er han en pragtfuld hest. Tænker hele tiden endnu hurtigere end jeg selv. Hvis hans føl kan arve noget af hans forstand, hans beslutsomhed og lysende mod, kan de blive fremragende poloheste. På det ene punkt er alt gået godt. Der er det rigtige blod i mine heste ... i alle, undtagen dem, der har en snert af den gale Albino i sig. Den skøre bandit Raket – altid foran de andre med snuden i vejret og klar til at lave ulykker – hun og de tre andre! Hun er den værste; men ingen af dem er nogen sinde blevet rigtig tæmmet. Jeg burde skyde dem, og jeg ville heller ikke betænke mig på at gøre det, hvis de ikke var så bandsat hurtige. Gud ved, hvad Nell egentlig mente med, at jeg skulle give Ken et føl? Egentlig ville jeg gerne. Jeg må på en eller anden måde prøve at få nøjere kontakt med hvalpen; men hver gang jeg er rigtig oplagt til at knytte ham nærmere til mig, laver han en af sine skruptossede ting – som nu i dag. Jeg ville pokkers gerne give ham et føl, men han opfører sig så fjollet, at jeg er nødt til i stedet at give ham en balle! Det er ikke med vilje, han gør det. Jeg kan godt se, at han helst vil glæde mig og gøre mig tilpas. Undertiden ser han på mig, som om han var bange for mig. Jeg kan ikke lide, at han drejer ansigtet bort fra mig og glor ned i jorden. Han beder mig aldrig om at hjælpe sig. Det er skidt! Han burde naturligvis komme til mig ... måske er det min egen skyld, at han ikke gør det ... måske er han i en tosset alder ... men Howard var aldrig sådan ... jeg må prøve at blive Kens ven – måske i sommer ...

Rob rejste sig træt og stivlemmet fra stolen, stod nogle øjeblikke fordybet i sine tanker, slukkede omsider glødenetslampen og gik ind i dagligstuen.

Inde fra stuen råbte han til Nell: »Jeg kommer om et øjeblik – bliv, hvor du er! Jeg skal lige en tur op til arbejderhuset.« Han gik ud ad hoveddøren og drejede til højre.

Over ham var himlen klar, men i sydvest bredte de mørke skyer sig. Hvis blæsten ikke på ny friskede op og spredte skybunkerne, blev det sikkert uvejr.

Da McLaughlin nærmede sig arbejderhuset, kunne han se, der endnu var tændt lys derinde. Han skubbede skramlende døren åben og gik gennem det mørke køkken ind i opholdsstuen. Gus og Tim sad derinde ved et langt bord, hvorpå der stod to tændte petroleumslamper.

Gus var ved at reparere et hovedtøj, mens Tim prøvede at tegne en kopi af den plakat, der lå på bordet foran ham. Han havde en flaske tusch stående på bordet og en tegnepen i hånden. Det var Tims store ærgerrighed at blive skiltemaler engang. Billedet forestillede en ung kvinde med vellystigt rundet hofteparti. Hun sad på enden af en bænk og skævede undseligt til en ung herre på bænkens modsatte ende. Stuen var allerede overdådigt dekoreret med Tims tegninger, der alle uden undtagelse forestillede samme forføreriske kvinde i vekslende attituder.

»Godaften, karle.«

»Godaften, chef.«

»Jeg kom lige i tanker om ...« McLaughlin holdt inde og så åndsfraværende på Tims ansigt, der var glødende mørkt og varmt i løden af snavs og solbrændthed i passende blanding. Det havde Tims vante udtryk af komisk forvirring. Tim så altid ud, som om han var ved at le uden nogen sinde at ane hvorfor.

»Hvad er det for et hovedtøj, Gus?«

»Det som Ken fik revet itu i morges,« svarede svenskeren.

»Jeg lod Raket blive i staldvænget. Hun brød ud af flokken lige før leddet ud til sognevejen og flintrede afsted langs hegnet, som om fanden var efter hende. Alle de andre gik pænt igennem. For en gangs skyld var der ingen af dem, som rendte med hende, og hun var ude af syne i løbet af et minut.«

»Den skøre hoppe!«

»Jeg lukkede leddet og fortsatte med flokken, så hun blev tilbage i vænget. Det er såmænd meget godt. Jeg må have hende drevet ind i boksen for at få taget lassoløkken af hendes hals, ellers hænger hun sig i rebenden en af dagene. Jeg kan gøre det i morgen og slippe hende løs, når det er overstået. Hun skal nok selv finde vej til de andre hopper. Sørg for, at vi får leddene lukket til folden og til sadlepladsen. Hun skal ikke have lov at stikke af. Hvor er den hoppe, Ken red i morges?«

»Cigaret? Jeg indfangede hende og lukkede hende ind i hjemmefolden,« svarede Tim. »Jeg regnede med, at Ken måske skulle bruge hende igen.«

»Det er udmærket! Godnat!«

Rob gik tilbage til hovedbygningen. Nell opholdt sig stadig i køkkenet. Han satte sig på et hjørne af bordet og tog piben frem.

»Nå, du – hvad var det så med Ken og hans føl?«

Nell holdt et rent klæde under vandhanen, vred det op,

lagde det sammen i firkant og anbragte det over det store dej-fad, inden hun satte fadet til varme på komfuret. Dernæst tog også hun plads på bordkanten, foldede hænderne om sit ene knæ og så på Rob.

»Jeg synes, du skulle give ham et føl.«

»Han har ikke fortjent det.«

»Hvad kommer det sagen ved? Vil du aldrig nogen sinde give ham et føl?«

»Jo! Det har jeg netop glædet mig til.«

»Hvorfor gør du det så ikke?«

»Jeg har jo sagt dig, at han ikke fortjener det.«

»Han vil aldrig fortjene det, Rob.«

»Hvorfor dog ikke? Det gjorde Howard.«

»Ken er anderledes indrettet. Han er i øjeblikket så langt bagud for Howard, at det er håbløst. Hvis du vil vente, til han bliver ligesom sin bror og virkelig fortjener et føl, får han det aldrig.«

Rob knurrede lidt. »Hvis han passer sin læsning i sommer ...«

»Det er noget ganske andet, Rob. Det bliver ikke til noget.«

Robs forbløffede og overrumplede udtryk virkede næsten komisk. »Bliver det ikke til noget? Jamen, for pokker! Det har jeg jo netop regnet med! – Hvorfor vil han ikke?«

»Han kan faktisk ikke læse lektier. Han er så uvant med det.«

»Læste han da ikke i dag?«

Nell lo. »Han nåede vist lige at præsentere sig for bøgerne –.«

Rob gled ned fra bordet og begyndte at skridte frem og til-bage over gulvet. »Jamen, du store gud – jeg har jo befalet ham at gøre det! Jeg har givet ham en klar og utvetydig ordre ...«

Nell tav diskret. Det var altid en vanskelig manøvre at få Rob drejet.

Da der var gået et stykke tid, sagde hun: »Lad os prøve en ny fremgangsmåde. Ken trænger til, at noget skal lykkes for ham. Howard har fået et alt for stort forspring. Han er større, dygtigere, kan samle sine tanker-.«

»Ken gider overhovedet ikke prøve på det. Han kan aldrig gennemføre noget som helst.«

»Men nu er han helt vild efter at få et føl, der er hans eget. Han kan slet ikke tænke på andet.«

»Ja, men det er da lynende forkert, Nell! Børn skal ikke bestikkes til at gøre deres pligt.«

»Det er ingen bestikkelse,« – hun nølede med fortsættelsen.

»Nå ikke? Hvad vil du da kalde det?«

Hun prøvede at formulere et klart svar. »Jeg har en bestemt følelse af, at Ken efterhånden ikke kan gennemføre noget som helst.« Hun så Rob i øjnene. »Det er på høje tid, han lærer det. Det er ikke blot hans dårlige karakterer i skolen, men det hele – jeg kan ikke holde ud at se på, at Ken aldrig kan gøre noget, der virker fornuftigt.«

»Jeg tror efterhånden, at han er sløv og dum.«

»Han er ikke dum –.«

»Hans idiotiske opførsel i dag – skræmte alle hopperne fra vid og sans –.«

»Du ved jo godt, han ikke gjorde det med vilje –.«

»Nej! Det er netop sagen. Det er ren og skær dumhed og ligegyldighed! Intet af det, jeg siger til ham, gør det ringeste indtryk. Han trasker bare rundt i sine dagdrømme og aner hverken, hvor han er, eller hvad der sker omkring ham.«

»Der skal måske kun den ene lille ting til for at ændre ham. Hvis han fik et føl, som han efterhånden selv kunne tæmme og tilride ...«

»Det er slet ingen lille ting. Det er ikke nemt at tæmme og dressere en hest, som Howard har gjort det med Highboy. Jeg vil ikke have en god hest spoleret af Kens jaskeri. Han ved aldrig, hvad han gør.«

»Hvis Ken virkelig kunne gennemføre sådan en opgave rigtigt, ville det betyde meget for ham.«

»Ja, men der er sandelig et stort *hvis*.«

»Rob – dette her er meget alvorligt. Ken må bringes på ret køl. Lagde du mærke til, hvordan han så ud nu i aften? Elendig og forkuet – næsten sur og muggen. Ken er faldet i unåde hos så godt som alle. Det han rigtig trænger til –.«

»Er at tage sig morderlig sammen.«

»Nå, ja – sådan kan du godt udtrykke det. Jeg ville sige, at han trænger til at blive mere moden.«

»Hvorfor skulle han blive det af at få et føl?«

»Det skulle *du* forstå allerbedst. Han skal have et *ansvar!* Kan du ikke se, hvor vigtigt det er, at han får noget *virkeligt* at tage sig af – noget af kød og blod – noget han satte større pris på end alle de uvirkelige ting, han går og drømmer om. Hvis han kan præstere noget af en slags med sit eget føl, tror jeg, det vil kunne mærkes på alt, han foretager sig næste år. Han vil blive mere moden.«

Hun tog sit forklæde af.

De slukkede køkkenlampen og gik et trin ned til dagligstuen, hvor Rob kaldte: »Kom her, Kim! – Chaps!«

Hundene rejste sig modstræbende fra deres tæpper, strakte sig søvnigt, gabede og fulgte med Rob og Nell ud på terrassen.

Fire mørke skikkelser skræmtes og sprang bort fra brøndtruget, galoperede et lille stykke bort, hvor de gjorde omkring og blev stående nysgerrigt spejdende.

Rob og Nell gik med hundene om hushjørnet og lukkede dem ind i redskabsskuret. På tilbagevejen standsede de ved brønden og satte sig på vandingstrugets stenkant.

Hestene nærmede sig med få skridt ad gangen og med ørerne rejst.

»Hvad er det for nogle?« spurgte Nell.

»Treåringerne – de utæmmede, ved du.«

Nell sagde intet. Når de var blevet holdt tilbage her i hjemmefolden, der kun var en halv mile bred og lang, indrammet af et pigtrådshegn og omfattende de krat, højder og græsmarker, der lå nærmest gården, betød det, at de skulle være nemme at få fat i til brug – og det ville atter sige, at Rob nu agtede at tæmme dem. »Det bliver ikke så længe, jeg kan hindre det,« sagde Nell ved sig selv.

»Der er fire hopper, som endnu ikke har folet. Jeg tror, Raket er gold i år,« sagde Rob.

»Jeg troede, Raket allerede havde folet et sort hingsteføl. Da jeg var nede i engene forleden, så jeg i hvert fald et sort hingsteføl, som jeg troede var hendes – det var næsten nyfødt.«

»Det samme troede jeg; men da hun stak af fra de andre hopper i dag, var der intet føl, som prøvede at følge hende.«

»Men jeg så, det diede hende.«

»Det må have pattet en af de andre sorte hopper. På denne årstid, hvor de er så magre, er det svært at skelne dem fra hinanden.«

»Jeg er ganske sikker på, det var Raket!«

Rob rejste sig pludseligt. Nell vidste, at tanken om et føl, som kunne være efterladt nede i engene ved Castle Rock – måske skjult i espelunden ved engens fjerneste ende, måske såret – ville pine ham.

»Jeg red gennem hele espelunden,« sagde han, »og jeg har ikke efterladt noget føl dernede. Hvis Raket havde haft et føl, ville hun desuden ikke være rendt fra det. Man har aldrig kunnet holde hende borte fra hendes egne unger.«

Han satte sig atter på vandingstrugets stenkant og iagttog hestene, der nærmede sig skridt for skridt. »Jeg skal ride ned over engene i morgen og se godt efter endnu engang.«

De fire heste stirrede ufravendt på ham. De kendte ham, hans lugt og udseende. Når hans heste hørte hans stemme, selv på meget stor afstand, standsede de, lyttede og så sig om. Nu stod disse fire i en halvkreds uden om ham.

»De vil have havre,« sagde Rob. »Jeg har ikke noget til jer, I fråsemikler!« Han svingede med armene, råbte højt og kyste dem bort. Hestene gjorde pludselig omkring og forsvandt galoperende ind i mørket.

Rob og Nell lo.

Månen var kommet et godt stykke over kimingen, den

hang stor og malerisk effektfuld over de sorte fyrres grene på bjerget. Grønningen lå i skygge; kun de øverste spidser af poplerne fangede måneskinnet. De sad tavse og så på den stigende måne. Snart hylledes poplernes kroner helt ind i dens lys og syntes at svaje sagte på den sølverne strøm.

»De er som balletpiger, der danser hen over grønningen,« sagde Nell.

Hestene nærmede sig atter – kom ganske langsomt tilbage og stod til sidst i en kreds om Rob.

Inde i arbejderhuset gabede Gus og lagde sit arbejde til side.

»Spil en plade, Tim, medens jeg ryger piben færdig. Så går jeg til køjs.«

Tim trak den lille grammofon op, undersøgte pladerne omhyggeligt og lagde en af dem på skiven.

Efter på ny at have sat sig vippede han stolen tilbage og støttede sig med nakken mod væggen, mens han og Gus ventede i stilhed.

Melodien blev båret gennem aftenens køligt klare luft, til den nåede Rob og Nell, som sad på vandingskarret ved brønden.

Det var en gammel vise med al den barnlige patos i melodien, som primitive mennesker, der bor på eller stammer fra store sletter, altid elsker. Det lød, som blev den sunget af en stemme uendelig langt borte:

»Elskte, se hvor sølvertråde
snor sig i mit blanke hår,
tiden kender ej til nåde,
hastigt flygter ungdoms år ...«

Sangen tav.

Gus sukkede. Pladen kørte og kørte, indtil nålen omsider kradsede i stoprillerne. Tim rejste sig og standsede grammofonen.

6

Staldvænget – en kvart mile på hver led – havde fået sit navn, fordi det lå nærmest staldene. Terrænet var overraskende vildt og meget smukt. En bred bane jævnt græsland fulgte hegnet langs sognevejen mod syd. Mod nord og vest endte vænget i lave bjerge med spredte og tilfældigt voksende, store og forvredne fyrretræer. Her fandtes kun et tyndt jordlag over grundfjeldet, der talløse steder brød igennem det som klippeblokke eller skarpe stentakker. I bjergkløfterne voksede nåletræer og ener. Ved foden af klipperne fandtes huler med skeletter og afgnavede ben i bunker – levninger fra rovdyrgilder. Under klipperne lå små duftende dale og sænkninger, hvor svampe, riddersporer og vilde jordbær groede af leret gennem det tætte lag visne fyrrenåle. Fortsatte man mod nord, blev bjerge og klipper stejlere og faldt til slut i en række aftrappede, skovbevoksede terrasser stejlt ned til Hjortebækken, der kom oppe fra bjergene og dannede ejendommens nordre skel.

Ken og Howard blev aldrig trætte af at gå på opdagelse i staldvænget. De kunne få herlige timer til at gå med at finde en ny sti over de trinvis faldende klipper og undgå at ende i en fælde, som det næsten ikke var til at klare sig ud af. Nell elskede også at spadsere ture i dette landskab eller tage en bog med og tilbringe en eftermiddag alene i en af de små lune og skjulte dale. Hele sommeren kunne man fra et sådant sted se mangfoldige slags vilde dyr liste som glidende skygger gennem solskinnet. Man kunne ikke sidde ret længe stille, tavs og spejdende, uden at opdage hulepindsvinet med dets langsomme, men determinerede bevægelser, den slangesmidige bugten af et smukt, hvidstribet stinkdyr, vildgrisenes kejtede tumlen og pudsige hop eller de bløde, glidende lette jordmus, kaniner og texasharer. Hvis gården ikke havde kød til middagsmaden, tog Nell eller en af drengene et let jagtgevær og tilbragte en times tid i staldvænget sent på eftermiddagen med at skyde fem, seks unge, lækre vildkaniner.

Denne nat havde Raket hele staldvænget for sig selv. Hun havde taget flere rundture langs dets grænser.

Nu stod hun ved det lukkede led ud til sognevejen og så op mod de græsklædte skrænter på Svajet. De skinnede sølvgrå og dugblinkende i månens lys. Pludselig løftede hun sit ene bagben fremad, som en hund gør det, og svingede samtidigt hovedet brutalt tilbage for at få fat i sit yver. Mælken spændte, så det var hedt og bristefærdigt. Hun gjorde omkring efter et mislykket forsøg og rejste ørerne, mens hun atter stirrede op over bjergskrænten.

Hun travede frit langs indhegningen. Græsset ligesom fløj bort under hendes lange, jordvindende skridt. Huden rynkedes let over hendes kryds for hvert rytmisk sving af benene. Hun holdt hovedet højt med næsen i vejret. Hendes tynde, tjavsede manke pjuskede til begge sider. En trevlet rebende af en lasso var bundet om hendes hals og hang ned fra den. Hendes øjne var omgivet af tynde, hvide ringe. Hun så både vild og vanvittig ud.

Raket standsede ved hjørnet af vænget, hvor pigtrådshegnet drejede i en ret vinkel. Hun så fjernt og intenst spejdende ind i nattens tvelys, mens hendes ører vippede frem og tilbage. Hun sitrede ved den mindste lyd, som nåede hende i den stille luft. Pludselig satte hun atter i trav langs tværhegnet.

Hist og her slyngede stier og kørespor sig gennem det vildsomme terræn. Rob havde fundet en vej, som var farbar for biler til Hjortebækken. Hestene kendte vænget ud og ind næsten fra fødslen, de var klatret op og ned, var sprunget fra den ene klippehylde til den anden, havde rutsjet ad skrænterne på deres bag og var så sikre på benene som bjerggeder.

En times tid gennemsøgte Raket hele vænget, brasede ned ad terrasserne mod Hjortebækken, masede sig gennem krattet hinsides vandløbet og stod snusende ved det nordlige pigtrådshegn.

Langt bag dette lå høengene. Castle Rock engen var fjernest af dem alle.

Hun snusede mod brisen, der legede over engen ved Castle Rock og espelunden ved den fjerne ende.

Hvor meget hun end søgte og lyttede, opfangede hun ikke den mindste klynken. Hun skulle ikke føle en famlende, varm tunge og små føllæber om sine mælkespændte patter, skulle ikke mærke en lille, spinkel krop mod sin flanke under løbet.

Efter få minutters venten fortsatte hun langs hegnet i sit lange, svingende trav. Hun vendte ved et nyt hjørne, begyndte at klatre og havde til sidst foretaget endnu en rundtur langs vængets grænser.

Hun kom ud af fyrreskoven, fortsatte i kort galop ned ad skrænten, passerede staldene og standsede som før ved det led, der førte til sognevejen. Derfra sendte hun en høj, skingrende vrinsken ud i natten. Den lød forbitret som en rasende anklage.

En mile fra hende oppe på Svajet hørte Banner hendes vrinsken og spidsede ører. Det var, som overvejede han, hvor stor betydning han skulle tillægge den, og blev enig med sig selv om, at der næppe var grund til indgriben. Han drejede på ny hovedet tilbage i hvilestilling.

Nødskriget hørtes også af en flok etåringer, der græssede på den anden side af Svajets kam. En lille, gylden hoppeplag, der lignede en miniatureudgave af Banner, hævede pludselig hovedet og stod anspændt lyttende.

Den skingre, fortørnede vrinsken lød atter, og hoppeplagen vrinskede til svar samtidig med, at den satte i galop. Den standsede på bjergkammen, hvorfra den spejdede ned mod staldvænget og sognevejen.

Rakets hoved var højt hævet og hendes ører vippet fremefter i lytten. Hun hørte hoppeplagens spæde kalden og gennemrystedes af en skælven. Hun gav sig til at kabriolere langs hegnet, gjorde omkring og galoperede bort fra det i retning af Castle Rock. Hun havde råbt på sit føl og fået svar – et svar, der kaldte på hendes moderfølelser, men som ikke kom fra hendes egen unge, der indtil for nyligt havde været en organisk del af hendes krop. Hun var forvirret, *og* i sin rådløshed galoperede hun afsted mod den mørke skovstrimmel, som lå mellem hende og Castle Rock.

Den lille hoppeplag vrinskede atter og satte i galop ned ad bjerget mod sognevejen. Dens stemme sled i Rakets hjertebånd. Hun standsede, vendte om og svarede med en genlydende vrinsken. Pludselig var al ubeslutsomhed borte, hun galoperede atter ned mod hegnet.

Meget få heste, som ikke er tilredet, kan springe over forhindringer, og en vestamerikansk mustang vil altid foretrække at mase igennem et pigtrådshegn frem for at springe over det; men iveren og glæden i Rakets hjerte lånte hende vinger, og hun sprang rent og elegant over hegnet. De to heste stormede mod hinanden, gnubbede kæber, lagde hovederne over hinandens hals og udstødte kærtegnende, opstemte glædessnøft.

Det var ikke nok for Raket. Hendes yver var ved at sprænges – denne etåring måtte vel lige så godt som føllet, hun havde mistet, kunne hjælpe hende af med mælken.

Hun blev kælen og overtalende i de lyde, hun frembragte. Hun stillede sig skrævende og indbydende op for den lille brungule hoppe og vrinskede atter. Men plagen havde været på græs i et halvt år og savnede instinktet for at patte. Den stod uforstående med sit hoved drejet mod bjerget, hvorfra den kunne høre sine kammeraters trav.

Raket vrinskede atter i desperation og svingede sin bag hen til plagens hoved. Plagen svarede med et kælent grynt og lagde sit hoved kærtegnende på den gamle hoppes kryds. Raket puffede sig nærmere ind mod den. Plagens gyldne hoved sænkedes, søgte ind under Rakets bug og famlede efter patterne. Raket stod ubevægelig med sit hoved støttet på krydset af den diende plag.

En time senere galoperede den sorte og den lille gyldne hoppe side om side. De var langt fra gården og Svajet. Foran dem lå Colorados vilde bjergland, de kunne lugte den kolde sne fra den fjerne gletsjer på Neversummer Range.

7

Endnu før Ken åbnede sine øjne den følgende morgen, vidste han, at noget var galt, og han tøvede derfor bevidst med at blive helt vågen. Han lå med ansigtet mod vinduet og så, at fyrrene ude på bjerget stod helt stille. Der var altså ingen blæst.

Så huskede han det. Han havde skræmt hopperne.

Han fik en fornemmelse af, at det måtte være sent. Halvt i søvne havde han kunnet høre den tidlige morgens karakteristiske lyde – Gus, som åbnede køkkendøren. Den eneste grund til at forkarlens skridt over køkkengulvet, hans larmen, når han rystede asken af risten og støjen, når han lagde brændet til rette og tændte op, ikke vækkede hele huset var udelukkende, at de alle havde vænnet sig til spektaklet. Ken havde i halvsøvne hørt trin op og ned ad trappen og havde desuden hørt sin mor sige: »Så står vi op, drenge!«

Han smuttede ud af sengen og travede hen til vinduet, mens han hev sine pyjamasbukser op. Howard stod på terrassen lige under vinduet. Ken så hans hoved fra oven, det glatte, sorte hår med den snorlige skilning i midten. Han var iført molskindsbukser, ren cambricskjorte og havde et rødt tørklæde om halsen.

Howard kiggede op mod ham: »Hallo, Ken!«

Ken stirrede på broderen uden at svare.

Howards sorte øjenbryn og smallæbede mund tegnede vandrette streger i hans ansigt. Han smilede lidt, men hans øjne iagttog Ken vurderende.

»Er du gal på mig, Ken?«

»Hold din mund!«

»Jeg har ikke sladret om dig.«

»Det er løgn!«

»Jeg spurgte kun, om Cigaret havde smidt dig af, og om du fandt dækkenet.«

»Det var dig, der begyndte – du vidste godt, jeg ville få en skideballe –.«

»Jamen, det er ikke at sladre.«

»Du sørger altid for, at jeg kommer galt afsted – du gør det med vilje.«

»Skal vi ikke slå en streg over det, Ken – vi kan følges ad i vandet – det bliver varmt i dag.«

Ken surmulede.

»Vi kan også begynde at arbejde med plagene.«

»Hvad for plage?«

»Sommerplagene. Far har lukket fire af dem inde i Kalvehaven i går. De skal vænnes til grime og tøjr, sådan som vi gjorde det sidste sommer. Jeg måtte vælge først, sagde han.«

»Skal vi vælge sådan, at først tager du én, så tager jeg én, så tager du én og så jeg til sidst? Eller skal du straks udtage de to, du vil have?«

»Far sagde, at jeg gerne måtte vælge begge mine først –.«

»Det er vist løgn.«

»Ken, hvis vi slutter forlig nu, så skal jeg nøjes med at vælge én af dem, så kan du vælge efter mig.«

Deres fars stemme lød højt: »Howard! Har jeg ikke givet dig besked om at passe den havesprøjte?«

Howard skyndte sig at dreje bruseren i en ny retning.

McLaughlin kom fra redskabsskuret. Han havde sluppet hundene fri, og de dansede kåde og henrykte om ham, som frygtede de – det gentog sig hver nat – at man en skønne morgen skulle glemme at lukke dem ud.

McLaughlin havde en skovl i hånden og gik over grønningen for at fjerne hestegødning fra husets nærhed. Han råbte til Howard om at vande græsset jævnt. Det havde været længe om at komme op og var stadig svært at holde grønt og tæt.

En rød Rhode Island-skrukhøne fulgte efter ham under klukken og stadig pikken i hestepærerne. En flok gule kyllinger tumlede pippende og trippende om hønens ben på små pilende fødder og med basken af stumpede dunvinger, når hun kaldte.

Ken trak sig hurtigt tilbage fra vinduet og begyndte at klæde sig på.

Hele huset duftede af frisklavet kaffe.

Howard passede havesprøjten og flyttede vandbruset lidt efter lidt ned over terrassen, mens han lagde sine planer for dagen. Nu var Ken sikkert ordnet, tænkte han. Det var aldrig svært at komme om ved ham, og de kunne få det sjovt sammen enten med at bade i bredningen eller måske gå på jagt.

»Værsgo! Maden er på bordet!« råbte Nell. Hun løb ud på terrassen i sin grønne kjole. Hun havde et forklæde på, der var bundet med en sløjfe på ryggen. Hun klappede i hænderne og råbte til dem, at de skulle skynde sig. Rob smed skovlen og kom i løb hen imod hende. Ken holdt inde med at binde slips for at iagttage dem. Hans mund stod lidt åben, og han smilede, fordi det altid var morsomt, når hans forældre legede. Nell smuttede fra Rob og løb rundt om brønden. Hendes mand forfulgte hende, strakte armen frem og fik fat i en flig af forklædebæltets sløjfe. Den gik op; Nell hvinede og løb hen til trappen, mens begge hundene ivrigt deltog i forlystelsen og tumlede ind mellem Nell og hendes forfølger, så Rob nær var faldet over dem.

De var gået ind. Ken skyndte sig at blive færdig, men han vred sig ved at gå ned til de andre, han følte sig fuldstændig sat uden for begivenhederne. På vej ned ad trappen standsede han ved andebilledet. Det forestillede en stor, sort andrik med hvidt bryst, hvide ben og hvide spejl på vingerne. Den stod så smuk og trodsigt udfordrende på sin sten klar til at hoppe ned i den grå, oprørte søs bølger. Der var en smittende, spændt iver over dens strakte næb, det ene, løftede ben og dens fremadbøjede krop. Ken følte det, som ville andrikken rive ham med sig i vandet. Om et øjeblik ville han mærke dets isnende chok, den bidende kulde i de grå, krappe bølger og i den tågede luft, som hang over søen. Der var både frygt og ensomhedsfølelse i dette billede. Ken fik gåsehud af at se på det.

Nede ved spisebordet ventede McLaughlin på, at Ken skulle skramle ned ad trappens sidste trin.

»Jeg tør sværge på, at han står og glor på andrikken,« sagde Howard.

»Hvad for en and?«

»Billedet oppe ved afsatsen. Han står somme tider og glor på det en hel time.«

»Du overdriver, Howard,« sagde Nell misbilligende. »Han ser aldrig på det en hel time.«

»Han ser i hvert fald så længe på det, at man skulle tro, det var en time.«

»Men i Herrens navn!« McLaughlins stemme steg faretruende. »Hvad *er* det for en and, vi har på trappeafsatsen?«

»Det er mit olietryk,« forklarede Nell skyndsomst. »Det der hænger under uret. Ken holder af at se på det.«

»Ken!« råbte hans far barsk, og Kens tyksålede sko buldrede hurtigt ned ad de sidste trappetrin. Han kom ind i køkkenet med sit hår omhyggeligt skilt og vandkæmmet, så det klistrede glat til hovedet. Hans udtryk var tvært.

»Hvorfor blev du stående på afsatsen?«

Ken åbnede sin sammenlagte serviet og så ned på bordet. Han følte sig flov og ilde til mode. »Jeg så på andrikken.«

»På en andrik? Ud ad vinduet?«

»Nej, andrikken på billedet.«

Der kom et lystigt glimt i Nells øjne, mens hun øste havregryn op til Ken.

»Vidste du, vi ventede dig ved bordet?«

»Jeg – jeg ...«

»Tænkte ikke på det, vel?« sluttede McLaughlin for ham.

Ken så ikke op og sagde heller intet. Han havde på forhånd vidst, det ville arte sig på denne måde. Han hældte fløde på sine havregryn og rakte hånden ud efter det brune sukker.

»Ken,« sagde hans far. »Jeg har bestemt at ophæve den ordre, du fik i går. Du skal blive fri for at læse lektier en time om dagen.«

Ken så forbløffet på sin far – han åbnede munden i måben og lettelse.

»Jeg har andre planer for, hvad du skal foretage dig i sommer,« fortsatte McLaughlin en smule pompøst, og Nell drejede hovedet bort fra ham for at skjule sit smil. Hun havde så ofte hørt ham kommandere en vild hest til at være ordentlig og set ham tugte en løbsk plag med sporer og pisk.

»Og,« fortsatte Rob i samme overlegne og nøgterne tone, »desuden har jeg besluttet at give dig en hest.«

Ken røg op fra sin stol, så ske og tallerken skramlede over bordet.

»Et – et – vårføl, far? Eller en etåring?«

Spørgsmålet kom fuldstændig bag på McLaughlin og forbløffede ham, så Nell diskret måtte se ned. Hvis Ken fik en etåring, ville han nå på linje med Howard.

»Din far mener en etåring, Ken,« sagde hun diplomatisk. »Sæt dig nu roligt på din plads og spis – se hvor du har spildt på bordet!«

Ken fik tallerken og ske samlet til sig og satte sig artigt på stolen. Han var blevet blussende rød i ansigtet.

»Du skal få den om en uge fra i dag,« sagde hans far, »og i den tid, du venter, kan du se på plagene og selv vælge den, du vil have.«

»Må jeg få lige netop den etåring, jeg ønsker mig af alle plagene på gården?«

Hans far nikkede roligt, skubbede sin stol tilbage fra bordet og tog sin pibe frem.

Ken så tavs og betaget over på Howard, og de vekslede meget talende blikke.

Nu – endelig – var de på lige fod.

»Er det nødvendigt, at det bliver en etåring, far?« spurgte

Howard. »Må han ikke lige så gerne få et af vårføllene, hvis han hellere vil?«

»Han må få hvilken hest, der er født her på gården i løbet af det sidste år,« svarede McLaughlin. »Der er atten etåringer, og indtil nu er der kommet tretten, fjorten vårføl, men vi får nok nogle flere.«

»Vil du så have en etåring eller et vårføl, Ken?« spurgte Howard.

Til svar betragtede Ken sin broder med et hovent, nedladende og beklagende udtryk, som han kendte det fra filmsforestillinger. Det havde kostet ham lang tids strengt arbejde, inden han kunne kopiere det.

Hans far gentog imidlertid spørgsmålet: »Etåring eller vårføl, Ken?«

»Etåring!« svarede Ken.

»Hoppe eller hingst?«

Det kunne han ikke klare på stående fod. Hans øjne blev fjerne i blikket, mens tankerne myldrede gennem hans hjerne. Raket var en hoppe. Men der var jo også Banner. Og der var de vilde hestes helt, Albino. Af tankevrimlen opstod lidt efter lidt forestillinger om hankønnets overlegenhed.

»Jeg vil have en hingsteplag.« Hans stemme lød beslutsom og kategorisk. Nell vekslede et hurtigt blik med sin mand.

McLaughlin sagde: »Det indsnævrer mulighederne. Lad os se – hvor mange hingsteføl fik vi sidste år?«

»Vi fik ti hopper og otte hingste,« sagde Howard. »Du kan få otte plage at vælge imellem, Ken.«

Problemet udviklede sig alt for hurtigt for Kens tanker; han følte sig trængt af denne mængde heste.

»Hvad var det for nogle?« spurgte Nell. »Jeg har dem alle sammen stående i stambogen; men jeg lod den blive oppe i stalden forleden dag. Den ligger inde i foderkammeret, Ken. Stik op efter den, så kan vi se på listen.«

»Jeg går med,« sagde Howard, idet han gled ned fra sin stol. Drengene stormede ud ad døren.

Ken løb forrest. En plag — en plag! Hans egen hest!

Hans hjerne var fyldt af fantasibilleder. Et lille, nyfødt føl, som næsten gik i knæ, bare dets mor slikkede det ... Banner stejlende på bagbenene, med de store forhove svingende i luften, hans brede, lyse bug, hans stolte herskeransigt og vældige, krummede hals – en lille, travende etåring ... sort måske ... eller brun ... De var alle sammen hans ...

Han lagde nakken tilbage og udstødte et frydeskrig; han dansede og galoperede.

Howard nåede op på siden af ham og sagde: »Du er ikke rigtig klog!«

»Min hest – min hest!« sang Ken. Han travede i kreds, traverserede og gik i høj skole. Han stak albuerne ud til siden og sagde: »Hoa! Hoa! Hej!« Han rystede hovedet og slog med manken.

»Du er skruptosset!« udbrød Howard, der stod stille og iagttog ham.

Ken røg på ham med knyttede næver. Howard gik i forsvarsstilling, og de begyndte at bokse. Ken var ligeglad med, hvad der skete. Hans arme hvirvlede som møllevinger, og Howard havde let ved at parere alle angreb.

Ken holdt pludselig inde med kampen og løb videre mod stalden. Han havde en vidunderlig fornemmelse af, at alt var ændret, og at han var blevet en person, man regnede med. Nu begyndte der at ske noget *virkeligt*. Nu blev alle ting reelle og håndgribelige.

De fandt stambogen og skyndte sig tilbage med den.

Mens Nell læste plagenes navne, fyldtes Ken af en mærkelig skuffelse. Dette her var konkrete væsener af kød og blod, dyr der havde fået navne, var nøje beskrevet og opførte i en bog. Det var slet ikke de plage, som i hans drømme havde slået bagud, leget med hinanden og tumlet gennem hans drømme med vajende manker. Han følte sig berøvet noget væsentligt, som enhver fantast, der oplever, at drømmerierne fortsættes ind på nye planer, kommer nærmere og ender i virkelighed.

»Jeg har ikke fået navngivet dem alle,« sagde Nell. »Der var nogle, jeg endnu ikke har set. De var løbet et andet sted hen, da jeg tog op til indhegningen ved Twenty for at kigge på dem og få dem bogført.«

»Det var den vilde bande,« gryntede McLauglin og hentydede dermed til Albinos efterkommere. »De dyr kan man aldrig finde, når man har brug for dem.«

»Ken og jeg har selv tæmmet fire af de etåringer,« sagde Howard.

Drengene havde hver sommer været med til at give plagene den første dressur og vænne dem til at stå bundet.

»Det var Doughboy, College Boy, Lassie og Ildfluen, drengene tæmmede sidste år,« sagde Nell, mens hun læste i bogen. »Det var to hingste og to hopper.«

»Du Ken,« sagde Howard ivrigt, »hvorfor tager du ikke Doughboy? Han var en af dine plage. Når han vokser til, bliver han næsten præcis som min – også hvad navnet angår: Doughboy og Highboy, ikke?«

Ken målte ham med et hånligt blik. Doughboy ville aldrig blive halvt så hurtig som Highboy. Da McLauglin sidste sommer havde taget et skøn over plagene, sagde han: »Han er kluntet. Lad os kalde ham Doughboy og håbe på, han kan blive en stærk og tung jagthest. Han har nogle solide stolper at gå på!«

»Men så Lassie?« foreslog Howard. »Hun er god, hvis du skal have en hurtig hest. Der er en kolossal fart i hende, og så er hun sort som kul – ligesom Highboy.«

»Jeg sagde, jeg ville have en hingst, ikke en hoppe,« protesterede Ken. »Desuden siger far, at Lassie aldrig bliver meget over ti kvarter.«

»Glem nu ikke, Ken,« sagde McLaughlin, »at man ikke kan sige så farlig meget om et nyfødt føl og for den sags skyld heller ikke alverden om en etåring. Det er afstamningen, som betyder noget. Det er blodet i hesten, som spiller den afgørende rolle ...«

Denne teori kendte de og havde ofte hørt den fremsat, for McLaughlin vendte altid tilbage til den, når han talte om heste.

»Det er netop ulykken ved alt det stads, der mere eller mindre stammer fra Albino. Hans blod slår igennem. Det fortsætter i generationer. Der må have været pragtfulde dyr blandt hans aner. Måske er det araberblod. Bringer man først araberblod ind i avlen, slår det uvægerligt igennem – det forstærker både de gode og de dårlige egenskaber i afkommet. Der er masser af araberblod i Vestamerikas halvvilde mustang*s*. Det stammer fra de arabiske og nordafrikanske heste, spanierne bragte hertil –.« McLaughlin rejste sig og gik hen til boghylden ved krydderiskabet, hvorfra han tog en af sine yndlingsbøger om den amerikanske hests genealogi. Han bladede i bogen, mens han ledte efter et citat.

Howard lagde pludselig nakken tilbage og lyttede. »Der kommer en bil.« De sad alle ubevægeligt tavse og kunne høre en bil skramle over den ujævne vej gennem indhegningens led fra staldvænget. Den kom op ad det lave bjerg bag huset i andet gear og fortsatte. Drengene, der skyndte sig hen til vinduet mod gårdspladsen, nåede lige at se det bageste af bilen, da den forsvandt over kammen på vej til staldene.

»Det var en støvet, sort vogn,« oplyste Howard, idet han vendte tilbage fra vinduet.

McLaughlin smækkede sin bog i. »Måske er det dyrlægen,« sagde han.

»Kommer han for at kastrere toåringerne?« spurgte Nell.

»Ja. Løb op til staldene, Howard, og se efter, om det var dyrlæge Hicks.«

Da Howard havde forladt køkkenet, spurgte Ken: »Må jeg se på det, far?«

Nell fangede sin mands blik, og han svarede ikke.

»Stik lige op på mit værelse og hent et lommetørklæde til mig, Ken,« sagde hun. »Det ligger i øverste kommodeskuffe – længst til højre – –.«

Da Ken også var borte, sagde hun: »Lad dem ikke se på kastreringen, Rob!«

»Hvorfor ikke?« spurgte Rob. »De skal jo alligevel før eller senere vide besked om, hvordan den foregår.«

»Det ved de godt allerede. Men hidtil har de ikke været tilskuere. Du har altid tidligere sørget for at få det overstået, inden de kom hjem fra skolen.«

»Det kan ikke skade dem at se det.«

Ken vendte tilbage og afleverede lommetørklædet til sin mor. Næsten i samme nu kom Howard farende ind gennem bagdøren.

»Det var dyrlæge Hicks, far – og en af hans assistenter.«

»Jeg tænkte det nok. Løb nu op og sig til Gus, han skal tænde et bål ved foldene og sørge for, vi har rigeligt kogende vand.«

»Han er deroppe, og han har allerede tændt bålet.«

Drengen var på spring til atter at fare ud ad døren, men Nell stoppede ham.

»Sæt dig ned og spis færdig, Howard,« sagde hun. »Du også, Ken. Du har næsten ikke rørt maden.«

Drengene spiste om kap.

Gus viste sig i døren. »Vi kan vel ikke få et gammelt lagen til rene klude, missus?«

Nell fandt et rent og pænt sammenlagt lagen i linnedskabet.

Ken spiste op, tørrede sin mund og sagde: »Undskyld jeg løber,« hvorpå han skyndte sig ud for at indhente Gus.

»Far har givet mig en plag, Gus – jeg må selv vælge nøjagtigt, hvem jeg vil have af alle plagene, som er født i det sidste år –.«

Howard skyndte sig at få slugt de sidste mundfulde mad og løb efter dem.

Nell sukkede, da hun rejste sig og begyndte at tage af bordet. »Det er en væmmelig, blodig dag! Jeg håber, de slipper godt fra det alle sammen.«

Rob svarede ikke. Han så ikke på hende; men pludselig lo han: »*Jeg sagde, jeg ville have en hingst!* Lagde du egentlig mærke til Kens stemme, da han sagde det? Sådan har han aldrig før udtalt sig, og han har heller aldrig før set så beslutsom ud.« Han skubbede stolen tilbage og rejste sig. »Bare han nu kan vælge en god hest –.« McLaughlin gik hurtigt hen til døren og skyndte sig bort.

8

Seks-fod-grønningen, der målte rundt en mile på hver led, var et stykke græsland inden for staldvænget nær foldene. Dens to sider vendte mod staldvænget, den tredje fulgte sognevejen, den fjerde strakte sig over bjergskrænten mod kløften; et hjørne af denne grønning førte til foldene. Den havde fået sit navn, »Seks-fod-grønningen«, fordi den var indrammet af et pigtrådshegn på seks fods højde, det solideste og højeste trådhegn på McLaughlins ejendom. I grønningens fjerneste ende, ud mod sognevejen, stod de toårige hingsteplage.

Da Ken og Howard nåede foldene, var forberedelserne næsten overstået. Dyrlæge Hicks, der var godt tre alen høj og så muskeltung som en herefordtyr, spildte aldrig tiden. Han måtte ofte på en enkelt dag klare tre, fire opgaver som denne og på steder, der lå skilt af måske hundrede miles Wyomingveje, som skulle passeres af hans kraftige og støvede, sorte bil. Den var stuvet fuld af kasser og tasker, instrumenter, serum, flasker, lassoer og bindereb. Den kæmpestore dyrlæge og McLaughlin talte sammen, mens de samtidig holdt øje med, hvad der skete. Tim reparerede hegnet uden om den lille, runde fold, hvor kastreringen skulle finde sted, dyrlægens assistent kom med en lasso fra bilen; Gus passede et bål, der var tændt lige uden for foldens indhegning.

Drengene holdt sig så nær som muligt op ad deres far og lyttede interesseret. McLaughlin lagde ganske naturligt, ligesom tilfældigt, sin hånd på Kens skulder. Det var en meget betydningsfuld og spændende dag –.

»Nej; jeg ville gerne have noget mere af den sorte salve,« sagde McLaughlin. »Jeg har bøtten inde i stalden; kom med, så skal jeg vise Dem den.«

De gik. Howard slentrede over til Gus og så interesseret på dyrlægens sorte taske. Den lå i græsset ved siden af foderkassen, som Gus havde lagt med bunden i vejret og dækket med et stykke af Nells rene, hvide lagen. Operationsinstrumenterne fandtes i tasken.

Ken klatrede op på indhegningen og fandt et sted at sidde, hvorfra han kunne se toåringerne.

De var store og i god foderstand. Deres hårlag var blankt, deres hale krummede sig, og de bar deres haler løftet. Der var styrke og stolthed over dem. En lille klump var presset for tæt sammen og kom pludselig op at kævles. Et par stykker brød ud af klumpen, snurrede omkring og slog bagud. De andre stejlede og spredtes. En brungul plag sænkede hovedet, blev stiv i benene, vred kroppen og begyndte at lave bukkespring. Da det havde varet lidt, blev den stående stille, som ventede den på bifald, så rystede den sig kraftigt og løb efter en af de andre plage med halsen strakt og læberne krænget fra tænderne. Ken hørte et par hvin og torden af rappe hovslag. Den brungule plag fik et svirp af en hestehale over øjnene og et spark i bringen, så det rungede. To store, sorte plage gik på bagbenene og begyndte en underholdende skinkamp. De slog efter hinanden med forhovene, svajede smidigt til siden og gik atter sidelæns på alle fire. Hårene i deres haler og manker brusede og bevægede sig, som var de noget selvstændigt levende. Et hoved blev hævet, det bøjedes over en fælle og bed ham i nakken. Den bidte hingst snoede sig bort fra angriberen, stejlede højt og slog efter ham. De mødtes med smidige kurver i kampen og skiltes under deres mankers flyvende faner i uafladelige, stærke bevægelser. Solen strålede over dem og dannede spejlblanke pletter på deres kryds og muskelstærke halse.

Ken kunne fornemme de unge handyrs tindrende livsglæde, deres stolte mod, deres overskud af kraft, og han knyttede hænderne fast om indhegningens overligger. Han fik en smertende klump i halsen.

»Jeg ejer *selv* sådan en hingst,« mumlede han. »Hvor er I smukke! Næste sommer vil min etåring være lige så pragtfuld ...«

Han længtes efter at komme hestene nærmere, smuttede ned fra hegnet og løb hen til sin far.

»Far! Må jeg bringe dem ind i folden?«

»Man behøver ikke at bringe dem ind,« sagde hans far. »Hvis jeg bare viser dem en foderspand, kommer de straks af sig selv. Du kan hente noget havre til mig.«

Da Ken vendte tilbage med havren, standsede han for at se dyrlæge Hicks lukke op for tasken, tage instrumenterne frem og lægge dem på det rene lærred over foderkassen. Howard knælede spændt og optaget ved hans side og betragtede hvert instrument nøje. Han kunne lide den slags – instrumenter, lægegrejer. Dyrlægen tog et glas op af tasken, fyldte det med sprit og anbragte en skarp kniv og et par kirurgiske sakse i væsken.

»Hvad er det?« spurgte Howard.

»Den kaldes en lancet,« svarede dyrlægen. Han så på drengene og smilede sit lidt grove mandfolkesmil. »Hvad ville I sige til at foretage operationen?«

»Jeg ville vældig gerne,« svarede Howard omgående. »Jeg ville ønske, jeg var dyrlæge.«

»Men hvad mener *du* om det?«

Ken svarede ikke. Han blev bleg og prøvede forgæves at se overlegen ud.

Dyrlægen rejste sig og trak en ren overall på.

Gus fyldte et fad med meget varmt vand for ham; Dr. Hicks fiskede et stykke karbolsæbe op af tasken og skrubbede sine hænder med det.

Ken stirrede på knivene. Spanden med havre svingede i hans hånd. Man lokkede dem ind med et kernefoder – ind til knivene – –.

Bill rinkede lassorebet op.

»Kom nu her med havren, Ken!« råbte McLaughlin.

Ken løb hen til sin far med havrespanden, men klatrede derefter skyndsomst op på hegnet ved siden af det led, der førte fra Seks-fod-grønningen ind til den runde fold. Her skulle de passere – lige forbi hans fødder, og dér inde – skulle det foregå.

Rob åbnede ledet og begyndte at kalde på hingsteplagene. Han skramlede med havrespanden og lokkede med sin moduleret fløjten. Lyden nåede hingstene. Adskillige af dem hævede hovedet fra græsset og så efter ham. Lidt senere kiggede de alle i samme retning, mens de stod stille med front imod ham. Så begyndte den ene at nærme sig ganske langsomt, og de andre fulgte efter. Inden længe kom hele flokken i kort galop ned imod ham.

McLaughlin fodrede dem først. Hver enkelt fik lov at dyppe mulen i spanden og tage en mundfuld havre. Så lukkede han en af dem gennem leddet og stængede det atter. De andre plage blev stående uden for det i en klump, puffende og masende, nu og da sparkende ud efter hinanden.

Bill var klar med lassoen.

De fik den første plag til at løbe. McLaughlin og Bill svingede deres forkortede lassoender, til de hvislede i luften; alle råbte og jog på dyret. Plagen blev skræmt og begyndte at galopere rundt i folden.

»Jo hurtigere han løber, des hårdere falder han,« bemærkede dyrlægen.

Støvet rejste sig i skyer, sand og grus slyngedes af hingstens hove mod hegnstolperne med smæld som af haglskud.

Bills øjne var skarpe og sammenknebne som en skyttes, der tager nøje sigte, mens han stod inde midt i folden og svingede lassoens rendeløkke i kreds. Pludselig fløj lassoen i bugter tæt hen over jorden, og begge plagens forben fangedes i den. Den unge hingst styrtede med et brag, og Tim knælede på dens hoved, før den nåede at røre sig af stedet. McLaughlin og Gus bandt dens ben. Dyrlægen skar med sin kniv, mens hingsten hvinede og prøvede at slå sig fri. Det hele var overstået på et minut.

De tog rebene af plagen og fik den på benene. De åbnede leddet i den store fold, dyret travede derind og blev stående ved hegnet med hængende hoved og blodet strømmende fra operationssåret.

En efter en kom de andre overmodigt dansende ind i folden, blev kastet og gildet og drevet videre til næste fold. Mændene blev mere og mere tavse under arbejdet. Dyrlægens ramsaltede bemærkninger hørte op. McLaughlins ansigt fik et forpint og bittert udtryk. Alle svedte, og hvor dyrlægen havde tørret panden med bagen af sin hånd, skinnede nu røde blod-skjolder.

Ken måtte klamre sig til hegnet. Det, der pinte ham, var ikke alene blodet og snittene i levende kød, men mere den sølle måde, hvorpå plagene stod modløse og hængende ved hegnet, når operationen var overstået. De trykkede sig sammen i en klump inde i den store fold, stod ubevægelige, dybt rystede – et par holdt sig ynkeligt lidt på afstand af de andre.

Ind imellem operationerne gik McLaughlin hen til dem med havrespanden og bød dem med venlige ord en bid foder. »Ja, stakkels gamle dreng, det er en grim omgang ...«

Et par af plagene hævede hovedet ved at høre den kendte røst. De stak mulerne ned i spanden og tog en smule hav-re; men de fleste stod urokkeligt stille og ville ikke røre sig. McLaughlin klappede dem, strøg dem over halsen og talte trøstende til dem.

Tim, der ragede de blodige kødklumper og skindlaser sam-men i en bunke, grinede og sagde: »Hvis det nu bare havde været lam, vi gildede, så var her vel nok delikatesser til aftensmaden.«

De brast i latter – selv McLaughlin lo.

Der var nu kun én tilbage, en høj, flot bygget blåskimmel. Mens den stod ved leddet og ventede på, at det skulle blive dens tur, havde den kælent nippet til Kens ben og fødder med sin bløde mule. Den hed Jingo, og Ken mindedes, at den fra helt lille havde haft det med at nippe til én – den kunne komme bag ens ryg, uden at man hørte den, følge efter og begynde at nippe i ens skulder, for at man skulle lægge mærke til den.

McLaughlin kom med havrespanden og åbnede leddet for Jingo. Ken fik en fornemmelse af, at han ikke kunne udholde at se, at man kastrerede Jingo, eller at Tim satte sig på den væltede plags hoved. Men han *burde* blive og se på det – nu var der kun den ene tilbage, så var alt overstået –.

Jingo hvinede under det første snit, og lidt efter rejste dyrlægen sig for at tale med McLaughlin.

»Det er en klaphingst,« sagde han. »Det bliver temmelig vanskeligt. Der er kun én testikel nede i pungen – hvad skal vi gøre? Skal jeg skære ind til den anden?«

Plagen lå svinebundet, og Tim sad på dens hoved.

Ken hørte brudstykker af samtalen. »... aldrig rigtig godt ... hverken hingst eller vallak ... femten tyve minutter ... måske kreperer han af det ...«

»Gør det hellere,« sagde McLaughlin.

Ikke én sagde vittigheder, ingen talte overhovedet, mens dyrlægen nu arbejdede, men plagen hvinede og kæmpede desperat for at komme fri. Inden operationen endte, blev dog også hesten rolig og lå ganske sløv, mens strømme af dens varme blod dannede mørke skjolder i sandet. Dyrlægens arme var røde lige til albuerne.

Omsider endte det dog. »Så fik vi den!« sagde dyrlægen, idet han rejste sig. Da Tim fjernede sig fra Jingos hoved, blev plagen liggende uden at røre sig. De skubbede til den, men den syntes ikke at mærke det. Så gav Bill den et par kraftige spark i bagen. Jingo sprang op og travede ind i nabofolden.

Ken havde en fornemmelse af, at nu besvimede han. Han lod sig glide ned fra hegnet og stod halvt dånet med ansigtet mod det, mens han klamrede sig til pigtråden.

»Pas på knægten,« sagde Bill. McLaughlin gjorde brat omkring og var i et par lange skridt ved Kens side.

»Så, så, Ken –,« han tog sønnen om skuldrene; men Ken rev sig rasende og hulkende løs.

»Men, kære dreng ...«

Ken flygtede fra sin far, smuttede gennem hegnet og forsvandt bag stalden. Han løb langt op ad bjerget ind mellem granerne, hvor han smed sig på maven med ansigtet mod jorden.

Han tænkte på sin egen hingst – om et år fra nu af – når også den skulle kastreres Han så den pludselig så klart og tydeligt, som om den stod foran ham – en lys, brungul hingst som Banner – han så blodet drive ned ad dens bagben

Det jog gennem ham som knivstik, og gråden var ved at kvæle ham.

Efter lang tids forløb hørte han en bil starte. Motorstøjen blev jævnere, mens den trak op ad bjergskrænten bag huset, og døde så langsomt bort. Dyrlægen var kørt.

Ken sparkede med støvlesnuderne i den bløde jord.

Han hørte nær ved sig lyden af en tændstik, som blev strøget, og så op. Hans far stod foran ham og tændte sin pibe.

McLaughlin dampede på piben og satte sig hos sin dreng. Han rakte en arm ud efter Ken og trak ham ind til sig.

»Kennie!«

»Åh, min hingst, far! – – *Min* hingst!«

Faderens arm holdt ham fastere, og Ken pressede sig imod den, mens han græd bitterligt.

9

Ved middagsbordet sagde McLaughlin, at det første, han nu skulle have gjort, var at få Raket ind i folden og videre i boks, så han kunne skære rebløkken af hendes hals. Når det var i orden, skulle hun jages ud af staldvænget til de andre avlshopper i bjergene.

»Før det er ordnet,« sagde han, »kan jeg ikke slippe, de nye vallakker ud i staldvænget – hun går bare i flok med dem, og så skal jeg have et fandens besvær med at få hende udskilt fra dem.«

»Hvor længe vil du beholde vallakkerne i staldvænget?« spurgte Nell.

»En uges tid. Jeg må have opsyn med dem, og de skal røres daglig. Senere kan de gå på bjerggræsningerne sammen med de andre heste. I drenge kan give dem en ordentlig stroppetur hver dag. Trav dem bare sønder og sammen, hvis I kan. For min skyld må I huje og skråle og lege cowboys med dem, så meget I orker.«

»Hvorfor?« spurgte Howard.

»Fordi der næsten altid er et par, som får betændelse i såret – det risikerer man – og får de lov til at råde, bliver de blot stående stille, til de dør. Sørg for, de bliver grundigt rørt – det åbner såret for betændelsen og sætter blodomløbet i fart. Hvis de får lov at være i fred, står de bare og dvasker og æder ikke nok til at holde kræfterne vedlige.«

Ken ville helst have været fri for middagen. Bare lugten af mad gav ham kvalme.

Nell iagttog ham nøje og sagde: »Du må godt gå fra bordet, hvis du helst vil, Ken. Kan du ikke binde hængekøjen op for mig? Jeg vil gerne hvile mig i den senere på dagen.«

Ken gik ud på terrassen, som på et stykke var overdækket af et tremmetag, hvorover de spændte teltlærred for at skaffe skygge på varme sommerdage. Nell kaldte det sin pergola og havde plantet vinranker, der skulle slynge sig op ad bærestolperne. En skønne dag ville de gro ind over tagets fletværk og give den fornødne skygge, uden at man behøvede teltlærredet. Samtidig kunne solstråler sive igennem det, de grønne vinblade ville hænge ned fra loftet, og under dem ville man få kølig luft med grønlige og gyldne farvetoner.

Ken kiggede i vejret. Teltlærredet var endnu ikke anbragt, og det direkte, blændende sollys sved ham i øjnene.

Han fandt hængekøjen, bandt den op i nærheden af pergolaen og lagde sig på ryggen i den med arme og ben hængende ud over dens kant. Han kunne nå jorden med fødderne og satte køjen i jævne sving med små spark mod gruset.

Blomsterbedene og syrenbuskene ved hjørnet nær stentrappen udsendte stærke, krydrede dufte i varmen. Der gik heste i grønningen, nogle drak ved brønden, andre græssede, mens andre igen stod stille og gloede på huset. Her fandtes ingen hingste – kun hopper og vallakker.

Sådan behandler man alle hingste i verden, undtagen de få, der skal bruges til avl, tænkte Ken. Og sådan går det næsten alle tyrekalve – undtagen avlstyrene – og næsten alle vædderlam. Mænd bliver ikke kastreret, drenge heller ikke, men alle tamme handyr gildes og bliver aldrig rigtige hanner mere. Netop i dette øjeblik snittede tusind kastrerknive, blodet randt i stride strømme, masser af mænd stod bøjet over svinebundne plage –.

Nell kom ud med en kaffekop i hånden. Hun så op mod himlen.

»Puh, hvor er det varmt!« sagde hun. »Vi skulle egentligt have lagt teltlærredet på.«

Hun kiggede på Ken, mens hun rørte i sin kaffe, og satte sig kort efter i en af nøddetræsstolene ved hans side.

»Det gør dem ikke rigtig fortræd, Ken,« sagde hun.

Ken blev ikke overrasket. Hun kunne altid læse hans tanker.

»Gør det ikke, mor?«

»Nej. Og man er nødt til at gøre det. Du skal ikke tage dig det nær, min dreng. Det er ikke rart at se på, og jeg er ked af, at du gjorde det; men om en uges tid er der ingen af dem, som aner noget om, hvad det egentlig var, som skete.«

»Tror du ikke?«

»Nej – se bare Highboy eller mange af de fineste væddeløbsheste.«

»Er de alle sammen kastreret?«

»Næsten alle. Der findes enkelte hingste på banerne, men de fleste er vallakker. Verden er fuld af så mange ubehagelige ting, Ken – smerter, operationer, sygdom og elendighed, det ved du godt. Men den slags kan man ikke gå rundt og være ulykkelig over. Sådan er livet nu engang. Samtidig findes der jo også sundhed, godhed, fornuft, glæder og morskab, og det gælder lige så vel for dyr som for drenge – der er langt flere gode end dårlige ting –.«

Han vendte ansigtet mod hende og begyndte at smile. Hun strakte sin arm ud imod ham og tørrede det klistrede hår bort fra hans pande. »Man må tage det onde med det gode. Sådan bærer alle voksne mennesker sig ad. Du er blot blevet en smule mere voksen i dag.«

»Jeg føler mig som en helt anden, mor,« sagde han. »I morges stod jeg op og vidste ikke, jeg måtte få min egen hest – det er forfærdelig længe siden.«

»Det er på den måde, man bliver voksen,« sagde Nell. »Det foregår i ryk. Lige på et nu er man blevet mange år ældre.«

Kens ansigt fik et tankefuldt udtryk. »Desuden kan jeg jo vælge en hoppe i stedet for en hingsteplag. Far rider en hoppe.«

McLaughlin lo højt fra det åbne køkkenvindue, og hestene på grønningen hævede hovederne, så op mod huset og nærmede sig forventningsfuldt.

McLaughlin viste sig i dørgabet. »Se til de røvere! De tigger havre –.«

Han forsvandt atter. Der hang altid en spand med havre på

en krog i den overdækkede indgang til køkkenet. McLaughlin kom lidt efter med havrespanden og gik ned over grønningen til hestene. De trængtes om ham.

Ved sådanne lejligheder krævede han, at de opførte sig pænt, at hver hest tog sin mundfuld havre og gav plads til den næste. En hest, der masede mulen ned i havrespanden og ikke ville fjerne sig, fik et ordentligt klask på siden af hovedet. Hvis de gjorde omkring og begyndte at sparke hinanden i gensidig misundelse og grådighed, gemte han havrespanden bag ryggen og holdt en formaningstale til dem. Hans stemme udtrykte en sådan overraskelse og forargelse over deres upassende optræden, at de alle sænkede hovederne og var lige ved at love, at de aldrig mere skulle gøre det. Somme tider dannede de kreds hele vejen omkring ham, så han skjultes af hestene – og for hestene. Så blev der slagsmål. Man så de store kroppe svinge sidelæns og stejle, der blev slået løs med bagben og forhove. Egentlig skulle man vente, han var blevet trampet flad. Men han dukkede altid ud af klyngen med spanden i hånden og smækkede med bagen af den frie hånd de uroligste heste over snuderne, mens han skældte ud og kommanderede med hård stemme. Efterhånden blev hestene rolige og fulgte ham ydmygt.

»Ken,« sagde hans far, »løb ned og smæk leddet op til Kalvehaven. Jeg lod fire af hopperne og deres plage blive derinde i går. Det er dem, du og Howard skal vænne til tøjr i år. Lad dem komme herind til de andre.«

Ken løb over grønningen til leddet ved siden af indhegningen uden for kostalden. Det førte ind til Kalvehaven. Han bandt det fast, da det var åbnet, men der var ingen hopper at se.

Rob begyndte at fløjte kaldende tæt ved ham. Det lød ikke højt, men kunne høres langt borte.

Kort efter så man et benet hesteansigt stikke frem fra bjergknolden ved græsningens fjerneste ende. Snart efter kom ét til – så to. Tre små plage kom med lette, dansende skridt – det var, som havde de fjedre under hovene. Inden længe travede alle fire hopper med deres afkom ned mod leddet. De sagtnede farten efter at have passeret det og skridtede langsomt ind over grønningen.

»Se Highboy og Tango!« udbrød Nell.

Highboy, der havde opholdt sig et stykke fra de andre og havde snuset efter kløver på bjergskrænten, fik pludselig øje på hopperne, og et eller andet ophidsede ham tilsyneladende.

En smuk, sort hoppe stirrede på ham og stod dirrende af gensynets spænding.

De ilede mod hinanden under højlydt vrinsken. Da de mødtes, gned de kinderne sammen, snusede til hinandens muler, og til sidst gik Highboy forsigtigt på bagbenene, til han kunne lægge sit ene ben over hoppens hals.

Både forældrene og drengene lo hjerteligt.

»Det kalder jeg gensynsfryd,« sagde Rob. »De blev født samme forår og har altid været kærester. Nu har de været borte fra hinanden en hel vinter, mens jeg havde hopperne gående nede i engene.«

Nell sagde: »Det var nøjagtigt, som jeg havde det med min bedste barndomsveninde, når vi havde været borte fra hinanden i ferien.«

»Heste er de følsomste og kærligste dyr, der findes,« sagde Rob. »Man ser aldrig et føl forlade sin mor, hvis det på nogen måde kan undgås. Familien holder altid sammen. Man kan ofte nede på slettelandet se en hoppe i følgeskab med en fireåring, en treåring, en toåring, en etårs plag og et sidste føl – mor og børn i ubrydeligt sammenhold. De skilles ikke, med mindre der indtræffer noget, som tvinger dem til det, og de glemmer aldrig hinanden.«

Highboy og Tango skridtede bort side om side. Tangos lille, sorte føl, der kun var en måned gammelt, fulgte efter og prøvede at komme til at patte moderen.

»Det er hendes første føl,« sagde Rob. »Det tegner godt. Ræk mig spanden, Howard. Nu har vi en god chance for at lære føllene at æde havre.«

Han fodrede først hopperne og rakte derpå spanden frem mod føllene.

De kunne være blevet rædselsslagne, men da de forstod, at deres mødre nød foderet, snusede de til spanden, snøftede lidt, opfangede den fremmede og derfor ubehagelige lugt af metal og varm hånd, hvorpå de gjorde omkring og flygtede. På sikker afstand standsede de, gjorde atter omkring og nærmede sig forsigtigt, medens de iagttog manden.

Rob forsømte aldrig en chance for at undervise sine drenge i hestepsykologi eller dressur.

»Sådan begynder man at vænne dem til mennesker,« sagde han. »Det havde været endnu bedre at dressere disse småfyre, da de kun var få dage gamle og lige kunne stå på benene. Nu har de gået ene og helt fri omkring nede i engene, fra de blev født for få måneder siden, og den tid er spildt. Den er værre end spildt, fordi de har levet i en verden uden menneskelige skabninger – en verden, der kun bestod af heste, græs, rindende vand, træer, måske noget så fremmed som en ledstolpe eller et pigtrådshegn – ikke andet. Nu skal de til at ændre deres opfattelse af verden. Den er anderledes, end de troede. Det er en verden, hvor mennesket spiller hovedrollen og er deres herre, som skal adlydes. Fra nu af bliver mennesket vigtigere end alt andet. Men det lærer de hurtigt.«

»De er allerede begyndt at lære af dig,« sagde Howard. »Det kan man se på dem.«

»De lærer ikke af mig endnu, men af deres mødre. De efterligner – gør alt det, deres mødre gør. Det er grunden til, at man praktisk talt aldrig kan opdrætte en plag til en god og omgængelig hest, hvis den har haft en tosset mor. Derfor kan jeg aldrig få nogen rigtig fornøjelse af plagene efter vore halvvilde hopper. De er ødelagte i mors liv – lige så vilde og uregerlige som mødrene. Man kan ikke dressere det onde ud af dem.«

Belysningen ændredes pludseligt, og McLaughlin så op

mod himlen. Den tunge skybanke i sydvest havde tårnet sig op, til den dækkede solen, og luften blev kølig.

»Vi får regn,« sagde han. »Vil du ride i eftermiddag, Nell?«

»Senere, måske,« svarede hun. »Foreløbig skal jeg have bagt brød, mens ovnen er hed.«

»Jeg henter post. Er der noget, jeg skal have med til dig?«

»Vi skal have to pakker af Fleischmanns gær, og Gus trænger til grovskåren tobak. Han bad om at få en pakke, når en af os kom til købmanden.«

Hun gik atter ind i huset, og drengene løb hen til den store røde Studebaker. Howard anbragte sig på førersædet og Ken bag i vognen.

Lige før McLaughlin satte vognen i gear, vendte han sig spørgende mod Howard.

»Hør for resten, Howard – hvornår har du sidst redet Highboy?«

»I går eftermiddags.«

»Jeg lagde mærke til hans ben – du slap ham løs uden at gøre hans ben rene.«

»Jeg har striglet ham,« sagde Howard, som vred sig på sædet.

»Ja – indtil knæene.«

»Han slår.«

»Hvis skyld er det?«

Howard sad tavs.

»Netop nu ville det være et meget passende tidspunkt at trække ham op til stalden og give ham en ordentlig omgang med halmviskene. Han er lige i nærheden, så du kan sagtens få fat på ham.«

»Må jeg ikke køre med til købmanden først?« spurgte Howard.

McLaughlin så sig om, som ville han tage et grundigt skøn over vejrudsigten, men lod, som havde han ikke hørt spørgsmålet.

Det lignede den gamle at vente, til man netop skulle have

det lidt sjovt, og så i stedet sætte en til at strigle Highboy. Howard kravlede modstræbende ned fra førersædet, hvor Ken afløste ham.

»Du kan fjerne den sten, der ligger foran det ene hjul,« sagde hans far.

Howard adlød, og vognen rullede ned ad skrænten, McLaughlin satte den i gear, motoren startede, de skramlede over Kalvehavens krydsende spor og videre ad den jævne grusvej, over den lille bro ved Lone Tree-bækken, op ad næste skrænt og uden om den træklædte bjergknold, hvor de forsvandt af syne.

10

De kørte over to miles slynget vej med god fast bane af rødligt granitsmuld, drejede skarpt ind under det store skilt med gårdens navn: GOOSE BAR RANCH og kom dér ud på hovedvejen til Lincoln.

»Far,« begyndte Ken.

»Ja, hvad er der?«

»Jeg synes, kastrering er modbydelig.«

»Det samme synes jeg; men det skal nu engang gøres.«

»Ved dem alle sammen?«

»Ja, hvis man vil have nogen nytte af dem.«

»Er de akkurat lige så gode, når det er gjort, som de var før?«

»De taber naturligvis noget ved det, men det er egenskaber, vi kun har brug for i en beskeler. Man kan nemt se, hvad det er, de mister – det liv der findes i halen, det, der gør, at den bæres højt, og at hårene bruser. Man kan også se det på svajet i halsen, på nakkens rejsning, på dens tykkelse og muskulatur, på øjnene og på ansigtsudtrykket. Personlig kan jeg lide at ride en hingst og har ofte gjort det, blot den er godt skolet. I Europa og Asien bruger man flere hingste end hos os, men det har visse ulemper. Man bør aldrig forplante andet end det allerbedste blod. Hvor man har stod af utæmmede heste og lader hingsteplagene gro op uden at gilde dem, bliver avlen ukontrollabel, og kvaliteten falder uvægerligt. Det er grunden til, at Vestamerikas mustanger er blevet så slette nede på præ-rierne. Det sker kun sjældent, at man får en virkelig fremra-gende hest, og i så fald er det slumpetræf.«

Ken spekulerede på problemet, navnlig på væddeløbsheste-ne, som blev kastreret, men alligevel var både store og stærke og så hurtige, at de kunne holde til løbene.

Det hjalp på humøret. Han følte, at han efterhånden ville kunne nå til at betragte sagen, som hans far så på den. Han kunne endog mindes morgenens begivenheder uden vedbli-vende at føle den ækle, prikkende fornemmelse i håndflader-ne. Men alligevel ... »Far, jeg har bestemt, at jeg hellere vil have en hoppeplag end en hingst.«

McLaughlin lo. »Udmærket! Men tag nu ikke dette alt for højtideligt, Ken.«

Ken satte sig til at tænke på sin plag. Han havde en uge at vælge den i og bestemte, at han hver dag ville ride op til Svajet for at se på etåringerne ...

»Der er noget, jeg gerne vil sige dig, Ken.«

Ken kiggede op på sin far. Den ligefremme måde, han talte på, fik Ken til at føle, at de vist allerede var nær ved at være venner.

Bilen passerede en vejføring over jernbanen.

Et tog med to lokomotiver passerede under broen, og da de atter rullede ad hovedvejen, kørte toget parallelt med dem. Det fløjtede skingrende, lokomotivets røg væltede ud over ve-jen og lukkede sig om dem som tåge. McLaughlin satte farten op og talte ikke, før de var kommet et godt stykke foran toget med dets larm og røg.

»Sagen er den, min dreng, at jeg nu giver dig en hest. Du

må vælge, hvilken plag eller hvilket føl du vil. Men alligevel er jeg langt fra tilfreds med, hvad du har præsteret i dette forår. Det ved du godt. Måske synes du, det er underligt, at jeg giver dig en hest, når du egentlig – i betragtning af, at du har skulket fra dine lektier og desuden lavede mig det tåbelige nummer med hestene i går – har fortjent en ordentlig dragt prygl.«

Kens ansigt mistede ethvert præg af glad forventning, og han stirrede lige frem for sig.

McLaughlin fortsatte: »Jeg vil ikke have, du skal tro, jeg bare slår en streg over vort mellemværende. Det gør jeg ikke! Du må ikke bilde dig ind, at jeg er blevet eftergivende og veg. Jeg venter og kræver lige så meget af dig nu som før. Det er heller ingen belønning, du får, for du har ikke fortjent nogen.«

»Hvad er det da, far?«

»Det er et kompagniskab. Jeg får brug for begge mine drenges hjælp, og I må uddannes til at kunne yde den på rette vis. Du skal tæmme og dressere din etåring. Jeg skal hjælpe dig en smule i begyndelsen, men du må selv tilride og dressere den, så opdrager den samtidig dig. Jeg ønsker, du skal bringe en god polohest ud af din plag, og jeg ønsker, at dens opdragelse samtidig skal gøre dig til et mandfolk. Forstår du, hvad jeg mener?«

»Javel, *Sir,*« svarede Ken, der nu så op på sin far og smilede lykkeligt.

»Men det er ikke alt,« fortsatte hans far. »Du får også andre pligter. Du må bruge en hel del tid til din hest – men ikke *al* din tid. Du skal også vænne de to plage til at bære hovedtøj og lystre en tøjle.«

»Javel, *Sir.*«

»Du skal hjælpe med tilridningen af fire heste, som skal deltage i rodeoen; i hele denne uge skal du hver dag sørge for, at de kastrerede plage bliver grundig rørt en halv time, og desuden må du hjælpe med alt forefaldende arbejde på gården, som du plejer. Jeg vil ikke have, at du smyger noget arbejde af dig, fordi du hellere vil lege med din plag ...«

»Nej, *Sir.*«

»Det, at du nu får din egen hest, betyder, at vi slutter en overenskomst med hinanden. Jeg giver dig plagen, du giver til gengæld større lydighed, mere målbevidst arbejde end nogen sinde før i dit liv. Skal vi være enige om det?«

»Javel, *Sir.*«

McLaughlin gav drengen et fast klap på det ene knæ, og Kens ansigt blussede.

De var begge tavse en tid lang, mens Ken betragtede landskabet, indtil han atter fæstnede blikket ved den brede hovedvej, som han vidste gik fra Atlanterhavet til Stillehavskysten, tre tusinde *miles* glimrende kørebane, der fulgte en næsten ret linje. Nogle af de vestamerikanske veje, han havde set på køreture med faderen, var oftest trafiktomme. De gennemskar slettelandet, hvor alt var fladt og retvinklet, så vidt man kunne se. Vognene, som kørte på disse veje, gik altid i højeste fart og svirrede som bier ind i fjernheden, men kun nogle få stykker om dagen. Vejen kunne ligge øde i timer, ja undertiden i døgn. Men Lincolnchaussëen var altid stærkt trafikeret. Hver bil, som passerede dem, fortalte sin historie, eller også gav en kort bemærkning fra McLaughlin den fornødne oplysning. Man kunne se på de mægtige vogne fra transkontinentale omnibusselskaber, at de virkelig kørte gennem en verdensdel. De mødte store, kostbart udseende privatbiler, dækket af støv, tynget af bagage, så bagenden hang lavt, mens de legende let kørte deres firs miles i timen i rivende hast mod fjerne mål; de havde endnu mange miles at sluge før mørkets frembrud. Der kom turister, måske fra New York eller Boston, på vej til ferie på en eller anden fidusranch med pension eller til nationalparken. Når de susede forbi, kunne man se damer og piger med farvede tørklæder om håret.

De passerede en stor, tung lastbil med lange, lige fyrrepæle.

»Det er tømmer fra Pælebjerget,« sagde McLaughlin. »En eller anden er nok ved at bygge lade.«

»Køber man pælene?«

»Nej, staten ejer Pælebjerget. Man får tømmeret gratis, men man skal selv fælde og borttransportere det. Det koster meget at skaffe sig et læs.«

Der var en del lokaltrafik; vogne – købt brugt og dårligt passet – fra egnens gårde; nogle få større biler med forretningsfolk og andre næringsdrivende, som havde ærinde mellem Cheyenne og Laramie; de mødte handelsrejsende i afrakkede, åbne eller lukkede standardvogne og en lang karavane – en »slange«, kaldtes den – af nye vogne, som blev slæbt ad vejen fra østens fabrikker til Californien, idet man sparede jernbanefragten ved at trække dem ad Lincolnchausséen.

Da de nåede vejkrydset, Tie Siding, kom der fra modsat side et eksemplar af den køretøjstype, man kan møde næsten for hver mile på de vestlige veje. Det var en Ford Sedan, der bulnede og vrikkede som en gammel vaskekone. Oven på den var stablet madrasser, stole, borde og sengeklæder. Bag på den var bundter og bylter bundet fast med knudefyldte tørresnore; en gammel, rusten kakkelovn, halvt dækket af et vatteret tæppe, var surret til kofangeren. Inde i vognen vrimlede menneskelige skabninger af begge køn og alle aldre fra loft til gulv. De væltede ud, da døren blev åbnet. Deres ansigter var tørre, vejrbidte og hærgede. Såvel piger som drenge bar falmede skidne lærredsbukser. De mindste og navnlig spædbarnet så både bedrøvede og sygelige ud. Deres øjne var store, og de havde dybe furer fra næsen til vigene af deres blodløse munde. En lille knægt tudskrålede, ikke af irritation eller galskab, blot i en stædigt vedvarende fortvivlelse.

McLaughlin standsede motoren, og de holdt stille nogle øjeblikke, mens de så på den mærkelige flok.

»Hvor mon de skal hen?« spurgte Ken.

»De kører ud i det blå. Det er fattigfolk, som leder efter en eksistensmulighed. De prøver at klare sig i byerne, men kan ikke magte tempoet. Så tror de, det går nemmere ude på landet. Enten får de en af statens domænegårde uden betaling, eller måske køber de jord af en anden familie, som ikke har kunnet klare sig ...«

»Hvordan kan de betale for jorden?«

»De betaler ikke – de lover at betale eller forpligter sig til at yde en vis del af den årlige avl, måske forpagter de jorden. Naturligvis får de altid den ringeste sort, en ejendom uden – eller næsten uden – vand, som intet menneske kan få til at betale sig. Efter nogen tid går de også i stykker på *den* forretning, og så drager de videre. Hele staten er oversået med forladte gårde, hvor bygningerne rådner op og smuldrer hen. Det, der engang var godt græsland, er nu ødelagt og oppløjet, så det naturlige græs er forsvundet.«

»Kommer det ikke igen af sig selv?«

»I løbet af en halv snes år, måske. Det er en forbrydelse at pløje jorden i disse stormfulde egne. Det vidste indianerne, og de anvendte en langt bedre metode. Tidligt om foråret eller så sent om efteråret, at frøet var kastet, brændte de det gamle græs af, så det ikke kunne kvæle det nye, der spirede frem. På den måde undgik man at pløje jorden og risikere, at hele muldlaget blæste bort som støv, så snart de tørre sommermåneder satte ind.«

Mrs. Olsen, som var gift med ejeren af den kombinerede købmandshandel og poststation, kom skyndsomst ud i rene, hvide bukser og mandfolkejakke.

»Goddag,« råbte hun venligt.

Hun havde velplejet, kortklippet, sort hår, et godt lag *rouge* på kinderne og knaldrøde læber, men hun virkede rolig, dygtig og rutineret.

»Lad mig få ti liter,« sagde den høje, halvgamle mand, der var kravlet ud af den overfyldte og ramponerede Ford Sedan. Han vågede nøje over Mrs. Olsen, mens hun anbragte pumpens slange i tankens spunshul og begyndte at fylde benzin på den.

Andre af den store familie spredtes på begge sider af købmandshuset til toiletter og venteværelser. Nogle af børnene gik tværs over vejen for at kigge på et par bjørne i et stort bur af tykt ståltrådsnet. Ken og hans far steg ud af bilen og gik ind i butikken hvor en del mænd stod og handlede eller sad i hyggelig passiar.

Nye biler stoppede for at påfylde benzin, så Mrs. Olsen måtte fare frem og tilbage fra pumpe til pengekasse for at veksle.

En stor lastbil standsede, og chaufføren kom ind for at købe tobak, mens Mrs. Olsen fyldte hans tank.

»Hvad kører De med i dag?« spurgte McLaughlin.

»Døde kalve.«

»Døde kalve?« gentog næsten alle i butikken.

Olsen sagde: »Ja, det er ovre fra Morrisons ejendom nord for hovedvejen, kan jeg tænke mig –.«

»Det stemmer.«

»Jeg har hørt, man kørte døde kalve væk derfra i vognladninger – flere hundrede –.«

»Det stemmer.«

»Det er slemt for Morrison,« sagde Olsen. »Hvis han ikke kan få bugt med den smitsomme kalvekastning, som nu huserer hos ham, er det vist tvivlsomt, om han kan klare sig.«

Ken gik ud og klatrede op på lastvognens side, så han kunne se dens last af kadavere; mørkerøde kroppe med hvide hoveder, udmærkede herefordkalve. De var allerede begyndt at stinke.

Chaufføren kom ud fra butikken.

Ken hoppede ned af vognen og gik atter ind til sin far.

»Regeringen er gået ind for at få udryddet den smitsomme kastning her i staten,« sagde Crane ovre fra et hjørne af butikken, »navnlig hvor det drejer sig om malkekøer. Jeg tror nu, at hvis man vil forbyde salg i hele staten af mælk fra besætninger med smitsom kastning, vil der blive fandens lidt at gøre på mejerierne.«

Den fattige farmer havde afsluttet sine forretninger – ti liter benzin og en slikkepind til hver. Familien blev atter stuvet sammen i den gamle Sedan, som fortsatte mod vest.

Olsen spurgte McLaughlin: »Hvorfor kommer De ikke over til fugleskydningen på søndag?«

»Det er alligevel Deres kone, som vinder alle præmierne,« drillede McLaughlin.

Olsen kroede sig lidt. »Ja, hun er morderlig god, det er hun! Men De har nu også ord for at være en fin skytte, kaptajn. De skulle prøve. Der kommer altid nogle officerer fra fortet.«

Deres nabo mod vest, gamle Reuben Dale, spurgte: »Har De set noget til pumaer ovre på Deres ejendom i sommer, McLaughlin? Jeg mistede to kalve af dem, der græssede på min eng i nærheden af Deres Castle Rock-enge, og jeg har en fornemmelse af, at det var en puma, som tog dem. Bert hørte også en af de store katte vræle forleden aften, da han var ude for at hente køerne hjem.«

»Pumaer?« sagde McLaughlin eftertænksomt. »Nej – jeg har ikke set nogen, og jeg har heller ikke hørt noget til bæsterne, men jeg tror nok, jeg har mistet et føl –.«

»De sætter navnlig pris på hestekød,« sagde Reuben med et grin.

Ken og hans far forlod butikken med posten, gær og tobak, tre slikkepinde og pebermyntebolsjer til Nell. Ken så op på sin far.

»Hvad var det for et føl, far?«

McLaughlin svarede ikke, og de tog plads i bilen, hvor Ken atter spurgte: »Hvis føl er det, vi savner?«

»Rakets. Jeg tror, hun havde et føl, og nu er det forsvundet. Inden jeg driver hende ud af staldvænget, må jeg en tur ned til engene ved Castle Rock for endnu engang at lede efter det.«

Ken syntes, det var uhyre spændende. Han tænkte på Espelunden, på Castle Rock, der var stort som et hotel med kældere og gange på kryds og tværs, og på alle de knogler og skeletter, der fandtes i disse huler. Vildkatte – –.

McLaughlin kørte hurtigere end før. Kennie skævede til ham og så, at hans ansigt havde fået noget af det hårde, forbitrede udtryk, han kendte så godt. Hans far var bekymret.

»Hvilken bøsse vil du bruge, far?«

Det varede længe, inden McLaughlin svarede: »Jeg tager winchesterriflen, men jeg får ikke brug for den. Hvis man overhovedet kommer en puma på skudhold, sker det altid, når man ikke har noget våben hos sig.«

11

En sværm sorte spyfluer gik summende til vejrs, mens McLaughlin og de to drenge betragtede de sørgelige rester af det, der engang havde været Rakets føl. Huden var endnu ikke tørret. Der hang kødlaser ved tænderne og de små hove. Hårene fra hale og manke lå spredt over skelettet.

Howard havde fundet det inde i en af hulerne ved foden af Castle Rock og havde udstødt et triumfskrig, der havde tilkaldt hans far og Ken. De stod alle tre og så på skelettet uden at sige noget. Man hørte kun lyden af de summende spyfluer, der rejstes i sværm, men inden længe på ny myldrede over ådslet – travle, metalskinnende, grønlige.

»Det har været sort,« sagde Ken og rørte med sin fod ved den lille hale, der bredtes over knoglerne.

Et dødt føl. Det kunne have været *hans eget*. Kastrering, død – og hvad mere?

»Det var derfor, Raket ville blive her, ikke far?« spurgte Howard.

»Jo, det tror jeg, min dreng. Hun har både vidst det og ikke vidst det. Hopper reagerer mærkeligt over for døden. En hoppe bliver aldrig hængende ved et dødt føl, skænker det faktisk ingen opmærksomhed. Jeg har ofte tænkt mig, at hopperne ikke vil kendes ved de døde. De forstår ikke, hvad der er sket; men når de først kommer langt bort fra det, husker de føllet og begynder at lede efter det, mens de vrinsker og klager.«

McLaughlin satte sig på hug for at undersøge kadaveret. Dets rygrad var brækket to steder lige foran skulderbladene.

Det var ikke blevet helt ædt op; huden var endnu hel over krydset, hovedet var knust, en del knogler fra krop og lemmer lå spredt uden om det.

»Tror du, det var en puma, som dræbte føllet?« spurgte Ken.

»Ja, det tror jeg. En ulv ville have gnavet knoglerne renere. Føllet døde ikke af sig selv, det er i hvert fald givet, for i så fald ville det ikke have ligget i denne hule. Et eller andet rovdyr har slæbt det ind i hulen. Man kan se, at der i tidens løb er slæbt mange andre dyr herind til opædning.«

Hulen var fuld af knogler – som næsten alle hulerne under Castle Rock.

»Se jer godt om, drenge! Lad os prøve, om vi kan opdage, hvad det var, der dræbte føllet, og hvordan det gik til. Bunden herinde er for hård til at vise noget spor.«

Ken var glad for atter at ånde i frisk luft, da han kom ud af hulen, bort fra stanken, fra fluesværmens summen og bumsen imod ham.

Vejret havde ændret sig. Mellem de høje, lysegrå skyer og jorden drev forrevne, mørke skyer jaget af blæsten fra bjergtinde til bjergtinde.

»Vi får regn,« sagde McLaughlin.

Howard udstødte et råb. »Her er blod, far!« Han pegede på en lang, rød strime, der var tværet ud over en flad sten et stykke fra hulen.

McLaughlin gryntede. »Bæstet har slæbt føllet over stenen.«

Retningen fra hulen og over stenen pegede ned mod vandløbet. På dets sandede bred, hvor strømmen havde skåret sig ind under brinken, fandt de fire klare runde aftryk af små hove.

»Her er det foregået,« sagde McLaughlin. »Det har været en puma – her i nabolaget kalder de dem enten bjergløver eller vildkatte – det er sikkert. Læg mærke til, hvor stor den har været.«

Rovdyrets fodaftryk var så store som pandekager.

Lige i nærheden fandtes hestenes drikkested, hvor bredden var nedtrampet. Også her så de spor af pumaen blandt de mange hovaftryk.

Howard forklarede ivrigt: »Man kan bande på, at den dræbte føllet, mens det var med nede ved drikkestedet. Den er sprunget lige i nakken på det oppe fra brinken ...«

McLaughlin tændte roligt og sindigt sin pibe, inden han rystede på hovedet og sagde: »Det er noget vrøvl!«

»Hvorfor?«

»Tænk dig om. Et føl, der ikke er mere end en uges tid gammelt, drikker ikke vand!«

»Nej, men så er det vel sket, mens Raket var her for at drikke –.«

»Raket er selv en vildkat. Hvis pumaen sprang efter hendes føl, mens hun var hos det, ville hun øjeblikkelig have angrebet den. I så fald ville bæstet have været nede på jorden, og Raket havde simpelthen splittet det ad. Jeg kan blot ikke forstå, hvor Banner har opholdt sig! Hvis han først havde set eller kunnet lugte vildkatten, ville vi have set ådslet af en puma – ikke af et føl. Banner må have opholdt sig i den anden ende af engen. Raket har nok været alene hernede sammen med sit føl, og så har pumaen været hende for rask i vendingen – og har dræbt ungen.«

De prøvede at rekonstruere begivenheden. Raket havde græsset. Føllet havde opholdt sig et stykke fra hende, måske havde det ligget sovende i græsset, da det pludselige angreb kom, og føllet hvinede. Raket var faret det til hjælp, men for sent, og pumaen smuttede bort. Hoppen havde stået snusende med hængende hoved over det døde føl og havde omsider helt forvildet ladet det lille kadaver ligge for at lede efter sit levende føl andet steds.

»Da Raket så var forsvundet, kom pumaen tilbage og slæbte sit bytte ind i hulen for at æde det,« sagde Howard.

»Ja – det tror jeg nok er mysteriets opklaring,« sagde McLaughlin.

»Den gør bare ingen ende på vildkatten,« sagde Ken. »Hvor tror du, den opholder sig, far?«

McLaughlin tog først det stålmålebånd, han altid gik med, op af lommen og målte afstanden mellem sporene af pumaens for- og bagpoter. »Fem fod og tre tommer,« sagde han, idet han rullede målebåndet sammen. »Det er en stor tamp.«

Begge drenge så anspændt på deres far og holdt sig rede til at gå ind på hans sindsstemning. Han var alvorlig, men ikke just bekymret, og nu svarede han Ken:

»Det ville jeg meget gerne vide, min dreng,« sagde han tankefuldt, mens han dampede på piben og så spejdende ud over det nære terræn i retning af dalens hegn, engen omkring Castle Rock og det korte stykke græsning, som skilte dem fra espetræerne. »Jeg er glad for, at jeg fik følhopperne bort fra engene her.«

»Tror du, pumaen dræber flere af vore føl?«

»Nu har den jo ikke noget at komme her efter. Vi har alle dyrene oppe i bjergene eller hjemme ved gården. Hvis pumaen finder andet bytte på dette strøg, bliver den her sikkert. Lad os håbe, den gør det.«

»Hvad æder pumaerne?«

»Alt levende lige ned til hulemus og almindelige mus. De holder mest af frisk kød, og alt, som overhovedet bevæger sig, dræber de af lyst, selv om de ikke gider æde.«

»Kan de dræbe heste og føl, der er ude på bjergskrænterne?«

»Det er vanskeligere, fordi de ikke kan skjule sig i baghold; men de kan dække sig på jorden og snige sig ind på dem. Pumaerne kan kun opnå noget ved at overrumple byttet. Hvis en hest blot ser eller lugter bæsterne i tide, kan den altid undslippe, for der er ingen fart i vildkattene – deres ben er for korte. Det sker, at en enlig hest bliver overfaldet af en puma. I så fald springer vildkatten fra jorden, lander på hestens nakke og bider dens rygsøjle over. Det er en nem død.«

Pludselig lød et øredøvende tordenskrald, og regnen styrtede ned, som havde en eksplosion sprængt en himmelsk cisterne. Pumaens store, runde fodspor smeltede bort og skyllede væk som mudder.

Mens McLaughlin og drengene løb hen mod bilen, der stod hældende på bjergskrænten, tænkte Ken på, om pumaen måske kunne lure i nærheden. Han kastede et blik tilbage på Castle Rock. På dens tinder og stenhylder fandtes talløse gemmesteder. Måske lå pumaen sammenkrøbet deroppe og så alt, hvad de foretog sig.

De kom ind i vognen og kørte.

Castle Rock var både uhyggelig og spændende. Ken og Howard havde mange gange udforsket den fra tinde til fod, havde kravlet gennem de underjordiske gange, havde optalt og undersøgt hulernes knogler og hele skeletter, havde klatret ad dens yderside over alle høje brystværn og fremspring, men alligevel kendte de ikke på langt nær klippens hemmeligheder til bunds. På en af klippehylderne lå en kæmpestor rokkesten – så stor som et lokomotiv og så glat som en strandsten. Den rokkede, bare man rørte ved den; men de havde forgæves aset og maset for at få den ud af ligevægt. De troede, det måtte være let at give en så vaklende klods et puf, der kunne kippe den over stenhyldens kant, så den styrtede buldrende og drønende ned.

Da Ken en morgen, lige efter solopgang, stod på den store klippe, så han fem prærieulve lave stafetløb efter en hare nede over engen. De havde anbragt sig på fem forskellige punkter i en stor kreds og samarbejdede mønsterværdigt, så den ene prærieulv overtog jagten, hvor den anden holdt inde. Det fortsatte, til haren var fuldstændig udmattet. Den begyndte at bræge og hvine, mens den løb fjantende og rådvild i skiftende retninger. Nu kastede alle prærieulvene sig over den som en flok fodboldspillere over en modstander. Et øjeblik tumlede, snøftede og bed de i vild tummel. Så opløstes klumpen, og prærieulvene skiltes for at forsvinde i roligt luntetrav. Af haren fandtes kun nogle få, hvidnavede knogler i enggræsset.

McLaughlin kørte sin Studebaker over bækken til ejendommens sydside og derfra tilbage over højderne, som førte til Hjortebækken og foldene ved stalden. Han håbede at kunne finde Raket og få hende drevet bort fra staldvænget uden at forlade bilen.

Howard sagde: »Det er utroligt, som hun kan mase gennem hegnene – eller hoppe over dem! Selv om vi driver hende ud på bjerget, risikerer vi, at hun alligevel finder ind i staldvænget, når det passer hende, ikke far? «

»Jo! Hun både kan og vil sikkert også trænge sig herind. Det er et fandens besvær at have sådan en krikke på sin gård!«

»Hvorfor jager vi hende så ud?«

»Det kan jo være, hun bliver ude. Undertiden har hun respekt for hegnene, undertiden er hun ligeglad – det afhænger af, hvad der stikker hende. Hovedsagen er, at vi får hende op til avlshopperne. Dér skal Banner nok holde hende på plads. Han er den eneste, som har krammet på hende.«

Regnen vedblev at skylle ned, mens bilen krydsede gennem skoven eller ad de smalle kørestier over græsgangene. Drengene kunne se på deres far, at han var ved at tabe tålmodigheden. Regnen piskede mod bilens ruder og blændede dem. Lynene flængede gang på gang skyerne, og tordenen bragede i skrald efter skrald.

De fandt ikke Raket i staldvænget og endte med at sadle deres heste. Nell, Gus og Tim deltog i jagten. De var alle i stive oilskinsfrakker til værn mod regnen, mens de gennemsøgte skovklatter og græsninger en hel time. Hoppen, som end ikke havde efterladt sit sædvanlige spor, et sprængt hegn, var ikke at se noget sted.

»Hun er åbenbart for en gangs skyld hoppet over hegnet i stedet for at bryde igennem det,« sagde McLaughlin bittert. »Jeg gad vide, hvad der er blevet af hende.«

McLaughlin sendte Tim og Gus tilbage, så de kunne passe

malkningen og røgte til aften. Nell og drengene kostede han hjem for at skifte og red selv op til Svajet. Hvis Raket af sig selv havde søgt ud til følhopperne, var alt såre godt – hvis ikke, skulle hun findes.

Regnen var hørt op. Blæsten jog skyerne på flugt, og en stor, ubrudt regnbue spændte sig som en ramme om bjerget mod en lysende himmel. Farverne var vendt tilbage over hans ejendom, himlen blev lysende blå, og dens stærke kulør fik alle andre farver til at kontrastere i skarpere nuancer end ellers – de røde tage, de grønne marker og de sorte nåletræer.

McLaughlin galoperede op til Svajet på sin store, nervøse fuldblodshoppe Taggert – ind i det fantastiske lys, som funklede fra regnbuen.

Han anede ikke, hvor hopperne befandt sig. De kunne være ganske nær og dog skjult i en sænkning af det bølgende bjerglandskab, men de kunne også være flere *miles* borte fra Svajet. Pludselig var han midt i deres flok. De iagttog ham uden uro. De havde for længst hørt, at en rytter nærmede sig, og været på det rene med, at rytteren var Rob McLaughlin.

Banner havde af ventet hans ankomst og skridtede ham straks i møde.

Taggert spidsede øren, mens Rob snakkede med Banner. Han sad roligt i Taggerts sadel, så sig om, talte hopperne og spejdede efter Raket, medens Banner og Taggert udvekslede artigheder og flirtede en smule. Banner stillede nærgående forslag, og Taggert bad ham om at holde sig i passende afstand.

Endnu en regnbue tændtes næsten lige så intens i farverne som den første, og rummet mellem de to himmelbuer fyldtes af en lysende brun glans. Der var snart antydninger af en tredje regnbue over Svajet.

Raket var ikke deroppe.

McLaughlin vendte sin hest og red bort fra hopperne. Banner fulgte ham en mile på vej i kort galop, hvorpå han svingede til siden og vendte tilbage til sine pligter.

Så snart Rob havde sadlet af, gav han alle på gården ordre

til at lede efter Raket, indtil de fandt hende. Nells og drengenes daglige rideture skulle benyttes til eftersøgningen. Gus og Tim skulle holde udkig, hvor de end arbejdede.

Raket burde hurtigst muligt bedækkes, helst den niende dag efter at hun havde folet, så hun kunne fole tidligst muligt næste forår. Et føl, der kom til verden hen på sommeren, fik hverken kræfter eller størrelse nok til at kunne udholde de første snestorme.

»Og når det er sket,« sagde Rob, »vil jeg have fjernet rebenden fra hendes hals.«

Det så ud, som om hans irritation helt var forsvundet nu, da dagværket var endt. Han trampede om i køkkenet og indsnusede dets duft af friskbagt brød; men Nell, der kastede et blik på hans ansigt, så det udtryk af hensynsløs ubøjelighed, som hun frygtede.

Hun tog franskbrødskniven og skar skiver af det varme brød med den knitrende, sprøde skorpe – hun smurte endestykket med friskkærnet smør og rakte ham det. Hun smilede ved at se, hvor glubsk han bed i brødskiven. Men hun tænkte på rebløkken om hoppens hals. Hvad ville det ikke koste af tid, slagsmål, kræfter og vrede at få den fjernet.

Nell var næsten faldet i søvn i den store dobbeltseng, hvor hun lå ved sin mands side, da hun hørte hans stemme.

»Nell ...«

»Ja, min ven, hvad er der?«

»Denne her puma, du ved – og drengene – hvad tror du, der kan ske?«

Hun vendte ryggen mod ham, men hun hørte på hans tonefald, at han var lysvågen og nervøs. Han støttede sig på sin ene albue.

»Jeg forstår dig. Jeg har også tænkt meget på det. Jeg blev bange.«

De lå tavse nogle øjeblikke. »Skal jeg bede dem være forsigtige? – Skal vi give dem kraftigere skydevåben – de lette jagtbøsser duer ikke til noget ...«

Hun afbrød ham. »Det vil ødelægge hele sommeren for dem, ikke?«

»Jo! Så bliver de nødt til at have geværerne med sig overalt ...«

»Ja ...«

»Og alligevel ...«

»Ja, netop!«

Der fulgte atter nogle øjeblikkes tavshed. »Måske er der kun en ringe sandsynlighed for, at de bliver angrebet – en chance af hundrede.«

»Angriber vildkattene mennesker, Rob?«

»Hvis det stikker dem, angriber de alt. De er ganske uberegnelige. – De *er* katte, ved du!«

»Kan de dræbe?«

»De kan dræbe alt, hvis de har chancen for en overrumpling – heste, køer, mennesker – hvad som helst.«

»Men det er vel kun, når de sulter, ikke? Der er så meget småvildt her på gården – og desuden er der hestene.«

»Hestekød er deres livret. Nell – jeg tror ikke, jeg siger noget til drengene. Jeg vil så nødig skræmme dem.«

»De sidder jo næsten også altid i en sadel, Rob.«

»Ja.«

Nell lå stille og spekulerede på problemet. Hun syntes ikke, der kunne være nogen overhængende fare – det hele var vel blot endnu en risiko blandt de mange, man måtte tage med her i bjergene. Der gik ingen dag, uden at man var i fare for et eller andet – Ak Gud, tag mine drenge i din nådige varetægt – mine tre drenge –!«

»Nell –.«

Robs stemme lød dybere og mere dæmpet, han flyttede sig nær og bøjede sig over hende. »Der er også dig selv!«

»Mig?«

»Du går så ofte ud. Du er tit i staldvænget, spadserer eller sidder og læser helt alene om eftermiddagen –.«

»Ja.«

»Du fisker i bækken og er ofte alene i timevis nede ved Hjortebækken. Du går langs vandet, og der er træer, som hælder ud over brinken –.«

»Ja.«

»Det må du ikke nu.«

»Jeg kan ikke holde ud at være spærret inde, Rob – jeg må ud! Jeg må have lov at føle mig fri!«

»Men ikke under træerne, Nell.«

»Pumaer springer altså på deres bytte fra træer, ikke sandt?«

»Jo.«

»Gid pokker havde dem – det er irriterende!«

»Nell, du må love mig ...«

Hun klappede ham. »Jeg vil så nødig gøre dig bekymret, kæreste. Du har nok at spekulere på, men jeg er ærlig talt ikke spor bange.«

»Det ved jeg godt, men det hjælper ikke. Der er en oplagt mulighed for, at en af os, før eller senere, kommer bæstet på skudhold – hvis de lusker om i nærheden af husene. Men indtil vi får skudt det, må du love mig ikke at fiske i Hjortebækken. Du kan fiske, hvor den løber gennem engene i åbent land, hvor der ikke er træer.«

»Ja, min ven.«

»Lover du det?«

»Jeg lover, at jeg ikke skal fiske i Hjortebækken, hvor der er træer!« Hun lo og lukkede atter øjnene.

Hver aften var hun knuget af træthed. Hun mærkede det som en tung, vellystig smerte i lemmer og krop, og når hun gav efter for den, var det, som sank hun i et sugende dyb.

Hendes tanker flakkede og dannede groteske mønstre som glassplinter i et kalejdoskop. Hun mærkede Robs kind mod sit hår. Han kyssede hende nænsomt på kinden, tindingen og mundvigen.

Han tror, jeg sover, tænkte hun og åndede dybere og mere jævnt, mens hun holdt øjnene lukkede. *Så – dødsens – træt!* – Det mørke dyb sugede hende ned mod bevidstløsheden. Hun mærkede Robs arme lukke sig om hende og følte sig varsomt trykket mod hans stærke krop – noget bevægede sig i løvet over Hjortebækken – en gren dirrede – skygger – susende blæst gennem træerne ...

12

I den følgende uge, som Ken skulle benytte til udvælgelsen af sin etåring, havde alle travlt.

Det regnede hver eneste dag fra en mægtig purpurrød sky, der drev bort om aftenen. Hver morgen var klar og solvarm, men ved middagstid hang den over gården, rumlede af torden, knitrede af lyn og skiftede form. Kort efter pøsede regnen ned, mens horisonten hele vejen rundt om ejendommen var rolig og blå med hvide fjerskyer ubevægelige på himlen over de mørke bjerge.

Nell kaldte den for Goose Bar ranchens sprinklersystem. Regnen gav de mørkerøde geranier i de ultramarinblå vindueskasser og de røde, blegrøde, purpurdunkle eller hvide petunier friske og stærke kulører. Husenes tage blev røde og rene uden noget slørende støvlag, og græsset skinnede så grønt som billardklæde.

Drengene tumlede med Lady, Calico, Buck og Baldy, der alle skulle rides til, så de kunne lejes ud til rodeoen.

»Mens I leder efter Raket, tager skøn over etåringerne og sørger for, at vallakkerne får rigelig motion, kan I lige så gerne benytte tiden til at få sat skik på disse ralliker,« sagde McLaughlin.

»Hvem af dem skal vi ride?« spurgte Howard.

McLaughlin strakte sig i liggestolen ude på terrassen og røg en pibe tobak før aftensmaden. Han tænkte nøje over sagen. »Ja – lad os nu se! Lady er nervøs og vil gerne stikke af.

Hun smed sig bagover med Tim sidste uge. Baldy er en stædig bandit og har sine egne meninger, der i reglen er rigtigere end rytterens. Han er fornuftigere end et menneske. Calico er et løbsk fjols og kan ikke selv regne ud, hvornår han skal stoppe – han løber altid vejret af sig. Du kan tage Calico, Howard, men husk, at der ikke er sund fornuft i ham. Han kommer i skum over ingen verdens ting og går voldsomt på. Han er hårdmundet. Sørg for, at han ikke hænger på biddet. Rid ham med stram tøjle, men pas på, at han ikke lader dig holde hans hoved oppe. Snak med ham. Intet virker mere beroligende på ham end rytterens stemme. Du kan tage Lady, Ken. Du får hende, fordi du i reglen ikke aner, hvor du er henne. Du sidder på en hest som en sæk mel og glemmer dine tøjler – hun vil ikke opdage, at hun har dig på ryggen. Jeg har lagt mærke til, at hun aldrig bliver løbsk, når du rider hende – hun går, som om hun græssede. Det er udmærket – i hvert fald for den specielle hoppe. Det beroliger hende. Men pas på, hun ikke løber løbsk; lad være med at ride hende i for hurtig gangart. Når hun bliver tosset, kommer det altid pludseligt; så tager hun biddet mellem tænderne og lader stå til; det er, som om hun beruser sig i farten. Jeg må have hende vænnet af med de kunster i løbet af sommeren. Hun er et dejligt dyr.«

»Jeg kan hjælpe til med Lady, sagde Nell. »Hun opfører sig altid pænt, når jeg rider hende, og jeg kan svært godt lide hende. Hun og jeg forstår hinanden.«

»Udmærket! Du kunne for den sags skyld ride enhver af hestene, og det var meget rart, om de skiftede rytter engang imellem. I kan alle ride Buck og Baldy. Det nytter ikke at fortælle, hvordan I skal ride Baldy, han gør kun, hvad der passer ham, men det er i reglen også rigtigt. Buck er lidt stiv i det og skal rides mere smidigt, desuden reagerer han ikke så godt for tøjlehjælpen, som han burde. Tag dem ned på ridebanen og rid dem hver dag en time i ottetaller. Sørg for, at de lystrer tøjle- og sporehjælp lidt villigere; de trænger til at blive samlet noget bedre og få mere fremdrift. Giv dem lektioner både i trav og kort galop. Brug sadel og sørg for, at de bliver gennemstriglet både før og efter ridningen. Husk nu, drenge, at dette er jeres daglige pligt, som hverken må glemmes eller forsømmes; men jeg vil ikke kontrollere jer eller spilde min tid på dette arbejde. I kan lade dem alle fire græsse i Kalvehaven, så er de nemme at indfange og bliver ikke blandet med andre heste. Giv dem al den dressur, I kan magte.«

En opkøber, Joe Williams fra Colorado, kom for at spørge, om McLaughlin havde heste til salg. Han indfandt sig et par gange årlig og samlede heste, som han senere afhændede på auktioner; men de priser, han bød, var altid så lave, at hans ankomst gerne var signalet til et af McLaughlins raserianfald.

Williams bød tredive, fyrre dollars for en gammel følhoppe og dens vårføl, tyve til tredive dollars for en tilredet vallak, der var sadelvant og havde tilstrækkeligt gode tænder til at kunne æde sig i passende foderstand. På den anden side betalte han kontant, og den eneste måde, man ellers kunne afsætte de heste på, der ikke lå i topklassen, var at sælge dem i vognladninger – gamle krikker og vilde mustangs i usorteret blanding til benmelsfabrikker. Derfor plejede McLaughlin at slå en handel af med Joe Williams efter flere timers gensidige fornærmelser, udskældninger og diskussioner. Nell opfordrede ham altid til at gøre det. »De bliver jo trods alt ældre,« sagde hun, »og det er svært at holde dem i ordentlig foderstand. Han kan tage otte, ti stykker i sin lastbil, og selv med hans elendige priser bliver det dog til et par hundrede dollars.«

Ved denne lejlighed sagde McLaughlin, at han ville hente nogle heste, han ikke havde brug for, fra udmarkerne, så de kunne handle om dem. Williams kørte videre, men lovede at komme tilbage og medbringe lastvognen i løbet af en uge.

Klaphingsten Jingo døde.

McLaughlin tillod ingen at vise, eller for den sags skyld føle, nogen sorg over, at et dyr omkom. Det var en uskreven lov, at man skulle tage døden, som dyrene tog den, noget selvfølgeligt, der hørte med til dagen og vejen, noget naturligt og ikke alt for vigtigt – *glem det!* De stod deres dyr så nær og var i den grad venner med dem, at det ville ende i idel bedrøvelighed, hvis de skulle sørge over hver enkelt. Døden omgav dem altid. Den græd man ikke over.

Men netop Jingo – Jingo, der havde listet sig bag på en og nippet i ens skulder, for at man skulle lægge mærke til ham. – Ken ville ikke få nemt ved at glemme Jingo.

Gus slog et reb om den døde vallaks hals, gjorde det fast bag i den lille fordlastvogn og slæbte ham tværs over markerne til den forladte mines skakt på bjergskrænten. Skakten var tre hundrede fod dyb.

En anden af de nylig kastrerede vallakker, Two-Spot, en mørkerød plag med to hvide pletter, den ene på skulderen, den anden på krydset, var nær også omkommet. Dagen efter kastreringen havde han store klumper under maven og langs rygraden. Han ville ikke bevæge sig og svulmede op, til han blev helt uformelig.

Infektion, sagde McLaughlin. Drengene havde rørt plagen, hujet og skreget og svinget deres reb efter den for at få den til at trave. Masser af blod og materie fossede ud af operationssåret, og næste dag havde plagen det lidt bedre. Efter de givne instrukser havde drengene gentaget forestillingen, og Two-Spot kom sig lidt efter lidt, men først efter at have tabt flere hundrede pund. Man kunne tælle dens ribben.

»Det var et held, vi ikke mistede ham,« sagde Gus.

Ugens største begivenhed var, at McLaughlin fæstede en professionel hestetæmmer – en *bronco buster* – til dressuren af treåringerne.

Ken så første gang den nye mand, da de en aften lige før spisetid kom ind fra staldene, og berideren stod i samtale med Nell på grønningen.

Han var meget lille, pæn i tøjet og med tynde og hjulede ben. De stramtsiddende blå ravndugsbukser var slidt lyse på bagen og på indersiden af lårene. Han var næsten lige så smal om livet som Ken og gik med et stramt læderbælte. Det lille

111

ansigt var rødt og udtryksløst. De blå øjne stirrede så direkte på den, han talte til, at alle andre syntes flakkende.

Nell præsenterede ham ved at sige, at det var Ross Buckley, som skulle ride med i rodeoen, men havde et par ledige uger, til den fandt sted. Han ville gerne beskæftiges så længe med tilridning.

»Jeg hørte, at De havde nogle varmblodede heste her på ranchen,« sagde Ross med sin behagelige, lidt drævende stemme. »Jeg kunne godt tænke mig at arbejde for Dem, hvis De har nogle, der trænger til dressur.«

Nell sagde: »Kom, Howard og Ken – I skal vaskes inden spisetid!« Hun og drengene gik, så Rob blev alene tilbage med berideren.

Ross var kommet i en Ford Sedan, der var stuvet fuld af sadler, hovedtøjer, dækkener og lassoer, og da Nell blev klar over, hvad han ville, havde hun passiaret med ham, indtil McLaughlin kom gående fra stalden.

McLaughlin fæstede ham, fulgte ham op til arbejderhuset og præsenterede ham for Gus og Tim. Derefter havde Ross arbejdet i folden med de utæmmede heste.

Foruden alt det andet, som skete på ejendommen, havde man hver dag brugt flere timer til at lede efter Raket; men ingen havde set så meget som et glimt af hende. Ken havde endnu ikke valgt sin plag.

Raket havde skjult sig sammen med sin lille hoppeplag i en snæver dal nær Colorados grænse.

Der var frodigt enggræs, timoté og rødgræs i dalbunden, hestegræs på dalens skrænter, men det bedste af alt var den frodige kløver, som groede ved bjergets fod, hvor en kilde brød frem af undergrunden i mange boblende huller.

Dens vand randt i talrige snoede render, til det samledes i en lille bæk, der gennemvædede jorden for en lund af poppel og asp, hvis skygger gav den fugtige bund kølighed og vækstmuligheder for et tæt krat af hindbær, brombær og vilde blomster: blåklokker med meterhøje stængler så tynde som hår, hvide mariposaliljer med gule hjerter som stedmoderblomster og vilde forglemmigej, der lyste som drys af turkiser. Der var riddersporer – lyserøde, hvide og blå – som kunne betyde døden for såvel kvæg som heste.

Plagen snusede til riddersporerne, indåndede deres duft, prustede forskrækket og gik over til kløveren og græssede. Den stod halvt skjult med grønne stængler og gule blomsterhoveder strittende ud fra begge mundvige, mens den gumlede og så sig veltilfreds om med hævet hoved.

Den havde kun pattet Raket nogle få gange. Hoppen tilbød sig ikke mere så pågående nu, da dens første, smertende spænding af yveret var lindret og mælkemængden hurtigt aftog. De to heste – den store, sorte hoppe og den lille brungule hoppeplag, græssede side om side i engen, drak af bækken, galoperede ture over bjergskrænten eller stod nu og da på højderyggen med årvågent spejdende øjne og rejste, lyttende øren.

De var ikke alene i dalen. Inde i krattet kvidrede vilde kanariefugle og blåkælke. Fem, seks smukke, sort-hvide skader skændtes larmende i poplerne, en sværm stillidser dukkede ned over dalen, svingede atter op, kredsede nogle gange og forsvandt over et af bjergene for kort efter at vende tilbage fra en ny retning og kredse som før. Småvildt bevægede sig i græsset. Højt oppe i luften svævede et par lurende høge; to californiske antiloper græssede i dalen. De var nysgerrige og så sarte som fine porcelænsfigurer.

Da Rakets eget føl ville være blevet ni dage gammelt, galoperede dets mor op på et af bjergene og stod længe stille for at spejde ud i landet.

Plagen nærmede sig. Raket viste tænder og bed arrigt efter den. Plagen trak sig tilbage, men Raket blev ved med at spejde og snuse mod blæsten fra højsletterne.

Plagen lagde sig til at sove.

Raket galoperede en tur rundt ad højderyggen – standsede et sted og vrinskede højt.

Det var retningen mod nord, som drog hende mest. Går-
den lå stik syd, men *Banner* fandtes mod nord ... Før det blev
aften, havde hun og plagen forladt deres dal og søgte i roligt
tempo nordpå. De gav sig god tid til at græsse og drikke un-
dervejs.

13

Ken vågnede en morgen, medens det endnu var mørkt. Han
blev liggende og så mod ruderne. Da de grånede af det første
gry, hoppede han ud af sengen og stillede sig ved vinduet,
hvorfra han betragtede dagningens rødmende lysning mod
øst.

Ken drømte aldrig om natten. Han havde ofte spekuleret
over, hvad dette kunne skyldes, og havde spurgt sin mor. »Ho-
ward drømmer, du drømmer, og far drømmer – hvorfor gør
jeg det aldrig?«

Hans mor havde set så mærkeligt på ham og svaret: »Du
drømmer på en helt anden måde, end vi gør det, Ken – og på
helt andre tider.«

»Hvorfor?« spurgte han.

Det kunne hans mor ikke svare ham på.

Han stod med panden mod sprossen og rystede en smule
af spænding, fordi han havde besluttet at liste ud. Han kunne
se, der var omslag i vejret.

Rummet var fyldt af små, pjaltede, lavtliggende, sorte sky-
er, som om den store sky var blæst i stykker. Nogle få stjerner
blinkede mellem skylaserne, og bag dem bredte et grønligt
skær sig over himlen fra den fjerne horisont.

Det var endnu ikke så lyst, at han kunne se tingene klart.
Det var en tvelysverden, hvori uklare konturer tegnedes og
slettedes i flydende vaghed og skyggeskift. Sådan var hans tan-

ker også. Han famlede efter et fast udgangspunkt for dem, men alt var så ændret. Der var kommet noget nyt i hans væsen, så han ikke var den samme som før. Selv Tim påstod, at Ken var vokset en tomme, efter at hans far havde lovet ham en hest, og Howard behandlede ham nu, som om han spillede en rolle. Men han havde også *mistet* noget – noget han undertiden savnede så skrækkeligt, at han blev angst.

Han havde mistet sit hemmelige tilflugtssted, hvor han plejede at lege, og hvor han var lykkelig – et sted, ingen andre kendte til. Der følte han sig tryg, fordi alt rettede sig efter ham, og fordi aldrig noget endte galt. I den virkelige verden gik det ofte så sørgeligt til, og der snublede han let, men i hans *egen,* hemmelige verden fik begivenhederne aldrig ende, fordi drømme er evindelige. Man dynger drøm på drøm, *og* de sejler gennem et grænseløst rum som billeder, som landskaber sløret af tåge, hvori nye udsigter tager form – den ene sletter den anden; men de slutter aldrig.

Hele sidste uge havde han prøvet at nå tilbage til dette tabte land, fordi han havde en fornemmelse af, at det nu var i sidste øjeblik.

Men det lykkedes ikke. Porten, som førte derind, var lukket i lås. Uden for den lurede farer, og storme susede. – Plagen! Han skyndte sig i tøjet. Det var i dag, han skulle vælge sin hest – senest i morgen. Han ville ride op i udmarkerne og se på etåringerne endnu en gang.

Det var halvmørkt, da han listede ud ad fordøren og følte terrassens græs under sine fødder. Ingen havde hørt ham. Han ville ikke have Howard med. At færdes ude ved daggry var næsten som at bevæge sig gennem en verden under vand, en billed- eller drømmeverden. Den var ikke helt så sikker som drømmenes land, for her skulle han passe på sin hest og tænke på, hvor han søgte fodfæste, hvis han klatrede op ad Castle Rock; men den var dog helt anderledes end den vante dag i fuld, nøgtern belysning.

Han gik forsigtigt over grønningen til Kalvehaven for at

hente sin hest.

Ken havde været nattevandrer, lige fra han kunne gå og klatre ud af sin barneseng. Nell vågnede undertiden, fordi hun hørte en lyd fra gang eller dagligstue, fandt drengens seng tom og ledte efter ham.

Hun fandt ham et eller andet sted i mørket, hvor han kravlede eller stod slingrende på slæbet af den lange natskjorte, til hun løftede ham op og bar ham i seng.

Hun prøvede at binde den lange natskjorte sammen forneden, men det gjorde ham kun dygtigere til at holde balancen. Så bandt hun hans ben sammen med en ble, men han svingede bare begge fødder samtidig over sengekanten, klamrede sig til den med sine små abehænder, firede sig ned på gulvet og vrikkede over det i stedet for at gå frit.

Da han blev ældre, gik han somme tider ud om natten.

Det samme gjorde Nell undertiden. Var hun rastløs, eller kunne hun af andre grunde ikke sove, gled hun ud af sengen, tog en badekåbe på, fandt tæppe og pude og gik ud til sin hængekøje, hvor hun lå med ansigtet mod himlen og så på stjernerne.

Ken fandt Lady lige inden for Kalvehavens led. Hun løb ikke, da han rakte sin hånd ud og talte til hende, men lod ham få fat i grimen, så han kunne trække hende med sig.

Han havde redet Lady hele ugen, når han drev med vallakkerne, ledte efter Raket eller inspicerede etåringerne. Dagen før havde hans mor fulgt ham på turen. De kunne ikke se etåringerne, før de pludselig fra et højt udsigtspunkt hørte deres hovslags trommen.

»Det lød som var de et helt regiment,« sagde Nell, da hun fortalte oplevelsen ved aftensbordet. »Vi kiggede ned og så dem som en flyvende farvestrime gennem sænkningen. Det var et skønt syn! De skinnede i solen – brune og sorte, røde og skimlede i susende fart – så muntre og fri, så kåde!«

De var redet ned til etåringerne og havde siddet af iblandt dem. Nell havde undret sig over, hvor meget de kunne foran-

dre sig på et år – mørkebrune føl blev til røde plage, et brun-
rødt føl var nu blåskimlet, sorte føl var blevet mørkt brune,
mange pletter og aftegninger var forsvundet totalt, og deres
bygning var ændret, så man næsten ikke kunne kende dem.

»De er pragtfulde,« sagde hun til Rob. »Godt i stand med
blankt og skinnende hårlag – nogle af dem er så velnærede, at
skindet ligefrem strammer om kroppen.«

Også Ken havde været betaget af de unge hestes skønhed.
Det var en mærkelig rig fornemmelse, at han ejede en af dem
– men hvilken? Han begærede dem alle, og så længe han ikke
havde truffet sit valg, ejede han dem på en måde alle sammen.

Ken trak Lady op ad den smalle sti i kløften til foldene og
derfra ind i den mørke stald, bandt hende ved en grimetøjle
og hældte et foder havre i krybben, før han tog fat på at strigle
hende. Hans far havde sagt, de skulle bruge sadel – hvorfor
egentlig? Nå, det var vel bedst at gøre det ...

Lady var en stor, rødbrun hoppe med sort hale og manke.
Hun bevægede sig hurtigt, gik med stolt hævet hoved og hav-
de et intelligent blik i de blanke øjne.

Ken smøg sig bagom hende, mens han holdt i hendes hale,
gav hende et klask på låret og sagde: »Flyt dig!«

Lady flyttede sig til siden med et af sine hurtige og kraf-
tige skridt. Ken gik i gang med at strigle hende færdig. Han
lagde dækken og sadel på hende og spændte gjorderne så fast,
som han kunne, i sørgelig ihukommelse af et tabt dækken. Til
sidst, da hun havde ædt færdig, gav han hende hovedtøjet på.
Han trak hende gennem folden og lukkede dens led efter sig.
Ved leddet lå en stor sten, som han plejede at bruge, når han
skulle sidde op på en af de højeste heste. Han trak Lady hen
til den og prøvede, om gjorderne sad stramt. Nej, de var løse!
Hun pustede sig altid op, når man sadlede. Det samme gjorde
Cigaret, og det havde han glemt forleden. Han strammede
gjordestropperne tre huller, sad op og red.

De fire ungheste, som Ross havde fået under dressur, græs-
sede nær foldene. Da de så Ken, kom de travende imod ham.

Han holdt Lady an og ventede roligt, til de kom helt hen til hende, fik snuset goddag og vrinskede lidt. Lady vrinskede høfligt til svar. Da han red videre, fulgte de med et stykke vej, men vendte så om og søgte ned mod foldene – antagelig i håb om at få deres havre, tænkte han. Ross gav dem hver især et foder, før han begyndte at tilride dem. De hed Gangway, Don, Rumba og Blazes.

Medens Ken i kort galop red ned mod leddet til sognevejen, huskede han, at hans mor undertiden gav føllene navne, som senere måtte ombyttes med andre, hvis dyrene ændrede sig meget under væksten. De havde for eksempel haft Irish Elegance, der var så smuk og raffineret at se på den første sommer, at Nell sagde, den burde opkaldes efter en smuk, rustrød, californisk rose. Men året efter var den nærmest en lille splejs, og så strøg de *Elegance* og nøjedes med at kalde den *Irish*.

Ross havde sin hyre med at få redet Gangway til. Den store, blodigrøde fuks var faldet efter Taggert og var langt den smukkeste af de fire *broncs*. Den foregående dag havde Ken og Howard siddet på hegnet om folden og set Ross tumle med den. Gangway lavede bukkespring, og Ross råbte til Howard, at han skulle åbne foldens led for dem. Hesten satte i bukkespring ud gennem åbningen, mens Ross tugtede den med sporer og pisk. Gangway kastede sig pludseligt til siderne, stejlede, slog og krummede sig sammen i sine flyvespring. Ross sad med et lille grin på ansigtet og vedblev at bruge sin pisk. Idet han passerede Ken, mens Gangway sprang som en græshoppe, sagde han: »Man må hellere holde fyren i gang og prøve at arbejde djævelskabet ud af ham.«

Da det var overstået, red han atter Gangway ind i folden og sad af, hvorpå han gik hen til hegnet, støttede panden mod en stolpe og brækkede sig.

Ken måtte sidde af for at åbne leddet til sognevejen. Han trak Lady igennem ved kort tøjle og lukkede efter sig, fandt en sten, hvorfra han nemt kunne komme i sadlen, og red op ad bjerget mod Svajet.

Alle skyerne var blevet blegrøde, og bag dem var den fjerne himmel knaldblå.

Jo højere han kom op, desto videre blev himmelrummet. De flængende, drivende skyer fik stærkere kulører for hvert minut. Nogle af dem flammede skarlagenrøde. Alle stjerner var blegnet med undtagelse af en enkelt, der skinnede som blankt guld mellem to skyer.

Lady ville helst gå for lange tøjler.

Der fandtes en stærk, gensidig sympati mellem drengen og hoppen. Når han ville standse for at se sig om, forstod hun det omgående og stod selv spejdende og lyttende med rejste ører lige så optaget af syn og egne tanker som han. Så snart han havde set nok, vidste hun det og begyndte at skridte videre uden opfordring fra rytteren.

Denne morgen var hun opstemt af de skønne farver, luftens stimulerende friskhed, fornemmelsen af det fjedrende grønsvær og skyernes drift, og insisterede på at få frie tøjler. Ken forstod hende og gav hende fri. Hun strakte halsen og galoperede op ad den stejle skrænt til pashøjden ved Svajet.

Ken ledte efter etåringerne, hvor de havde opholdt sig den foregående dag, men fandt dem ikke. Han red en rundtur på en times tid og tænkte imens på, at Shorty uvægerligt ville have fundet direkte hen til dem. Den slags havde Lady ikke sans for. Hun var bare i højt humør og havde lyst til at flintre afsted i en hvilken som helt retning. Nu var alle solopgangens farver svundet, de flossede skyer var blevet grå eller purpurdunkle og truede med storm.

Ken red op på Svajets højeste punkt, hvorfra han kunne se milevidt til alle sider. Græsgangene syntes tomme. Man så ikke så meget som hovedet af en hest noget sted. Han vidste godt, at de kunne opholde sig i en af de talrige sænkninger på bjerget, hvor de var så skjulte, at man ikke kunne skimte et øre af dem – men i hvilken sænkning stod de? På hvilken bjergskrænt?

Han red videre, og da han drejede om et hjørne, opdagede

han Banner foran alle følhopperne – årvågen, anspændt – klar til at gå i aktion.

Ken nåede knap at dreje hovedet, før han så Raket og et brungult hoppeføl galopere ned mod flokken. Samtidig begyndte Banner at trave dem i møde med hovedet sænket og et udtryk af uimodståelig beslutsomhed over hele sin mægtige krop.

Raket og hoppeføllet standsede. Raket vrinskede. Banner skreg. Hans hoved strøg lavt over græsset. Han nåede de to nyankomne og kredsede om dem. Raket begyndte at galopere bort. Banner forfulgte hende, snart på den ene side, snart på den anden side af hoppen. Den brungule plag klemte sig under farten tæt op ad sin mor og peb nervøst. Den kom i vejen for Banner. Han udstødte en ondskabsfuld snerrende vrinsken, sprang på plagen og bed den i siden. Den flygtede hvinende med Banner efter sig.

Ladys muskler var stramme og sitrende. Både hun og Ken var åndeløst spændte. Alle avlshopperne stod ubevægelige og betragtede den vilde jagt.

Den lille hoppeplag smuttede fra Banner i flyvende fart – som den dog kunne splintre afsted!

Raket travede nervøst frem og tilbage i nærheden af følhopperne. Plagen løb i en stor kreds med Banner tordnende i hælene på sig. Den masede ind mellem hopperne, og mens den passerede dem, drejede Banner af for at tage kurs mod Raket. Plagen flygtede forbi Ken. Han så dens skræmte øjne bag et pjusket og flagrende pandehår, dens spinkle ben – og han følte et stik i hjertet. Plagen havde et kort øjeblik set på ham, som bad den ham om beskyttelse. Han vendte Lady og red efter den, mens han kiggede tilbage for at se, hvad der blev af Raket.

Hun galoperede nu atter bort med Banner tæt op ad sig, og før de skjultes bag bjerget, så Ken, at hun standsede, medens hingsten rejste sin vældige krop over hende. Nogle øjeblikke smeltede de sammen til en rytmisk enhed – som et levende monument mod den stormfulde himmel.

Da Ken atter så efter plagen, var den forsvundet. Han holdt Lady hårdt an. Græsmarken var tom, det eneste, som bevægede sig, var skyerne, der drev, og græsset, som bølgede for blæsten. Ken hørte ikke andet end Ladys åndedræt og sit eget hjertes banken.

Rakets plag – en etårig lille hoppe – var *hans egen.* Da det kom til stykket, blev han fritaget for at vælge. Den var simpelthen kommet til ham af sig selv. Den var hans på grund af det ene sekunds tryglen om hjælp, som han havde set i dens blik. Den var hans på grund af sin vilde skønhed, sin fart, fordi han følte sit hjerte gløde ved at se den og tænke på den. Den var hans egen fordi — nå ja, den *var* nu hans!

Langt borte lød en spæd og ængstet vrinsken – på ny *og* på ny. Hoppeplagen kom til syne uvist hvorfra, en lille skikkelse, der løb ad en højderyg foran ham med flyvende hale mod de mørke, forrevne skyer. Den smuttede ned bag bjergkammen og vrinskede atter. Han gav Lady et par schenkler og løse tøjler. Få øjeblikke senere befandt han sig på bjergryggen og kiggede ned. Derfra kunne han se den skønne lille hoppe vende tilbage til etåringernes flok. De modtog hende med hyggelige og pludrende velkomstlyde, som skolebørn hilser hinanden, når de mødes efter sommerferien.

Ken red ned ad bjerget i salig lykkerus. Aldrig havde han haft en drøm, fantaseret sig til et eventyr, nydt nogen tænkt triumf, der kunne måle sig med denne oplevelse. Det var, som rev den ham ud af hans tidligere tilværelses puppe. Dette var noget fuldstændigt nyt. Han var selv fornyet, og den verden, han så pludseligt fik adgang til, var ny. Sådan var det altså at være rigtig levende. Åh, min lille hoppe, *min* hoppe – min yndige hest ...

14

»Nå – for en gangs skyld er du nok kommet hjem i tide til morgenmaden,« sagde Rob, da Ken tog plads ved bordet.

Nell fyldte drengens tallerken med havregryn og rakte ham den.

Lige fra hun engang havde læst statens officielle landbrugsmeddelelser og set, at alle førsteklasses heste blev opfodret enten med meget videnskabeligt sammensat kernefoder eller valset havre, og yderligere havde lagt mærke til, at hundene, når de var sultne, mavede sig under indhegningen til Kalvehaven og åd af fodertrugene, gav hun rå havregryn på morgenbordet. Kan man fodre de bedste kalve og plage op med havre, må det vel også være rigtigt at fodre drenge med det. McLaughlin, der stammede fra en gammel, skotsk, havrespisende slægt, der havde givet ham hans sejhed og styrke, var enig med hende.

Til havregrynene fik de en kande flødegul jerseymælk og en skål brunt sukker. Nell skubbede smilende mælkekande og sukkerskål over til Ken. Hun havde lagt mærke til, at hans kinder var usædvanligt røde. Drengens og moderens øjne mødtes. Kens blik var mørkt af spænding. Hans ansigt strålede, så det næsten syntes forklaret, og hun blev lidt urolig. Hvad var der hændt? Han havde været anderledes hele ugen, mere selvsikker, mere årvågen og lykkelig, men dette ...

Også Rob McLaughlin betragtede Ken nøje. Der måtte være sket noget usædvanligt denne morgen ude på bjerget.

»Hvilken hest har du redet, Ken?«

»Lady.«

»Hvor er hun nu?« spurgte McLaughlin spøgefuldt. »På vej til grænsen?«

»Jeg slap hende løs i staldvænget. Hun er vist ude ved brønden.«

»Var hun meget svedt?«

»Nej, Sir! Jeg skridtede det sidste stykke, så hun blev svalet af.« Ken smilede stolt, og Nell konstaterede ved sig selv, at han hidtil havde svaret fortræffeligt.

Forhøret gik videre. »Sørgede du for at arbejde hende godt igennem?«

»Javel, Sir.«

»Så skal du ikke ride hende mere i dag. Du kan tage Baldy, hvis du skal bruge en hest.«

»Javel, Sir.«

»Har du ødelagt eller tabt noget på turen?«

»Nej, Sir.«

Rob lo. Han bøjede sig frem og klappede Ken på hovedet. »Flinkt klaret, unge mand, du gør fremskridt!«

Ken brast i latter. Han var så opstemt, at han næsten ikke kunne sidde stille og svare korrekt. Han ville endnu ikke fortælle noget om sin etåring – ikke før i morgen, når ugen, da han skulle vælge hest, randt ud. Men det var meget svært at holde mund, det kostede ham stor overvindelse at afstå fra at fare rundt i køkkenet, hoppe og råbe og juble af henrykkelse. Nå, han kunne i hvert fald fortælle om Raket –.

»Jeg *tabte* ikke noget, men jeg *fandt* noget!« pralede han og skovlede havregryn i sig. »Jeg fandt Raket. Hun er kommet tilbage!«

»Hvor?« spurgte Rob, Nell og Howard i munden på hinanden.

»Sammen med avlshopperne.«

»Det var godt,« sagde McLaughlin. »Lad os se – hvor mange dage kan det nu være, siden hun folede, Nell?«

»Hvis føllet var under en uge gammelt, da hun mistede det ...« regnede Nell.

»Ja – og så er der gået yderligere næsten en uge – ja, det må blive mellem ni og fjorten dage siden – dér omkring i hvert fald.« McLaughlin smilede tilfreds. »Nå, det gale kvindfolk vendte hjem af sig selv.«

»Hun kom nede fra syd, og Banner gik ud fra stoddet for at

123

tage imod hende. Hun er allerede bedækket.«

»Ja, det tror *jeg!*« sagde McLaughlin.

Nell gik hen til komfuret efter panden, hvorfra hun hældte den stegte bacon over på et fad. »Må jeg høre, hvor mange æg I vil have?« sagde hun.

»To af de bedste med krøller,« sagde Rob muntert og smilede med sine stærke, hvide tænder.

»Jeg kan nøjes med et, når jeg blot må se på dig,« råbte Ken oprømt.

Howard sprang op fra sin plads. »Nu skal jeg lave dine æg med slør, mor –.« Ingen kunne spejle æg for Nell så godt som Howard. De blev brunet let på den ene side og dernæst vendt til stegning på den anden uden at gå itu. De skulle vendes på panden med et kast. Rob kunne nok vende æggene, men det blev altid en større forestilling. Ofte kastede han dem for højt over panden, så de endte på komfuret eller blev hængende på pandens kant. Howard kom lidt af det varme baconfedt i en pande til et enkelt æg og slog forsigtigt ægget ud. Da det knitrede og spruttede, dryssede han salt over det, løsnede dets lysebrune rande og fik med en let og rolig drejning af hånden ægget til at vende i luften et par tommer over panden, hvor det på ny sank til rette i det rygende varme fedt.

Nell anbragte de bestilte spejlæg på varme tallerkner, som hun rakte dem med fingrene beskyttet af grydelapper, inden hun satte fadet med bacon på bordet. Hun tænkte stadig på Ken og vedblev at betragte ham. Hver gang deres blikke mødtes, smilede han saligt. Han dirrede af spænding – der var noget, han fortav, noget han tidligt om morgenen havde set ude på bjerget –. Det var naturligvis hans hest – hans *egen* hest ...!

»Nell,« spurgte Rob, »har du meget travlt i formiddag?«

»Ikke særlig – ingen større rengøring og ingen bagning – hvorfor spørger du?«

»Hvad ville du sige, hvis jeg bad dig om at ride en af unghestene til?«

Nell så hastigt op på ham. »En af de fire? Den lille hoppe,

Rumba?«

»Ja.«

»Det vil jeg meget gerne!«

»Hvorfor skal Ross ikke gøre det?« spurgte Howard.

»Ross tager for hårdt.« Rob fik et bistert udtryk i ansigtet. »Jeg skal ikke have ham til at dævles med hende. Det har været slemt nok at se ham kujonere de andre tre – det skulle ikke undre mig, om han har fået ødelagt Dons knæ.«

»Der er vel ikke sket varig skade?« udbrød Nell.

»Det vil i hvert fald vare længe, før det ophovnede går af dem. Han var så vild og uregerlig, og da Ross havde bundet ham hårdt op, gik han ustandselig ned på forknæene. Jeg måtte gå min vej – jeg kunne ikke holde ud at se på det. Man skal aldrig gribe ind over for en mand, når han er fæstet til at gøre et stykke arbejde og gør det på sin egen måde, men jeg kan ikke fordrage det. Og nu den lille hoppe – hun kan have sine hove i en tekop, om det skal være. Hun er så spinkel som et rådyr, og hendes forpiber,« han greb om Kens arm, »er ikke engang så kraftige som Kens håndled.«

»Hun er en lille morsom og egensindig tingest,« sagde Nell. »Jeg husker hende fra sidste sommer, da du tog hende hjem for at vænne hende til grime og tøjr. Hun faldt på ryggen i vandtruget og ville ikke gøre spor for at komme op af det.«

Ken huskede det også og lo. »Ja – hun lå i vandtruget hele eftermiddagen med alle fire ben lige i vejret.«

Howard fortsatte stædigt: »Hvorfor gør du det så ikke selv, far?«

»Jeg er alt for tung, Howard. Jeg har været på ryggen af hende og lært hende en smule, så hun er absolut sadelvant, men hun trænger til en let rytter. Hun er bange for Ross, skønt jeg forbød ham at binde hende op. Hun ryster over hele kroppen, blot hun ser ham.«

»Kan jeg så ikke ride hende?« spurgte Howard.

»Du er let nok af vægt, men det er ikke vægten alene, som betyder noget. Du tager lidt tungt og ufølsomt på hestene,

Howard. Jeg så forleden, at du gav Calico et ordentligt stød i tøjlerne.«

Howard skulede. »Han svingede hovedet op og ned ustandseligt, og det kan jeg ikke fordrage.«

»Du straffede ham altså?«

Howard nikkede. McLaughlin sagde roligt: »Nu og da kan det blive nødvendigt at straffe en hest, og Calico har den irriterende vane, at han slår med hovedet; men du var unødigt hård mod ham. Lille Rumba ville slet ikke kunne tage en sådan behandling på sit nuværende stadium af dressuren. Det kunne få hende til at lave bukkespring, og det håber jeg, hun aldrig skal prøve på. Hun trænger til at føle tillid, til at blive hjulpet let, og hun skal helst lokkes til at adlyde.«

»Kunne *jeg* gøre det?« spurgte Ken.

McLaughlin lo. »Du ville jo bare falde i trance og give dig til at drømme, mens hesten løb løbsk med dig, til du vågnede op flere miles herfra og ikke anede, hvor du befandt dig. Du har en storartet let hånd, Ken, men du er ikke god til at holde en hest under kontrol. Rumba skal have en myndig rytter. Din mor har den fornødne myndighed og samme lette tøjleføring som du. Hun vejer mindre end nogen af jer i sadlen – ikke i pund, men i sæde og balance. Gå ned til folden begge to, mens jeres mor rider Rumba. Det kan I lære noget af.«

Da Nell gik op til stalden, var hun iført velsiddende, lange, polstrede ridebukser af falmet, blåt, blødt bomuldsstof. Det havde ikke været let for hende at finde passende påklædninger til livet på en ranch som denne. Hun afskyede at se jasket ud og gå med ubekvemt tøj. Lange støvler og almindelige ridebukser var for tunge og ubekvemme. Hun havde medbragt et par hvide *jodhpurs* af lærred og med de rigtige polstringer på benenes inderside (de var fra Albercrombie & Fitch). Med dem som model havde den stedlige skrædder syet hende nogle mere praktiske af blåt molskindsstof. Hun havde seks i alt. De var næsten uopslidelige, lette nok til at være kølige, nemme at vaske og uhyre klædelige til hendes slanke, spændstige skikkelse. Hun var iført en mørkere blå, ulden poloskjorte med meget korte ærmer, så hendes brune arme var bare, et par svineskindshandsker og en rund, blå lærredshat, hvis skygge kunne trækkes godt ned i panden til værn mod sollyset, og hatten blev på hendes hoved selv i den hårdeste wyoming-blæst. Man sagde på egnen, at i Wyoming kan man altid se forskel på en fremmed og de fastboende, fordi den fremmede prøver at fange sin hat, når den blæser af ham! På fødderne – under buksernes ridestropper – havde hun bløde, lysebrune *jodhpur-sko* med korte, faste galopsporer. Skønt hun var så bekvemt og praktisk klædt, blev hun dog træt af ridedragten længe før aften og glædede sig altid til på ny at komme i en let bomuldskjole.

Rumba ventede opsadlet. Den stod bundet til en stolpe. Ross kom ridende ind i folden på Gangway og sad af.

»God morgen, *Missus*,« sagde han til Nell, og hans dræ-vende stemme udtrykte både galanteri og dyb ærbødighed. Nell tænkte atter med glæde på, at dette *Missus*, der andre ste-der snarere betød »Madam« end »Frue«, var en kongelig titel herude i Vesten. Mens Ross stod over for hende, var der alene i hans holdning noget, som sagde, at han var hendes villige og ærbødige tjener.

»Hvordan var ponyen nu til morgen?« spurgte McLaugh-lin.

»Lidt stiv og øm i kroppen – men den strækker godt nok ud.«

»Mor skal ride Rumba,« sagde Ken.

Ross kastede et hastigt blik på Rumba og dernæst på McLaughlin. Han gav sig til at løsne Gangways sadelgjorde og sagde roligt: »Hun kan ikke rides endnu. Hun er ikke blevet sat rigtig på plads med reb om benene, som jeg har gjort det med Gangway og de andre.«

McLaughlin sagde lige så roligt: »Rumbas ben er for spink-le til, at vi kan binde hende op, så hun falder, hvis hun laver krumspring.«

»Jeg ville ikke ride hende, som hun er,« insisterede Ross, »med mindre det var i en rodeo, hvor man betalte mig for det. Fuldblodsheste er værre end nogen vild *bronc,* hvis de først begynder at lave bukkespring.«

»Hun skal nok opføre sig pænt,« sagde McLaughlin. »Min kone har en meget passende vægt. Hun er måske lidt ængstelig og forsigtig, men jeg tror ikke, hun får vrøvl med dyret.«

»Ængstelig!« udbrød Ross næsten himmelfalden. »Jeg satte engang min kone på ryggen af en skikkelig gammel krikke, der var rigtig godt tilredet, men den tog sig en lille rask tur med hende! Hun græd, da de forsvandt, og hun tudskrålede, da de nåede hjem. Jeg fik vel nok på hattepulden!«

»De ser ikke ud, som om De var gammel nok til at have en kone, Ross,« sagde Nell.

»Jeg har både kone og to drenge, der snart er halvt så store som Ken og Howard,« sagde Ross med et grin. »Jeg er fyldt femogtyve, og min broder er seksogtyve.«

Ross rullede en cigaret og satte sig med ryggen op ad foldens hegn. Howard og Ken klatrede op og tog plads på dets overligger. Nell gik hen til Rumba, og Rob stod passiarende hos Ross, mens han lod, som om han ikke så efter sin kone.

Rumba spændte alle muskler, vippede ørerne fremad og hævede hovedet, mens hun sank i bagbenene, som ville hun stejle. Nell rakte en hånd frem og talte beroligende til hende, men da hun rørte ved hestens hoved, slog Rumba nakken tilbage. Nell blev ved med at klappe hoppen og snakke beroligende med den, til spændingen gik af dyrets muskler, og det stod på strakte ben. Så vendte Nell ryggen mod hegnet og stod stille, mens hun talte med Rob og Ross, så hoppen kunne vænne sig til synet og lugten af hendes krop og lyden af hendes stemme. En hest, der ikke er tilkørt eller tilredet, er altid meget bange for menneskers blik.

»Er Deres bror også berider, Ross?«

»Nej, Missus – han har ikke lyst til det. Man skal kunne lide arbejdet.«

»Har De meget at bestille?«

»Masser – hele sommeren igennem og over hele distriktet her, hvor der er opvisninger. Jeg tjente en sommer godt tusind dollars. Så snart den ene rodeo er overstået, kribler det i mig efter at komme med til den næste. Alle mennesker siger, at jeg bliver slået ihjel en dag, men hvad fanden – dø skal man jo, og hellere det end almindeligt slæbearbejde –.«

Rumba, der følte sig mere fri, da ingen så direkte på hende, strakte halsen og snusede, til Nell kunne føle hoppens bløde mule mellem sine skuldre. Hun blev roligt stående, men det var, som om lugten skræmte Rumba. Den gav et hop tilbage.

Ross fortalte om rodeorytternes fagforening. Den, han tilhørte, hed *Cowboys Turtle Association*. Ved en rodeo i Texas havde de krævet en part af billetindtægten foruden deres ridepræmier. Det sinkede forestillingen et par timer, men de gennemførte deres krav.

Rumba forsøgte sig atter. Denne gang var hun mere dristig og snusede i et dybt åndedrag lugten til sig af dette menneskevæsen, der – det var hun klar over – ville sætte sig på hendes ryg. Nell vidste, at hvis en hest ikke kan lide et menneskes lugt, bliver de to aldrig venner. Hvis den derimod føler sig tiltalt af lugten, kræves der kun tid og tålmodighed for at opbygge venskabet.

Nell bestod åbenbart prøven, for Rumba blev stående stille med snuden mod Nells arm og ørerne lyttende vendt mod stedet, hvorfra mandsstemmerne lød. Den tilfredsstillede hele sin naturlige nysgerrighed. Rob ønskede ikke, at den lille hoppe skulle føle sig som midtpunkt for deres opmærksomhed. Han sagde, at heste var som mennesker – ingen holdt af, at alle gloede på en, med mindre man var en vigtigpeter som Gangway, der altid ventede, at man lagde mærke til den.

»Er De aldrig kommet til skade, når De har lavet *broncobusting?*« spurgte Howard, der sad med dinglende ben på det høje hegn lige over Ross.

»Jo, ofte,« lød det lakoniske svar. »Sidste sommer fik jeg et skrub i hver eneste forestilling, jeg var med til.«

»Gik der noget i stykker i Dem?«

»Jeg brækkede nogle ribben og kravebenet – ryggen blev skamslået, og jeg forvred et knæ. Jeg tilbragte det meste af tiden på hospital. Da jeg blev indlagt for tredje gang sidste sommer, havde jeg brugt alle mine penge, og de ville ikke slippe mig ud fra hospitalet, før jeg betalte min regning. Så sagde jeg til dem, at de lige så gerne kunne lade mig gå, for jeg kunne i hvert fald ikke tjene en skejs, mens jeg lå på sygehus. Jeg måtte ud at ride, før jeg kunne skaffe pengene. Det ville de ikke gå med til. De blev ved med at diskutere, indtil jeg sagde, at de hellere måtte tilkalde rodeokomitéen og fortælle den, at jeg ikke kunne betale min regning. Det har de nok gjort – og fået pengene – for jeg slap i hvert fald ud af hospitalet og er aldrig senere blevet krævet af det.«

Nell vendte sig mod Rumba og blev klar over, at den havde godkendt hende. Hoppen rystede ikke mere, men så frygtløst på hende. Hun blev ved med at klappe den og tale med den, mens hun samlede tøjlerne. Hun lagde sine arme over sadlen, hængte sig i svidslerne, så Rumba kunne mærke hendes vægt, og hævede flere gange benet, som skulle hun sætte foden i stigbøjlen.

Rumba skræmtes ikke, men drejede kun hovedet lidt og så på Nell med sit ene øje.

Rob kom til og holdt Rumbas hoved. Nell satte foden i bøjlen, trak sig jævnt og langsomt op på strakte arme, svingede det højre ben over hestens ryg og gled forsigtigt på plads i sadlen. Rob løste grimetøjlen fra ledstolpen og hjalp Nell med at tilpasse stigremmene.

Et let tryk af schenklerne, et påskyndende ord og en smule tøjlehjælp fik Rumba til at skridte langsomt. Nell sørgede for at holde tøjlerne ret korte, så hoppen ikke kunne få hovedet ned, hvis den pludselig fandt på at lave bukkespring. De skridtede folden rundt flere gange, før Rob åbnede dens led. Han og Ross sad op på Don og Gangway, hvorpå de alle tre fulgtes ad til formiddagens dressur på ridebanen.

15

Da Ken den aften skulle i seng og gav sin mor et godnatkys, slog han pludseligt armene om hendes hals og knugede hende hårdt ind til sig et øjeblik.

Hun smilede og lagde en hånd på hans hoved. »Ken, min dreng –,« sagde hun. Hendes violblå øjne var blide og forstående.

På vej op ad trappen vendte han sig halvt om og smilede til hende, fordi de havde en hemmelighed sammen. Han var klar over, at hans mor vidste besked.

Ken tændte et lys oppe på sit værelse og stirrede længe på den blafrende flamme. Dette var som sidste feriedag, sidste dag før skolen sluttede, før jul eller dagen før hans mor skulle komme hjem fra besøg hos sin familie i øststaterne. I morgen skulle det ske. I morgen begyndte en ny tilværelse for ham. I morgen ville han få sin egen hest.

Han havde tænkt på den lille hoppeplag hele dagen. Han kunne endnu se den smutte forbi i flyvende fart med de vidskræmte øjne rettet tryglende mod ham. Dens hår blæste tilbage fra panden som en piges, dens lange, slanke ben bevægede sig så hurtigt, at de flimrede som eger i et hjul.

Han kunne dårligt huske dens lød. Orange – lys rød – brungul – manke og hale hvide som håret på en af hans skolekammerater, der var albino. Ja, *Albino,* naturligvis – plagens bedstefar *var* netop Albino – den tilhørte det berømmelige Albino-stod! Han følte en kende ubehag ved tanken. Det var ikke særlig rart at have Albinos blod i en hoppe. Måske havde den ikke ret meget af det. Måske havde den arvet den flødegule manke og hale fra sin far, Banner. Da Banner var plag, havde han haft gul hale og manke, og det var der masser af røde plage, som havde. Han håbede, hun ville blive god og fredsommelig – ikke som Raket. Gud ved, hvem hun ville komme til at ligne? Raket eller Banner? Han havde ikke haft ret lang tid til at se plagens øjne, men Rakets øjne havde denne forrykte, hvide ring uden om ...

Ken begyndte at klæde sig af. Mens han gik en rundtur i værelset, kiggede han på billederne – de interesserede ham ikke mere.

Hvor var plagen hurtig! *Banner havde ikke kunnet indhente den!* Ken spekulerede meget over denne kendsgerning, der næsten syntes fornuftsstridig, men hans far havde altid sagt, at Raket var ranchens hurtigste hest, og nu var Rakets plag løbet fra Banner.

Om eftermiddagen var Ken atter taget op for at se på sin plag. Han havde simpelthen ikke kunnet lade være. Han var redet derop på Baldy og havde set alle etåringerne græsse på Svajets modsatte side. Da de opdagede ham og Baldy, flygtede de ned over bjerget. Ken galoperede ad højderyggen, hvorfra han kunne holde øje med sin lille hoppe. Grundens beskaffenhed under dens hove spillede ingen rolle. Det så ud, som om den svævede over sprækkerne i bjerget, og den var stadig et par hestelængder foran de andre. Dens flødegule manke og hale vajede i blæsten. Det var, som om dens lange, elegante ben kun behøvede at sigte på et bestemt punkt – så var den der i et svævende spring. Ken syntes, det var en eventyrhest. Den var helt forskellig fra alle de andre.

På sit ridt ned ad bjerget havde Ken i sine tanker rekapituleret alt, hvad han vidste om plagen. Den foregående sommer, da han og Howard havde set på vårføllene, lagde han ikke særlig mærke til den. Han huskede, at han havde set den, før de fik alle årets føl samlet – det var lige efter dens fødsel. Han havde været sammen med Gus nede i engene en af de første feriedage. De var i gang med at fjerne noget drivgods fra vandingskanalen og så Raket stå mærkeligt roligt i en lavning på bjergskrænten, hvorfra hun vagtsomt holdt øje med dem.

»Jeg tør garantere for, at hun lige har folet,« sagde Gus, hvorpå de forsigtigt gik op imod hende. Raket prustede arrigt, skrævende ud på benene, rystede ophidset på hovedet og flygtede. Da de nåede stedet, hvor de havde bemærket hende, så de dér et lille, lys-rødt føl stå usikkert på ben, som næppe kunne bære det. Det peb en smule og så længselsfuldt efter sin mor, mens knæene slingrede under det.

»Hallo, Ken! Se engang den lille *flicka!*« sagde Gus.

»Hvad betyder *flicka?*«

»Det betyder en lille pige – på svensk – Ken.«

Sent på høsten havde han set føllet igen. Da var det halvt rødt, halvt gult med strimet og pjusket manke. Det var kejtet, nærmest grimt med alt for lange ben og for højtstillet kryds.

Så var Ken atter rejst til skolen og havde ikke set hoppeføllet før nu – *hun kunne løbe fra Banner* Hendes øjne, de havde glødet som ildkugler i morges. Hvilken farve mon de havde? Banners var brune med gyldne pletter – eller måske gyldne med brune pletter. Hendes fart og kroppens elegante linjer havde fået ham til at tænke på en mynde, han engang havde set i kapløb, bortset fra, at hun mest af alt lignede en lille pige – udtrykket i hendes ansigt, den måde, hvorpå hendes blonde hår blæste bort fra panden – *en lille pige* ...

Ken pustede lyset ud og smuttede i seng. Han sov, inden smilet endnu var svundet fra hans ansigt.

»Jeg vælger den røde etårige hoppeplag efter Raket; den med gul hale og manke!«

Ken meddelte sin store beslutning ved morgenbordet.

Efter at han havde talt, fulgte nogle øjeblikkes forbløffet stilhed. Nell prøvede, om hun kunne mindes dyret: »En rød hoppeplag? Den kan jeg slet ikke huske – hvad hedder den?«

Rob derimod kunne huske. Smilet svandt fra hans ansigt, mens han så på Ken. »Er det *Rakets hoppeføl,* Ken?«

»Javel, Sir.« Også Kens ansigt mistede smilet. Der var ingen tvivl om hans fars mishag.

»Jeg havde håbet, du kunne vælge fornuftigt. Du ved, hvad jeg mener om Raket – om hele den stribe gale heste –.«

Ken stirrede ned i tallerkenen, mens farven veg fra hans kinder. »Hun er meget hurtig, far, og Raket er en meget hurtig hest –.«

»Det er den værste samling gale krikker, jeg nogen sinde har haft. Ikke en eneste af dem er blot tilnærmelsesvis fornuftig. Hopperne er arrige som bare satan, og vallakkerne er rene forbrydere. De kan aldrig tæmmes.«

»Jeg skal nok tæmme hende.«

Rob snøftede hånligt. »Hverken jeg selv eller andre har nogen sinde kunnet tæmme en eneste hest af hele dette ros.«

Ken sukkede fortvivlet.

»Du skulle hellere ombestemme dig, Ken. Du vil jo i virkeligheden helst have en hest, der kan blive din ven, ikke?«

»Ja.« Kens stemme dirrede usikkert.

»Du vil aldrig kunne blive ven med den hoppeplag. Sidste efterår, da alle føllene var vænnet fra og skilt fra deres mødre, kom hun og Raket tilbage i hinandens selskab – intet hegn kan spærre for den skøre kule – og hun er allerede godt spoleret og arret af at smadre gennem pigtrådshegn efter den lede mær af en mor, hun er udstyret med.«

Ken gloede tavs og stædig mod bordet.

»Ombestemmer du dig, Ken?« spurgte Howard nævenyttigt.

»Nej!«

»Jeg mindes ikke at have set hende i år,« sagde Nell.

»Nej,« sagde Rob. »Da jeg for et par måneder siden kørte dig op til unghestene, for at du skulle se dem, give dem navne og lave beskrivelse af dem til stambogen, manglede der nogle. Husker du ikke det?«

»Jo, det er rigtigt – hun har altså aldrig fået navn.«

»Jeg har givet hende navn,« indvendte Ken. »*Hun hedder Flicka.*«

»Flicka,« udbrød Nell muntert. »Det er et smukt navn.«
McLaughlin sagde intet, og tavsheden blev pinlig.

Ken følte, at han burde se på sin far, men han turde ikke.
Nu var alt igen det gamle. Deres venskab var forbi. Han tvang
sig dog til at se op og mødte sin fars vrede blik, som hurtigt fik
ham til atter at stirre mod tallerkenen.

»Jaja,« glammede McLaughlin. »Det kommer over dit eget
hoved – eller over hendes. Men husk, hvad jeg nu siger. *Jeg* vil
ikke lide yderligere tab på grund af dette – hver eneste gang du
har en chance, koster du mig unødige penge –.«

Ken så uforstående op på sin far og rystede på hovedet.

»Du må ikke glemme, at tid er penge,« fortsatte McLaugh-
lin. »Jeg havde besluttet at yde dig en passende hjælp ved dres-
suren og tilridningen af den hest, du valgte, men ikke mere
end til husbehov. Når du vælger en af de skøre krikker, vil vi
aldrig blive færdige med at tilride den.«

Gus viste sig i døren og spurgte: »Hvad skal vi lave i dag,
kaptajn?«

McLaughlin råbte: »Vi skal op i bjergene efter etåringerne.
Læg sadel på Taggert, Lady og Shorty!«

Gus forsvandt skyndsomst, og McLaughlin skubbede sin
stol tilbage. »Først og fremmest skal vi have hende herhjem.
Ved du, hvor etåringerne opholder sig?«

»De var på den anden side af Svajet i går eftermiddags – i
vestlig retning på grænsen af Dales marker.«

»Godt! Nu kan du få lov at ordne grejerne med at få pla-
gene hjem – du kan ride Shorty i dag.«

McLaughlin, Gus og Ken red ud for at hente etåringerne,
medens Howard blev stående ved sognevejens led for at åbne
og lukke det, når flokken skulle igennem.

De fandt hurtigt plagene. Da de unge dyr så, de skulle dri-
ves, søgte de at slippe bort. Ken var betaget af at se på Flicka
– hendes flyvende fart, hendes kraft og utæmmede vildskab
– hun førte flokken.

Han sad ubevægelig og stirrede på hende, mens han holdt

Shorty an, til hans far kom drønende forbi ham på Taggert og råbte: »Hvad går der af dig? Hvorfor sørger du ikke for at få vendt flokken?«

Ken vågnede op og galoperede efter plagene.

Shorty samlede og drev hele selskabet hjem, og folden blev lukket bag dem. Der gik en times tid med at lede ponyerne ind og ud gennem smalle bokse, indtil Flicka blev alene tilbage i den lille runde fold, hvor dyrene blev brændemærkede. Gus sad op på Shorty og drev de andre bort, gennem leddet og op mod Svajet.

Men Flicka ville ikke være alene tilbage. Hun kastede sig mod hegnspælene, som indrammede folden. Hun prøvede at hoppe over dem, skønt hegnet var syv fod højt. Hun fik forbenene over den øverste stolpe, hang fast og prøvede at klatre videre ved hjælp af bagbenene, mens Ken holdt vejret af frygt for, at plagen skulle få et spinkelt ben ind mellem stolperne og brække det. Den kunne ikke holde sig fast med forbenene, men faldt baglæns ned i folden, rullede på jorden, hvinede og rasede rundt i vild karriere.

En tværstolpe brækkede. Plagen kastede sig atter og atter mod hegnet, opdagede hullet i det, stak hoved og forben igennem, kravlede så smidigt som en hund mellem splintrede stolper og flygtede med blodet drivende fra mange rifter.

Gus var kommet tilbage og skulle netop have lukket leddet ved sognevejen, da den brungule plag jog gennem åbningen, satte over vej og grøft med et enestående elegant og svævende spring og fortsatte op ad bjerget mod Svajet, som var den en texashare.

Fra et sted højt oppe hørte Gus ivrig vrinsken, da plagen nåede sine kammerater, han lige havde drevet derop. Han så dem flintre afsted langs pashøjden så lette og rappe som hjorte.

»Det var pokkers!« udbrød Gus, mens han stod ubevægelig og stirrede efter unghestene, til de forsvandt af syne.

Så lukkede han leddet, sad op på »Shorty« og red tilbage til foldene.

Mens de gik derfra, gav McLaughlin Ken endnu en chance for at ændre den trufne beslutning. »Du skulle hellere vælge en hest, som du måske kan gøre dig håb om at kunne ride engang. Jeg ville for længst have udryddet hele dette skidne blod af bestanden, hvis de ikke havde været så fænomenalt hurtige, at jeg fik den tåbelige idé, at der måske en skønne dag kunne komme et nogenlunde omgængeligt dyr i banden, et der kunne bruges til væddeløbshest. Der har ikke hidtil været nogen, og Flicka bliver det heller ikke.«

»Nej – det bliver i hvert fald ikke Flicka,« bifaldt Howard.

»Man kunne *måske* gøre hende omgængelig,« sagde Ken, og skønt hans læber sitrede, glødede hans blik af fanatisk beslutsomhed.

»Det er dig, som skal træffe bestemmelsen, Ken,« sagde McLaughlin. »Hvis du stadig ønsker at få hende, skal vi nok bringe hende hjem; men hun bliver den første af sin slægt, som ikke hellere dør end giver efter – hvis det da sker. De er smukke og hurtige, men tro mig på mit ord, min ven, de er sindssyge – *loco*!«

Ken krympede sig under faderens blik.

»Jeg skal ride ud efter hende igen og ikke give op *uanset, hvad der sker* – jeg håber, du forstår, hvad jeg mener med det!«

»Ja.«

»Hvad siger du så?«

»Jeg vil have Flicka.«

»Så er det afgjort!« Rob virkede pludselig ganske ligeglad og rolig. »I morgen henter vi hende atter hjem – eller i overmorgen. Jeg har andet at gøre i eftermiddag.«

16

Hvor bjerget hævede sig op fra grønningen, lå Ken på maven

med hagen støttet i hænderne. Det tætte, brune lag fyrrenåle under ham var blødt som et tæppe. Han så ned over grønningen og stuehuset. Nu og da hørte han stemmer fra køkkenet, hvor Howard hjalp sin mor med at dække bord. Han fortalte om, hvad de havde oplevet, da Flicka blev bragt hjem.

Det var snart spisetid, vidste han, og han ærgrede sig over, at han skulle gå ned til de andre. Howard ville overbeglo ham. Hans far ville se vredt på ham og lade, som om han ikke eksisterede. Men det værste af alt var, hvis han kom til at se på sin mor ...

Begge hundene lå og dovnede på terrassen. Dagen var hed og lummer. Gus og Tim havde travlt med at lægge sejldugen over pergolataget. Nell havde i flere dage mindet om, at det var på tide at få den op – solen brændte for meget. Ken så på, at de arbejdede dernede, Tim oppe fra taget og Gus nede på jorden. De halede sejldugen stram over tagets åbne rafteværk, og Tim sømmede den fast. Ken kunne ikke forestille sig, hvad fremtiden ville bringe. Mon han fik den lille hoppe? Hun var hans – det havde ingen villet bestride – men ville det lykkes at få fat på hende? Skulle de måske opleve flere forestillinger som denne morgens ballade for til sidst at opgive forsøgene? Skulle hans egen hest altid strejfe vild om i udmarkerne – ensom og fri og slet ikke hans ven? Blev det samtidig umuligt for ham at vinde faderens venskab? Det hele var noget kludder, og ferien var ødelagt – Howard, som havde Highboy, kunne triumfere endnu mere over Ken end tidligere.

Han hørte, at der kom en bil, og kiggede efter den mellem træerne. Det var en lang, elegant, grå vogn, som nu fulgte vejsvinget. Den fortsatte over broen og grøften ved kalvefolden og til stuehuset.

Hvem kunne det vel være? McLaughlin var allerede på vej ud ad døren til terrassen, og nu så Ken deres gæst komme forbi husets gavl – han kunne ikke afgøre, hvem den meget høje mand kunne være. Det var ikke en af ranchejerne. Han havde en bredskygget filthat på hovedet. McLaughlin rakte ham begge sine hænder og bød højrøstet velkommen. Måske var det en af officererne fra fortet.

Nell kom løbende ud fra køkkenet med forklæde på og bød også henrykt velkommen. Dernæst fulgte Howard. Ken kunne se, at han blev præsenteret for gæsten, og at de gav hinanden hånden.

De stod og talte med hinanden en tid, inden de trak stolene sammen og tog plads på terrassen. Hans mor gik atter ind. Gus og Tim blev færdige med at lægge sejldugen over tremmetaget og gik op mod arbejderhuset. Howard sad på terrassens mur og legede med hundene. Han var så nær de to voksne mænd, at han kunne høre alt, hvad de sagde.

Ken følte sig udelukket fra deres verden. Han spekulerede på, om gæsten skulle spise middag hos dem, men glemte så atter alt andet for at tænke på Flicka. Han lagde sig med hovedet mod armen. Der var en summende flue i nærheden – en af sommerens »vildfluer«. De for altid rundt og rundt i kreds om én. De fandtes altid her i nåleskoven. Skønt de egentlig ikke var rare, blev man glad af deres summen, fordi de hørte så nøje sammen med sommeren, det varme solskin og duften af fyrrenåle.

Han kradsede med en pind i det tykke lag visne nåle og gravede et lille hul. Nogle myrer pilede frem og tilbage mellem nålene. De havde travlt. Han stillede pinden i vejen for en myre og så, hvordan den kravlede over forhindringen. Så rystede han den af og stak atter pinden ned, hvorpå myren på ny søgte at kravle over. Det kunne han blive ved med en hel formiddag, tænkte han, og myren ville måske hundrede gange krybe over pinden uden at nå videre.

Flicka – hvordan mon *hun* havde det? Huskede hun dem alle? Mon hun afskyede dem, ham selv iberegnet? Man sagde altid, at heste ikke kunne glemme. Hun havde mange onde ting at huske – Banner, der forfulgte hende og bed hende, drivningen hjem til folden, hendes flugt, da hun brød ud og blev såret af den splintrede stolpe.

Klokken ringede. Han tog sig sammen og kiggede ned. Nell havde sendt Howard ud til forrådshuset over kilden, for at han skulle ringe med den store jernbaneklokke, der hang i et stativ øverst på forrådshusets spidse tag. Hans far havde købt klokken af jernbaneselskabet. Den var af lys messing med en påmalet rød stribe, og der var bundet en stålwire til den, som hang ned over taget og endte i et træhåndtag nær jorden. Man ringede med klokken ved at trække i dette håndtag, satte den i sving med kraftige armbevægelser – jævne, rytmiske tag – og når klokken først begyndte at give lyd, kunne man høre den over hele ejendommen både i staldene og i engene.

Howard ringede sin bror hjem. De vidste ikke, hvor han var. Ken rejste sig, løb ned ad bjerget, over grønningen og ind i køkkenet for at vaske hænder og glatte håret.

Hans mor var derinde og virkede lidt nervøs.

»Mr. Sargent er her, Ken, og bliver til middag. Vi skal sidde i spisestuen, og I to drenge må hjælpe mig.«

Et øjeblik efter var Ken ude på terrassen, hvor han hilste på Charley Sargent. McLaughlin lagde en arm om sin lille søns skuldre og sagde: »Han her er den yngste – jeg får et par flinke jockeyer, kan De tro.«

Charley Sargent, som Ken nu godt kunne huske, gav ham et varmt håndtryk, mens drengen så op på hans lange, smilende ansigt under sombreroens brede skygge. Han befandt sig pludselig meget bedre, fordi alle syntes at have glemt Flicka, og at han igen var faldet i unåde.

De fik ragout af nogle harer, som han og Howard havde skudt den foregående aften. Hans mor serverede dem i en rand af hvid, let ris med sauce af flødestuvede champignons. Charley Sargent var henrykt for hendes brød og blev ved med at bede om mere. Hjemme fik han brød fra bageriet, og bagning var en glemt kunst i Wyoming, sagde han.

Howard og Ken talte ikke meget. Det gjorde til gengæld de tre voksne, og drengene syntes, det var herligt, fordi alt, hvad Charley Sargent sagde, fik dem til at le. De passiarede om noget virkelig spændende – en vognladning poloponyer, der skulle sendes fra Sargents ranch til Los Angeles, hvor de skulle sælges til en poloklub. Han havde plads til endnu fire heste i den bestilte vogn og ville derfor spørge, om McLaughlin kunne tænke sig at gå med til forretningen og betale sin del af forsendelsesomkostningerne mod at få sine ponyer solgt som de andre efter modtagerens godkendelse af leverancen.

Ken betragtede sin far og fastslog, at han var i sit bedste humør. De blå øjne tindrede, og de hvide tænder skinnede i det mørke ansigt, når han smilede eller lo. Også Kens mor var lykkelig. Hendes hår var redt glat ned over panden. Hendes øjne strålede med samme dybe farve som de mørkeblå iris i skålen på bordet. Hun fik smilehuller i kinderne og havde et både kvikt og vittigt svar på alt, hvad Sargent spurgte om. Inden længe talte de alle oprømt højt, og drengene lo med.

Da de havde spist, gik McLaughlin og Sargent ind i arbejdsværelset. Ken og Howard tog af bordet. Deres mor vaskede op og gjorde køkkenet ryddeligt. Mens de var optaget af dette, hørte de, at deres far fortalte om Raket.

De to herrer sad med høje glas og en flaske whisky på bordet, McLaughlin talte højt.

»Det *er* rigtigt! De har ikke mellem alle Deres væddeløbsheste en eneste, der kan hamle op med hende. Hun er en *bronc*, hun er aldrig blevet tæmmet – ingen har kunnet magte hende; men jeg kan vise Dem, hvordan denne hundjævel løber bedre end nogen anden, De har set – femogtyve – otteogtyve – tredive miles i timen –.«

Ken bar en bakke med tallerkener ud til sin mor og sagde til hende: »Far fortæller ham om Raket.«

Nell gik hen til døren og stod lyttende nogle øjeblikke med viskestykket slået over skulderen og et dryppende glas i hånden. Rob og Sargent råbte begge to højt og lo. »De er helt vanvittig!«

»Jeg garanterer Dem ...«

»Sådan en hest eksisterer ikke.«

»Tør De vædde?«

»Hvis jeg kunne få fat på en hoppe, der løb otteogtyve miles i timen uden træning ...«

»Kan De få hende tilredet, vil hun indbringe en formue på væddeløbsbanen.«

»Jeg har en berider, der kan tæmme en hvilken som helst hest, der er født af en hoppe.«

»Lige med undtagelse af Raket! Men *hvis* De kan tæmme hende, kan hun også præstere nogle fremragende væddeløbsheste som afkom.«

»Jake kan tæmme hende, hvis det er umagen værd.«

»Værd? Har jeg ikke sagt Dem det?«

»Kan hun virkelig klare tredive miles i timen?«

»De kan købe hende billigt«

»Hvor meget var det? Hvor hurtigt sagde De, hun løb?«

»Jeg vil sælge hende for fem hundrede.«

»Har De et stopur?«

»Jeg har et speedometer i vognen –.«

De glemte alt andet for at prøve Rakets fart og tage tid på den. Inden Nell var færdig med at fjerne krummer fra spisestuens gulv med tæppemaskinen, stod McLaughlin ude i gården og råbte på Ross og Gus. Folkene, der var oppe ved stalden og i færd med at sadle, fik ordre til at hente avlshopperne hjem.

»Hent dem alle –,« råbte McLaughlin. »Jeg tør ikke løbe risikoen ved at drive hende hjem alene. Jeg må have Banner til hjælp.«

Sargent red Shorty i sit flotte nye tweedsæt og lysebrune sko. Han havde den bredskyggede sombrero over sit tynde grå hår. Heldigvis var avlshopperne ikke ret langt borte fra Svajet, og midt på eftermiddagen havde man dem alle hjemme i foldene, hvor de rastløst traskede rundt i stimmel, mens Banner var umådelig nysgerrig efter at vide, hvad de skulle hjem efter. Hans blik hang ved McLaughlin. Raket var som sædvanlig vild i øjnene og meget nervøs, navnlig da hun blev isoleret fra flokken og til sidst endte alene i en lille fold.

»Hvad betyder halsbåndet?« spurgte Sargent. »Er det en særlig udmærkelse?« Mens han talte, gik han rundt om Raket og så på hende med kenderblik. Han lagde mærke til hendes brede bringe, dybe brystkasse og spilede næsebor, hendes kraftige, fjedrende haser og koder – hun var lidt høj over krydset og en smule for lang af krop. Han kunne ikke lide hendes øjne eller den måde, hvorpå hun stak snuden i vejret.

Rob skammede sig over den gamle rebløkke, Raket havde om halsen. »Jeg har længe ønsket at pille den af hende.«

»Så gør det nu!«

Rob lo. »Jeg har sagt Dem, at hun er en djævel. Jeg risikerer livet, hvis jeg prøver at få rebenden af hende. Jeg vil hellere sælge hende først.«

McLaughlin bestemte sig til at prøve Rakets fart i staldvænget på den strime jævn græsmark, der fulgte hegnet langs sognevejen. De gik ned til huset, og alle tog plads i hans store Studebaker. Nell og drengene sad på bagsædet, mens Sargent sad foran hos McLaughlin. De kørte op til staldene, hvor Ken hoppede af og lukkede dem igennem til staldvænget, hvorpå han atter tog plads i bilen. Gus ventede inde i folden, og da McLaughlin råbte til ham om at slippe Raket ud, åbnede han porten. Den store hoppe kom skridtende ud alene, forbavset over, at de andre ikke var med.

McLaughlin havde standset vognen, men begyndte nu at køre hen imod Raket. Hun bevægede sig i rigtig retning, Studebakeren fulgte efter. Hun slog over i trav, løftede hovedet og rejste ørerne i spændt årvågenhed. McLaughlins fod pressede hårdere på speederen; Raket viste ikke antydning af øget anstrengelse, men hun holdt sin afstand fra bilen.

Pludselig veg hun ud til siden. McLaughlin drejede bilen og kørte i bue for at tvinge hende mod hegnet; men det passede hende ikke. Hun satte afsted ad skoven til med en sådan fart, at hun i løbet af et par sekunder forsvandt af syne.

McLaughlin bandede inderligt, men fulgte efter hende, idet han krydsede og snoede sig vej mellem træerne, til de ramte en banet sti, der førte ned til Hjortebækken. De fik atter øje på hoppen, da de kørte gennem bækken på et vadested. Hun kom ud fra espelunden på dens modsatte side og nåede på sin vej op ad bjergskrænten hurtigt et pigtrådshegn, som afgrænsede marken mod nord. Hun gjorde halvt omkring og travede langs skellet.

McLaughlin, som lagde mærke til hendes nølende bevægelser og stadige spejden over hegnet, sagde: »Hun kan ikke glemme engen ved Castle Rock.«

Raket sagtnede farten, og McLaughlin standsede bilen, mens de iagttog hende.

Pludselig hævede hun forbenene, og uden at gøre sig ulejlighed med at springe brasede hun gennem pigtrådshegnet, sønderrev ståltråden og trampede den ned uden at regne, at dens pigge flåede hendes skind. Et øjeblik senere var hun forsvundet i skoven.

Ved sådanne lejligheder trak McLaughlin rundhåndet på det fond af eder og kraftudtryk, han havde samlet under sine tjenesteår i hæren.

Charley Sargent lo.

»Hun er på vej tilbage til engen ved Castle Rock,« sagde Rob. »Dér mistede hun et føl for et par uger siden, og det kan hun ikke glemme. Hun går tværs igennem ethvert hegn, den infame mær. Det giver arbejde til Gus i morgen. Nej – hop ud, Howard, og gør hegnet i orden!«

Han tog et par trådsakse og tænger op af bilens dørlomme og rakte dem til Howard.

Drengen hoppede ud, ledte omkring ledstolpen, til han fandt en passende ende pigtråd, klippede den til og lukkede hullet med den.

»Lad os prøve at overraske hende ved at køre ned til espelunden,« sagde Rob. »Hun kommer der nok før vi. Hold fast alle sammen!«

De bumpede og slingrede gennem skoven ad smalle stier, der førte ind i tilsyneladende uigennemtrængeligt kratværk,

144

som groede saftigt og frodigt nær vandløbet. De snoede sig uden om træstammer og store sten, til de omsider slap fri af skoven på en åben bjergskrænt, der kun var overgroet af lave buske og salvieris. Stigningen var her så stejl, at de havde en fornemmelse af, at bilen når som helst kunne vippe over til den laveste side.

Da de omsider nåede Espelunden, havde Raket endt sin eftersøgning og slået tanken om føllet af hovedet. Hun græssede roligt på skrænten over engen. For at nå dertil var hun braset gennem tre pigtrådshegn.

McLaughlin åndede lettet op. »Nu er hun ikke langt fra vejen, der fører hjem over nordmarken. Det er den fladeste strækning, vi har i vid omkreds. Hvis hun vil tilbage til foldene, er det sandsynligst, at hun vælger denne vej.«

Han kredsede langsomt op bag hoppen, som ikke skænkede ham nogen opmærksomhed. Han tudede i bilens horn. Raket afskyede denne lyd. Hun så sig nervøst om et øjeblik og satte derefter i trav hjemad med bilen bag sig.

Strækningen, de fulgte, var glimrende egnet til en hastighedsprøve. Nu var alle i bilen tavse og så kun spændt på hoppen, der omsider slog over i galop. Hvert spring bragte hende længere frem, end de allerfleste heste havde magtet, men det forbløffende var, at det øjensynligt ikke kostede hende nogen som helst anstrengelse. Det var, som svævede hun afsted. Med en indre betagelse, der næsten tog vejret helt fra ham, mindedes Ken, at Flicka bevægede sig i samme lette og svævende galop. Hvori lå deres enorme styrke? Måske i det lidt for høje kryds og den meget lange krop.

Ken, Howard og Nell hang alle tre frem over forsædets ryglæn.

»Død og pine!« mumlede Sargent. »Hun farer afsted som et lokomotiv! Løber hun altid sådan med snuden i vejret?«

»Ja,« svarede Rob, »hun kigger stjerner –.«

»Sæt farten op,« sagde Sargent, »hun går kun for halv kraft endnu.«

»Se engang på speedometret,« sagde Rob.

»Du store kineser!« udbrød Sargent.

Bilen kørte hurtigere, og speedometret viste tredive miles i timen. Man kunne stadig ikke se på hoppen, at den anstrengte sig, men den holdt nemt sin afstand fra vognen.

Da Raket nåede markvejen, svingede hun og satte kurs mod staldene; McLaughlin fulgte efter.

»Sæt farten op endnu en tak,« råbte Charley Sargent. »Kommer hun over de tredive miles i timen, køber jeg hende!«

»Det gør hun med største lethed,« bemærkede Rob overlegent og trykkede speederen længere ned, mens han tudede med hornet. Da Raket hørte det, gav hun et vældigt spring fremad og satte farten op. Sargent holdt øje med både hest og speedometer. Dets nål svingede støt opad – tredive – enogtredive – treogtredive, og den dirrede meget nær femogtredive miles i timen, idet Raket tordnede over den lille stenbyggede bro og begyndte på det sidste stræk før grønningen.

»Pas på kalvegrøften, far!« råbte Howard.

Hverken Rob eller Raket satte farten ned, men da hun nåede kalvegrøften, hævedes hendes krop tilsyneladende uden øget anstrengelse, og hun sejlede lige så let over den femten fod brede grøft, som havde det været en smule bæk.

Rob og Sargent gik ind i arbejdsværelset for at få endnu en whisky, og en time senere havde de handlet. Sargent købte Raket for fem hundrede dollars, når hun leveredes på hans ejendom uden pådragne skader af nogen art.

»Men hvordan De vil klare *det,* min fine ven, må De *selv* om,« sagde han leende. »Nemt bliver det ikke!«

»Overlad det til mig!« sagde Rob lidt pralende.

De blev også enige om, at Rob skulle afslutte tæmning og tilridning af de fire treåringer, så de i løbet af ti dage var klar til at gå med Sargents vognladning poloponyer til Los Angeles. Således endte en givtig og spændende eftermiddag, og Sargent kørte sin vej.

Ved aftensbordet drøftede de alle enkeltheder fra den lange

dag – endog hareragouten og Nells brød, hvor nydeligt bordet havde været med de mørkeblå iris og en skål på midten, hvor beundrende Sargent havde betragtet Nell, og hvilke artigheder han havde sagt hende. Nell drillede Rob med dem.

Da de havde spist, gik drengene ud med deres lette jagtbøsser for at skyde nogle flere harer. Rob og Nell satte sig på terrassen for at nyde aftenen i fred.

Der var en fortryllende klar belysning over landskabet, et indirekte lys fra den fløjlsblå, dunkle himmel. Lige over bjerget bag grønningen stod en enkelt gylden stjerne. Den tindrede koket, og nær den gav en lille, hvid sky svar med masser af korte lyn, der så ud som en bestandig blinken af elektriske lamper. Ti sekunder ad gangen stod den klar og illumineret, som fyldtes den helt af rosa og gult lys. Det slukkedes i korte blink, og den buldrede dæmpet. Stjernen glimtede opmuntrende til den. Intet andet bevægede sig i tusmørket. Det var, som om alt iagttog den lille himmelske flirt mellem stjerne og sky.

Efterhånden myldrede mange andre stjerner frem, og skyen forsvandt, uafbrudt glimtende og buldrende, bag bjergene.

»Gik drengene ikke ned i engen ved Castle Rock?« spurgte Nell.

»Jo – de gik ned for at skyde nogle flere harer.«

Nell sagde intet. En let brise legede mellem nåletræerne på bjerget, og det lød, som om skoven sukkede. Jorden og fyrretræerne virkede intenst sorte under den stjernelyse himmel. I halvmørket mellem skumring og månens opgang sad Nell og Rob nervøse og tavse, fordi drengene færdedes nede på engene ved Castle Rock.

De blev glade, da to mørke skygger viste sig på grønningen, og de hørte Howard sige: »Rakets føl er blevet yderligere afgnavet. Nu er der ikke en kødtrevl tilbage på det – det stinker knap nok.«

»Pumaen har måske haft fat på det, efter at vi så det sidst,« mente Ken.

»Vi ledte efter dens spor, inden det blev mørkt, men vi fandt ingen.«

»Hvordan gik det med harerne?« spurgte Rob. »Jeg troede, I havde været på jagt.«

Drengene fremviste to skudte harer.

»Udmærket. Gå nu op til forrådshuset, flå dem og tag dem ud – det er snart sengetid.«

Drengene forsvandt i retning af forrådshuset, og kort efter sagde Rob: »Nell –«

Hun svarede ikke. Han bøjede sig frem for at se på hende. Hendes hoved var sunket mod den ene skulder, og hun sad slapt i liggestolen. Hun sov fast.

17

Rob havde nok at gøre den næste dag. Banner og avlshopperne var drevet ud på bjerget kort efter, at Sargent havde sluttet sit besøg. Raket blev alene tilbage i en af foldene, hvor hun følte sig nervøs og urolig trods det store havrefoder, der blev stillet ind til hende.

»Hvad med den lassoløkke, Raket går med om halsen?« spurgte Nell ved morgenbordet, mens hun hældte fløde i sin kaffe. »Vil du have besvær med at pille den af hende, før hun kommer på lastvognen?«

Rob så meget forarget på hende. »Kunne du tænke dig, at jeg skulle levere hende til en ny ejer med den gamle rebende om halsen?«

Howard og Ken skelede til hinanden. Det betød, at de skulle have Raket i læsseboksen, hvorfra en rampe førte op til en lastbils fadingshøjde. Raket skulle først lokkes ned i læsseboksen og derfra op på lastbilens vognbund.

»Hvem skal køre lastbilen?« spurgte Nell.

»Det skal jeg selv. Jeg tager Gus med mig – der kan nemt blive brug for ham.«

De skyndte sig at spise morgenmaden, og McLaughlin gik straks efter til foldene. Gus fik ordre til at fylde olie og benzin på lastbilen og gøre den klar til kørsel. Tim skulle hjælpe til nede ved boksen.

Det var ikke svært at få Raket gennem foldene, men da hun nåede den smalle passage ind til boksen, og dens tunge led lukkede sig bag hende, begyndte hun at pruste og stejle.

Den snævre gang til den lille, solide læsseboks lå åben foran hende, men hvor meget de end drev på, skældte og hujede, viftede ad hende med dækkener og svingede piske over hendes ryg, kunne de ikke lokke hende videre. Hun kunne se gennem boksen og konstatere, at dens modsatte ende var lukket med en solid dør, der spærrede vejen for flugt.

»Det er døren, hun ikke kan lide,« sagde McLaughlin. »Hun er klar over, at der ikke er nogen vej ud fra læsseboksen. Vi må have åbnet døren, så hun kan se lys igennem den. Hvis jeg så kan sætte sving i hende her, får vi hende måske til at gøre et forsøg på at fare tværs igennem boksen. Ken – du må klatre op på boksens overligger ved døren. Du åbner døren, og i samme nu, som hun farer ind i boksen – hvis hun da gør det – knalder du atter døren i. Du må være rap i hjernen og rap på næverne. Du kommer til at bøje dig ned, så du kan lukke døren fra oven – det er ikke let – men pas på, du ikke falder ned i boksen. Døren lukker inde fra. Hvis du blot kan lukke den omtrent i, sørger hun selv for at knalde den helt til, når hun tørner imod den.«

Ken entrede op på boksens overligger ved døren. Han rystede af spænding. McLaughlin klatrede halvvejs op ad hegnet om den snævre gang med et dækken over armen.

»Klar, Ken! Luk døren op!«

Ken bøjede sig frem og halede den tunge dør åben. I samme nu udstødte Rob et vræl og slog dækkenet smældende ned over Rakets kryds. Raket så lys fra dørgabet for boksens ende og sprang frem imod det. Ken nåede i sidste sekund at svinge døren omtrent i, og hoppen brasede imod den.

Hun var lige under Ken, og da han rettede sig op, stejlede Raket, så hendes store hoved med de vilde øjne kom på højde med hans ansigt.

»Stolpen for, Tim!« råbte McLaughlin, og Tim, der stod klar, skubbede den tykke spærrestolpe på plads bag Raket gennem begge boksens bjælkevægge. Nu kunne hun ikke bakke ud af fælden. Bjælken sad noget højere end hoppens halespidser – for højt til, at hun kunne få benene over, og så lavt, at hun ikke kunne smutte under bommen.

Da Raket atter stod på alle fire ben og mærkede den spærrende bom bag sig, begyndte hun for alvor at kæmpe.

McLaughlin klatrede op på boksens øverste bjælke over for Ken og prøvede atter og atter at få tag i den gale hests hoved. Raket stejlede på ny, og det gav McLaughlin en mulighed for at gribe fat i lassoløkken om hendes hals med begge hænder. Hun slog vildt med hovedet og prøvede at ruske sig fri. Han blev ved med at holde fast og var nær blevet slæbt ned fra boksvæggen. Hun hvinede og slog efter ham med hovedet, og hendes tænder var blottede til bid. McLaughlin måtte kaste sig til side. Raket gik atter ned på alle fire, og han måtte slippe sit tag. Hun satte snuden i jorden og slog bagud. Hendes hoved knaldede mod boksens bjælkevæg, og det lykkedes hende at få det ene ben over spærrebjælken; men under de påfølgende krumspring og styrt fik hun det frigjort.

Hun stejlede atter, og McLaughlin greb på ny efter hendes hoved. Ken så, hvordan hans fars ansigt rødmede af vrede, medens trækkene stivnede i hensynsløs beslutsomhed. Han havde pigtrådssaksen i højre hånd og ventede kun på sin chance til at klippe rebet over.

Pludselig dumpede Raket atter ned på jorden og stod et øjeblik med arbejdende bryst og flanker under en så anstrengt vejrtrækning, at det lød som en stønnen. McLaughlin rakte nedad og klippede rebløkken over, så den faldt af dyret. Men netop samtidig stejlede Raket endnu engang. McLaughlin kunne ikke undvige i tide, og hun knaldede sin nakke i hans ansigt.

Ken så blodet sprøjte fra et sår over faderens ene øje, mens Rakets skumplettede hoved beskrev en baglæns cirkelbue.

Hun faldt på ryggen og brækkede i faldet den solide spærrebom bag sig.

Et øjeblik klamrede McLaughlin sig halvt bedøvet til boksens væg og bandede inderligt med en hånd presset mod ansigtet, mens den gale hoppe tumlede desperat under ham, kastede sig fra side til side og hamrede sine hove mod bjælkevæggen.

McLaughlin kom ned på jorden og holdt sit store, brogede lommetørklæde mod det blødende ansigt. Han hovnede voldsomt op om det ene øje. »Det var *det!*«, sagde han, mens han gik tilbage til folden.

Raket hvinede, gryntede og kæmpede vildt for at komme på benene. Hun var faldet, så hun havde hoved og hals inde i gangen til den snævre læsseboks. Det gav hende lidt mere bevægelsesfrihed med forbenene. Ved at vride og sno sig, skubbe og sparke, tvang hun sig helt ud af læsseboksen ind i gangen, hvor hun hurtigt kom op at stå.

»Nu er vi klar, Gus,« sagde McLaughlin. »Bak lastbilen hen for enden af boksen og lad Tim passe rampens slisk til. Jeg håber, vi kan få hende drevet gennem boksen, over slisken ind i vognen.«

»De må have gjort noget ved det øje, kaptajn,« sagde Gus, da han så Robs ansigt. »Kinden er også lavet slemt til – det er en ordentlig gabende flænge – Missus må hellere tage sig af det.«

Rob pressede lommetørklædet mod sit øje og så ned ad sig. Han var oversølet af skum og blod og rynkede arrigt panden.

»Ja – jeg skal gå ind og få det værste skidt fjernet. Nu vil jeg ikke have mere ballade med den forbandede mær, Gus. Man aner ikke, hvad hun kan finde på. Når vi først har hende i bilen, er vi vel nogenlunde sikre mod hende – kunsten består bare i at få hende derop. Prøv at lægge sadel på Shorty. Jeg skal ride ham gennem læsseboksen over rampen og slisken, så er der vel en chance for, at hun vil følge efter ham ind i bilen.«

Mens Gus og Tim manøvrerede bilen hen med bagenden ud for læsseboksen, gik Rob ind i huset for at blive forbundet.

»Det burde egentlig syes med tre sting,« sagde Nell efter at have set nøje på såret. Hun havde vasket sig omhyggeligt med sæbe og varmt vand og lagt sine forbindingsgrejer på køkkenbordet. »Det er en grim flænge, du har fået over kindbenet.«

»Er den særlig dyb?« spurgte Rob.

»Nej, det er den egentlig ikke.«

»Så må vi kunne klare det med hæfteplaster.«

Nell pressede sårrandene hårdt sammen, til blødningen næsten standsede, hvorpå hun fæstnede dem mod hinanden med en række smalle strimler hæfteplastre, som hun til sidst dækkede med en antiseptisk forbinding.

Da det var gjort, lagde hun armene om hans hals og holdt ham fast med sin kind mod hans kind. Han følte, hvordan hun sitrede over hele kroppen.

»Det skal du ikke bryde dig om, min skat,« sagde han. »Det er ikke noget at tale om.« Han klappede hende på skulderen og knugede hende så pludselig ind til sig og kyssede hende. Derefter gik han op på sit værelse og skiftede til pletfri bukser af rideelastik, blankpudsede, lange støvler og en velsiddende ridejakke.

Da han atter nåede ud til foldene, var Raket allerede anbragt i lastbilen. Shorty havde lokket hende derop ved at gå forrest, og han var allerede bragt ned igen fra fadingen, inden Raket opdagede, hun var gået i en fælde. Transportkassens bagdør var lukket, og der var ingen mulighed for flugt. Det gale asen var solidt spærret inde i et fængsel, som var bygget af holdbare sammenboltede to gange fire tommers planker. Hun stejlede, skrabede på væggene, prustede, vrinskede, hvinede, prøvede bukkespring og andre voldsomheder og styrtede gang

152

på gang hårdt mod vognbunden, hvorfra hun røg op og begyndte det hele forfra. Hun kunne ikke udrette noget af betydning, og ingen ænsede længere, hvad hun lavede. Rob tog triumferende den gamle, overskårne lassoløkke op fra boksens gulv og hængte den løst om sin hals. Han og Gus satte sig på lastbilens førersæde, og drengene tiggede sig lov til en plads på vognen, indtil den nåede hovedvejen.

Bilen passerede huset med drengene stående på vogntrinene. De råbte farvel til Nell, der kom ud og vinkede til dem.

Men Raket var ikke færdig med at lave numre for McLaughlin. Der, hvor vejen drejede af fra Lincolnchausséen, fandtes ranchens navn. Enhver opdrætter er stolt af sin vejviser til gården, fordi alle gæster skal passere den og lægger mærke til den. Der udvises stor opfindsomhed for at gøre disse indkørselsskilte så ejendommelige og flotte som muligt.

McLaughlin havde bygget en stor, rektangulær indkørselsport. På dens vandrette bræt foroven mellem sidestolperne havde han med røde bogstaver på blå bund malet GOOSE BAR RANCH. På begge sider af navnet fandtes gengivelser af hans autoriserede brændemærker.

Da de nåede porten, stirrede Raket med vilde øjne på navnebrættet – dette underlige tværbræt, der kom sejlende mod hende fra himlen – og hun stejlede for at møde det med sin trods.

Hun stod på bagbenene med kroppen strakt til det yderste og ramtes i panden af indkørselsportens tværbræt. Der lød et brag bag i lastbilen, og McLaughlin så sig ængstelig tilbage. Han standsede vognen, sprang op på dens side og kiggede ind. Raket lå ubevægelig på vognbunden. Rob klatrede helt op til hoppen, skønt Gus advarede ham. Der var ingen fare ved det. Raket rørte sig aldrig mere.

De stod uden om vognen og turde intet sige, før McLaughlin foretog sig noget. Blodet steg ham til ansigtet, og det forslåede parti omkring forbindingen blev blårødt. Hans øjne flammede af den hede vrede, Ken havde ventet på. McLaughlin blev altid tindrende gal, hvis noget glippede, hvis han blev den underlegne i en styrkeprøve, eller hvis han mistede et eller andet, han satte pris på.

Han lo hæst og hårdt. »Så er den spøg endt!« råbte han. »Det er godt det samme. Nu skal vi ikke have mere besvær af den satans rakkermær. Jeg fortryder kun, at jeg ikke skød hende og hele det forbandede slæng for flere år siden. Kør kadaveret op til den gamle mineskakt, Gus, og smid det ned – jeg går hjem.«

Endnu en lastbil kom til og svingede ind fra hovedvejen. Den standsede, efter at den var nået på højde med dem – Williams var kommet tilbage som aftalt efter en ladning billige heste.

»De kan købe et kadaver!« sagde Rob bittert, da Williams steg ned fra sin vogn. De fortalte ham, hvad der var sket. Han klatrede op på siden af McLaughlins bil og kiggede ind i transportkassen.

»Det var da pokker til uheld,« sagde han. »En stor, smuk hoppe! Men jeg har før set noget lignende. Der skal ikke meget til at dræbe en hest, bare slaget rammer det rigtige sted.«

»Jeg har en vognladning heste til Dem, Williams,« sagde McLaughlin med et underligt glimt i øjnene. »En samling *broncs –*.«

»Kom bare frem med vilddyrene. Kan De læsse dem, er jeg køber,« sagde Williams spøgende.

»Hver eneste efterkommer af denne mær,« fortsatte Mc Laughlin sammenbidt.

»Det skulle ikke være så ringe en samling, hvis de ligner hende. Hvor mange er der?«

»Jeg ved det knap nok selv. De er spredt over hele ejendommen. Det vil tage tid at få samlet dem alle.«

»Jeg har hele dagen til rådighed.«

»Tim kommer ned og hjælper Dem, Gus,« sagde McLaughlin, der fulgtes med Williams op til gården.

Da Tim kom, kørte han, Howard og Ken med Gus ud til

den forladte mine for at se Raket forsvinde.

Drengene lagde sig på jorden ved randen af den dybe skakt, så de kunne kigge ned i den. Karlene bakkede lastbilen nær til hullet, slog et reb om Rakets koder, førte det uden om et træ på den modsatte side af skaktåbningen og trak, ved hjælp af rebet, Rakets kadaver halvvejs ud over vognbundens bagkant.

De fjernede rebet og baksede ved hjælp af et par pæle den døde, sorte krop videre. Den bevægede sig lidt – begyndte at glide – så vippede den pludselig ud over lastbilens bagkant.

Drengene så den store krop falde, mens den stødtes som en billardkugle fra side til side i skakten, hovene drejede opad, hårene i hale og manke flagrede og snoede sig – så lukkedes skaktens mørke om den. Der skete intet, før de efter en lang tids stilhed opfangede lyden af et kvasende bump tre hundrede fod nede. Det fik jorden ved skaktens rand til at ryste under dem.

De sad i køkkenet og spiste middagsmad, da Williams sagde: »Må jeg være så fri, kaptajn, at spørge om, hvorfor De går med den stump lassoreb om halsen? Har nogen prøvet at indfange *Dem?*«

Alle lo, undtagen Nell. Hun rødmede – bøjede sig over mod Rob *og* fjernede lassoløkken fra hans skuldre. Så gik hun hen til komfuret, løftede en gryde af og smed rebstumpen på ilden.

Resten af dagen gik med at indfange alle Albinos efterkommere uanset deres alder.

Lige straks havde ingen rigtig troet, McLaughlin for alvor mente, hvad han sagde, at hver eneste hest, der havde noget af Albinos blod i sig, skulle sælges, uanset hvor smuk, hvor hurtig eller hvor lovende den var. Men efterhånden som timerne gik, og den ene hest efter den anden blev drevet i foldene, mens eftersøgningen fortsattes og Nell havde travlt med at afkrydse navnene i stambogen, forstod de, at han havde taget en uigenkaldelig beslutning.

Ken og Howard posteredes ved led og porte for at regulere

passagen og lukke for de udvalgte heste, efter at alle andre var skilt fra dem og på ny drevet op i bjergmarkerne. Gus, Tim og Ross havde travlt med at ride flokkene sammen og drive dem hjem.

»Så, nu har vi dem alle,« sagde Nell omsider, idet hun lukkede stambogen. Man hørte på hendes stemme, at hun beklagede det, der skete.

Hun og Williams stod oppe i stalden og så gennem dens øverste åbne halvdør ned over foldene. De to drenge sad sikkert oven på bjælkehegnet om samlefolden, hvor Rob og hans karle befandt sig blandt de urolige vildheste.

»Alle undtagen Flicka,« mumlede Ken, idet han så over folden og fangede sin mors blik. Hun så på ham, og han vidste, at hun tænkte på det samme som han. Ken havde ikke været bekymret for Flicka. Hun tilhørte ham. McLaughlin havde udtrykkelig givet ham hoppeplagen, og den kunne ikke sælges uden sin ejers samtykke.

»Nu har vi ni,« sagde McLaughlin, da han havde talt dem. Williams kom fra stalden ned til folden.

Dernæst fulgte en meget langvarig handel med en gensidig indædt kamp for at opnå den gunstigste pris. McLaughlin og Williams så på hestene, diskuterede og prangede, til alle var trætte.

»Jeg kan lige have ti i bilen,« sagde Williams. »Har De ikke en til, der kan ryge med ved denne lejlighed?«

»Det er ikke umuligt,« svarede McLaughlin, »men lad os nu først blive enige om prisen på de ni.«

De regnede priser ud på et stykke papir og blev omsider enige.

McLaughlin gik over til Ken, kaldte ham ned fra hegnet og trak ham med sig et stykke fra folden.

»Ken,« sagde han roligt. »Jeg giver dig en chance for at vise dig som et fornuftigt mandfolk. Du kan frit vælge en anden hest, hvis du lader mig sælge Flicka til Williams sammen med resten af denne helvedesyngel.«

Ken blev gloende varm over hele kroppen. Han stirrede ned for sig, borede sin støvlesnude i gruset og rystede på hovedet.

McLaughlin fortsatte dæmpet og overtalende: »I dag har du med egne øjne set, hvad du kan vente dig af hende. Jeg beder dig om at være fornuftig, ikke blot for din egen skyld, men også fordi jeg gerne vil spares for det besvær og ubehag, det vil give mig at skulle hjælpe dig med noget, som er ugørligt. Hvad glæde får du af at skulle slås med et bæst af samme sind som Raket? Du har set, hvor elendigt *hun* omkom – og intet menneske kan have anstrengt sig mere med at få noget ud af en hest, end jeg har anstrengt mig med Raket.«

»Jamen, jeg skal *tæmme* Flicka,« hviskede Ken. »Det sker da, at skøre heste lader sig tæmme.«

McLaughlins stemme lød vredt: »Se op, Ken!«

Ken så op på sin far og var mere skrækslagen end nogen sinde før i sit liv. McLaughlins ansigt var frygteligt at skue. Det var svulmet op til uformelighed, det ene øje var helt lukket af blodunderløbne, blåsorte ophovninger, mens huden på kæbebenet skinnede ildrød under den hvide forbinding.

»Vil du være et lille stædigt skvadderhoved eller en fornuftig dreng?«

Ken sagde kategorisk: »Jeg må og vil have hende, far – hun er *min.*«

Egentlig mente han, *hun er mig.* Det føltes, som krævede faderen, at Ken skulle ofre noget af sig selv.

»Gør det for min skyld, Ken, og for mors – lad os få en rar sommer med hinanden. Kan der ikke være *en enkelt* ting, du klarer på fornuftig vis!«

Ken rystede på hovedet og følte pludselig, at faderens hånd greb ham så hårdt om skulderen, at det gjorde ondt.

»Jeg har den største lyst til at ruske alle tænderne løse i dit stædige hoved –,« sagde McLaughlin sammenbidt rasende. Han vendte Ken ryggen og gik op til stalden. Ken fulgte efter med hamrende hjerte, men med triumfen syngende i sit sind.

Flicka var hans. Hun kunne ikke tages fra ham.

»Der bliver ikke flere end de ni,« råbte McLaughlin. »Lad os nu læsse dem.«

Ved Shortys hjælp fik de dem ret hurtigt drevet gennem læssefolden og ad rampen ind i den store lastvogn, som blev solidt lukket efter dem.

Den standsede ved stuehuset, mens Williams skrev en check til McLaughlin. Beløbet var ikke så stort som det, han ville have fået for Raket, men dog så anseligt, at det bragte et tilfreds glimt i McLaughlins ene åbne øje.

»Skal vi tage bilen og køre med ud til hovedvejen for at se dem komme rigtigt afsted?« spurgte Rob.

De tog alle plads i Studebakeren og fulgte Williams ad vejen. De kunne se, at hestene inde i hans plankebur kæmpede for at komme fri. Skønt de var ganske tæt sammenstuvet, var flere af dem vilde af skræk og voldte en del besvær.

En af dem blev ved med at stejle og fik omsider forhovene over den høje, tremmede planke vægs overkant. Da lastvognen hældede til siden på bjergskrænten, skete pludselig det helt utrolige. Det lykkedes hesten at klatre op ad plankerne, til den fik kroppen ud over deres øverste kant, og så tumlede den ned.

Det var et voldsomt styrt, fordi bjergskrænten var brat. Den vilde hest sprang, væltede, slog kolbøtter og rullede, til den nåede bunden.

Rob stoppede brat op. De sprang alle ud af bilen og så efter hesten, medens Williams fik bremset sin lastvogn og kom ned fra førersædet.

Da flygtningen nåede bunden, kom den på benene med et sæt og stod tilsyneladende uskadt, mens den så sig forbløffet og måbende om. De brast alle i latter.

Williams kom hen til McLaughlin. »Jeg har desværre ikke tid til at vente på bæstet. Det bliver for sent at køre, hvis vi skal til at indfange ham og have ham læsset en gang endnu.«

Rob trak den nylig modtagne check op af lommen. »Her er

min fyldepen. Skriv en ny check og træk fra, hvad han kostede Dem.«

Det lod Williams sig ikke sige to gange, fordi han vidste, at når han havde fået hestene på sin vogn og betalt dem, var det ham og ikke McLaughlin, der skulle bære tabet. Da de byttede checks, sagde han spøgende: »Nu kan De være fodervært for ham et år, så køber jeg ham igen næste sommer.«

McLaughlin sagde: »Kør nu hellere, Williams! De skulle gerne nå statsgrænsen, inden det bliver mørkt, og hør – kør *uden om* porten til hovedvejen – ikke igennem den!«

»Ja, De kan være ganske rolig. På gensyn!« Williams kom op i sin lastvogn og kørte.

Den flygtede hest løb rundt nede i engen og så sig forvirret om, som anede den ikke, hvor den befandt sig. Pludselig sprang den i hurtig galop, stak så pludselig næsen i jorden, slog en kolbøtte, lå stille nogle øjeblikke, rejste sig og sprang atter i galop.

Drengene stirrede på deres far, som kunne de i hans ansigt læse en forklaring på hestens besynderlige opførsel. Den skabte sig helt tosset, og Nell vidste med en smertelig svien i hjertet, at det smukke dyr havde taget alvorlig skade.

McLaughlins ansigt var stivnet og hårdt, hans øjne smalle. De stod tavse og iagttog plagen, der fortsatte sine sælsomme krumspring – galop, en kolbøtte, nogle øjeblikkes ro, så op på benene og forfra igen.

Omsider spurgte McLaughlin: »Har vi winchesterriflen med i bilen?«

»Ja,« svarede Howard omgående. »Du lagde den bag i vognen, da vi var ude for at lede efter pumaen. Du sagde, vi skulle lade den blive, hvor den var.«

»Hent den.«

McLaughlin tog riflen og sagde så: »Gå hjem med drengene, Nell.«

»Må vi ikke godt blive?« spurgte Howard.

»Nej! Det er forbandet nok, at jeg skal skyde den. Der skal

ikke laves cirkusforestilling ud af det.«

Nell kørte med drengene, og McLaughlin lagde sig omhyggeligt til rette på flad mark. Han førte riflen til skulderen.

Han ville være absolut sikker på sit skud –.

Det varede noget, inden plagen holdt pause i sine krumspring. Da det skete, stod den i samme undrende og fortumlede gloen som før, i vildrede med, hvad der kunne ske. Riflen knaldede skarpt, projektilet hvinede, ekko kom dæmpet buldrende fra bjergsiderne, og plagen sank om på engens bløde græs.

»Det var den sidste af dem,« sagde McLaughlin, da han sænkede riflen. Han ventede lidt for at være helt sikker på, at plagen ikke bevægede sig. Så trak han det tomme patronhylster ud og tilføjede indædt: »*Undtagen Flicka!*«

18

Der gik adskillige dage, før McLaughlin atter prøvede at få Flicka hjem, dage, hvori han tilsyneladende ikke interesserede sig spor for, hvad der var sket, eller hvad der fremtidig kunne ske med den. Han var kun optaget af sit arbejde. Han drev hårdt på folkene, men også Nell havde mere end travlt, fordi hun skulle tilride Rumba samtidig med, at hun passede sit hus. Ken blev fuldstændig ignoreret af sin far.

De fire treåringer artede sig særdeles vel. Det daglige kernefoder, den omhyggelige pasning og den anstrengende dressur rundede deres muskler og gav hårlaget glans. De var nu nået så vidt, at de rejste ører og trippede henrykt, når deres beridere om morgenen fløjtede dem ind i folden. Gangway var holdt op med at lave bukkespring, og McLaughlin gav dem selv en grundig skoling hver dag nede på ridebanen, hvor de blandt andet vænnedes til sving af polokøllen fra sadlen og til at følge bolden over banen.

Om søndagen tog familien til Cheyenne for at gå i kirke. Der var som sædvanlig en større diskussion om sagen, inden de kom afsted. Rob, der hellere ville sidde i solskinnet ude på terrassen og læse vittighedsbladene, sagde, at de vist burde blive hjemme, fordi der måske kom nogle officerer på visit fra fortet. »Sker det, har vi altid en chance for at kunne sælge en af dem en pony.«

»Ikke en søndag formiddag,« sagde Nell bestemt. Så tilføjede hun, og der dannedes et dybt smilehul i hendes højre kind: »Men du behøver naturligvis ikke at tage med. Dit ansigt er ikke lægt endnu, så du har en udmærket undskyldning. Jeg kan gå i kirke sammen med drengene.«

»Lad gå!« sagde McLaughlin. Da Nell et kvarter senere stod klar til at køre sammen med Howard og Ken, der var iført lange, grå flonelsbukser, hvide skjorter og hvide lærredshatte med smal skygge, kom han i løb op ad trappen og råbte forarget: »Tror du, jeg vil lade jer køre til byen og have jer siddende på kirkebænken uden mig?«

Drengene var utålmodige og rastløse, mens de ventede på, at deres far skulle blive omklædt, og Nell måtte forklare dem, at officerer blev opdraget til den største omhu med påklædningen af hensyn til deres prestige. De måtte derfor vente tålmodigt.

Omsider kom McLaughlin skinnende ren og smuk i sit lysegrå flonelstøj og med den bløde hat elegant på snur over sit sorte hår. Han havde nu kun en smal strimmel hæfteplaster på kinden.

Nell var i en mørkegrøn, blomstret sommerkjole med turban og højhælede, udringede sko. Tim havde vasket vognen. Dens rødbrune lak og blanke nikkel skinnede om kap med de fineste biler, som mødte dem på Lincoln Highway.

Normalt kørte McLaughlin med en fart af fem og tres miles i timen, men i dag, da han vidste, det kneb med tiden, satte han farten op til halvfjerds. Ikke desto mindre kom de

som sædvanligt for sent og vakte nogen uro på vej over kirke-
gulvet. Alle andre sad på deres pladser og hørte dagens tekst
blive oplæst.

De spiste middag i byen hos Bartletts, og da de nåede hjem
til ranchen, var der allerede kommet en del gæster. Søndagef-
termiddagen gik hyggeligt og fornøjeligt med venner på kor-
tere eller længere visit. Bakker med flasker og glas blev båret
ind og ud, der lød munter tale og latter.

Børn elsker at lytte til voksne menneskers samtale. Howard
og Ken holdt sig tæt op ad deres forældre og kredsen af of-
ficerer eller officersfruer, som omgav dem. De hørte atter og
atter beretningen om Rakets voldsomme død. De hørte alle
de gale heste beskrevet. Man diskuterede Albinos egenskaber,
hans stride og umedgørlige sind, der i så overvældende grad
nedarvedes.

Loco var et ord, Ken havde hørt, fra han var spæd. »Du er
loco!« betød det samme som: »Du er skruptosset« eller »Du
er idiot!«, men den betydning, man nu lagde i udtrykket, var
anderledes, alvorligere ... Ken fattede den ikke helt ...

Ken sad på den lave stenmur, som afsluttede terrassen,
dinglede med benene over et blomsterbed og betragtede en
stor humlebi, som stod på hovedet i en blomstrende petunia.
De voksne snakkede.

Gus og Ross og Tim havde også talt om dyr, som blev *loco*.

Lørdag aften havde drengene tilbragt en times tid i arbej-
derhuset, før de skulle i seng. De havde ivrigt lyttet til folkenes
passiar, og den drejede sig kun om, hvad det egentlig var, som
fra første færd gjorde et dyr *loco*.

Tim havde fortalt en historie om en lille, sort plag, der blev
jaget af et kobbel præriehunde, mens dens mor forsvarede sit
barn efter bedste evne. Hele natten havde både hoppen og føl-
let kæmpet i rædsel for livet. De sloges og flygtede og sloges
igen. Næste morgen var plagens sorte hårlag blevet kridhvidt,
og den var uhjælpelig *loco*.

Hestetæmmeren fortalte en lignende historie.

Han beskrev de heste, han havde haft på sin egen ranch. Han havde samlet en hel flok ved at fange vilde mustanger og tæmme dem, til de kunne sælges som reelle heste. »Men ærlig talt, så var der ikke en eneste helt reel krikke på gården. Det er et helvedes mas at få de indfangede plage bragt hjem. Jeg kunne ride ud for at jage dem og måske se en hel flok tegne sig klart mod himlen – bjergtravere – de holder sig oppe på højderyggene, hvorfra de kan se én på en miles afstand – og det mest sandsynlige er, at man aldrig senere opdager dem. Får man endelig fanget et par stykker og får dem tæmmet, er der ikke meget ved det.

Min jagthest var sådan en indfanget plag og duede ikke. Han var hårdmundet og død i det, mærkede ikke biddet, eller også forstod han ikke noget. Så bestemte jeg, at nu ville jeg have en rigtig fin plag, som kom af gode forældre. Den skulle opdrages til jagthest.

Nå – jeg havde en fin hoppe og betalte ti dollars for at få hende bedækket af en statshingst.«

»Det koster ikke noget, når det er en af regeringens hingste,« sagde Gus.

»Det kostede mig ti dollars at leje en transportvogn og køre hoppen frem og tilbage. Et år senere folede hun, og føllet var en ren skønhed. Han fik lange, elegante lemmer og øjne så blide som en kvindes. En lille smart fyr var han også. Da han var et år gammel, red jeg hans mor ud til en ny ejendom, et *homestead*, jeg havde overtaget og sat trådhegn om i nærheden af Centennial, og plagen var med os. Kender I terrænet derude? Alle de gamle, skøre bjerge står stejlt på højkant op i skyerne. Der er hverken hus, vej eller mennesker, så langt man kan se. Jeg havde sat min pigtråd op den foregående sommer, men stormene derude havde revet og rusket så voldsomt i det, at en halv mile var gået omkuld. Der lå mindst en uges arbejde til mig. Da jeg sad og fik en smøg, efter at jeg havde spist til middag, så jeg en stor puma springe på plagen. Etåringen gik og græssede et stykke fra mig nær ved den stejle bjergskrænt.

Den store kat kom flyvende gennem luften og landede på plagens ryg. Har I nogensinde set en puma? De kan blive så store som nyfødte føl og skrige som et kvindfolk – de kan nok give en mand kuldegysninger. De ligger på trægrene eller på klippeblokke og springer på både føl og store heste, som kommer i nærheden.«

»Hvordan kan de dræbe en voksen hest?« spurgte Howard.

»Det er meget ligetil. De springer op på dyrets hals, bider sig fast i nakkehvirvlerne og slår forpoternes kløer i sulet. Så svinger de sig ned under hestehalsen og kradser løs med bagkløerne i struben lige under hestens kæber. Pumaens vægt er så stor, at den tvinger offerets hoved rundt, til nakken brækker. Så ligger hesten der, og resten er legeværk.«

»Fik den dræbt din plag?«

»Nej. Han skreg og smed sig og rullede rundt, og hans mor græssede et kort stykke derfra. Hun kom i en fart og gik løs på katten. Pumaer er ikke tapre – de undgår helst slagsmål. Hvis de ikke kan dræbe i første spring, plejer de at stikke af i en fart. Jeg skyndte mig ind efter min bøsse, men da jeg skulle til at sætte en patron i, var pumaen sporløst forsvundet. Efter den dag kunne plagen ikke tåle nogen på sin ryg. Da han blev ældre, prøvede jeg at ride ham til, men han blev ved at trykke sig og glo forskrækket på mig og lave bukkespring og ryste – jeg fik ham aldrig tæmmet. Han blev totalt *loco* til sidst.«

Ken mindedes tåget al denne snak, mens han så, hvordan humlebien masede sig ind i den halvt udsprungne petunia. Omsider var bien næsten skjult, og blomsten bøjede sig dybt mod jorden under insektets vægt. Ken ventede på at se bien komme ud. Hvilken mærkelig verden var den ikke trængt ind i – selve blomstens duftende hjerte –. Hvis Ken havde været en humlebi nu – – –.

Bag ham på terrassen prøvede majorens frue at lokke Rob og Nell med til et bal på fortet næstfølgende lørdag aften. »Vi ser jer aldrig inde i byen,« sagde hun. »Jeg skal såmænd ikke bebrejde jer det – når man ejer et så yndigt sted som dette –.«

»Kan du huske sidste gang, vi tog med til bal på fortet?« spurgte Rob smilende.

»Om jeg husker det?« udbrød Nell. »Det var i efteråret, og mens vi var borte, lavede floden oversvømmelse.«

»Det kan jeg huske!« lød Howards skingre stemme. »Da I skulle hjem, stod vandet over broen, så I ikke kunne køre over den!«

Ken huskede det også. Det havde været en spændende nat. Lige før sengetid, da han og Howard var på vej fra en tur med Gus, lød der et vældigt brøl, og en stor bølge vand kom styrtende gennem Lone Tree Creek. Den dannede en bred flod gennem engen, hvor der før kun havde været en smal bæk. Hundene styrtede ned til vandet og gøede rasende ad denne uorden, men oversvømmelsen steg og steg, til den ikke blot skjulte dækket, men også sideramperne på broen ved tilkørselsvejen.

»Vi holdt der klokken fire om morgenen,« sagde Rob, »og mine lygter lyste på vand, hvor der burde have været vej. Vi stod ud for at se, hvad der var sket – og der strømmede en flod mellem os og huset.«

»Men hvad gjorde De dog ved det?« næsten hvinede mrs. Gilfillan.

»De skulle have set os! Ramperne langs broens sider var kun en fod under vand. Vi smed sko og strømper, jeg smøgede bukserne op, og Nell holdt godt op i nederdelen, mens vi vadede over på en af ramperne. Vognen blev stående til næste dag.«

»Sagde De, at De kom fra et selskab på fortet?« spurgte løjtnant Grubb drillende. »Kan det tænkes, at noget menneske kommer så ædru fra en af fortets fester, at han – eller hun – kan gå balancegang på en smal brorampe?«

Der lød en af de hyggelige lattersalver, som fik Howard og Ken til at le med, uden at de egentlig forstod spøgen.

Humlebien kom ud af sin petunia og kredsede rundt, mens den smagte på flere blomster, inden den atter fandt en, den gad bore sig ind i.

Ken så, at Pauly vogtede lurende på et jordmushul ved grønningens fjerneste rand. Katten ventede på, at jordmusen skulle stikke sit hoved op. Hun sad så urokkeligt stille, som var hun en bronzestatuette, støttede stift på forbenene og stirrede ufravendt mod hullet. Sådan kunne hun sidde på lur i ti – femten – tyve minutter, og til sidst kunne jordmusen ikke længere styre sin nysgerrighed, men måtte stikke hovedet op for at se, om fjenden var forsvundet

Nu talte de atter om Raket.

Major Gilfillan sagde: »Der er jo egentlig ikke noget mærkeligt i, at sindssyge nedarves hos dyr, når det sker hos mennesker, men –.«

Løjtnant Grubb afbrød: »Hvordan kan man nogen sinde være sikker på, hvad det er? Man støder på mangfoldige slags temperament. Ren og skær umedgørlighed eller overdreven og kåd selvfølelse vil kunne frembringe samme type. Det er ikke egentlig sindssyge og ikke altid noget direkte skadeligt. Hvordan er mennesker? Findes der ikke mange drenge, som er alt for sprælske til, at man kan styre dem –.«

»Det *er* af det onde!« Nu var det majorens tur til at afbryde. »Man kan også trygt kalde det sindssyge, da det er en bristende evne til at indordne sig under givne forhold.«

»Men når den type undtagelsesvis indordner sig, får man til gengæld noget ganske glimrende.«

»Hvor mange gør det? De fleste render hovedet mod muren, til de mister forstanden.«

»Selv om det sker, vil jeg fastholde, at det ikke er sindssyge, når et frihedselskende individ – mand eller dyr – nægter at lade sig kue.«

Tim og den lille hestetæmmer slentrede over grønningen for at hente køerne hjem til malkning.

Oberst Harris sagde: »Min erfaring går ud på, at den overspændte, nervøse, overfølsomme type ofte kan skoles til det helt fortrinlige. Det er den *sære* fyr, der isolerer sig fra andre, jeg frygter mest. Vis mig en mand, der altid ønsker at handle på egen hånd – en mand, der instinktmæssigt skyr andres selskab – *lone wolf-typen* – så ved jeg, at jeg står overfor en mand, der før eller siden bliver skør og uregerlig.«

Pauly sad stadig bomstille ved markmushullet. Pludselig førte hun et fejende, smidigt og lynhurtigt slag med sin pote over græsset, hvorpå hun krøb sammen og kæmpede med noget levende. Hun drejede hovedet på siden og knasede sit bytte. Pludselig var det ikke længere levende, og Pauly rejste sig, hævede hovedet med den dræbte jordmus mellem kæberne og luntede dovent op ad bjerget, ind mellem træerne.

» ... i visse tilfælde en regulær psykose, det er der ingen tvivl om,« sagde majoren.

Ordene dansede i Kens hjerne. Han vidste ikke, hvad de betød, men det gjorde ikke noget. Han var for lykkelig. Om formiddagen inde i kirken havde han pludselig puffet til Nell. Da hun vendte sit blik mod hans strålende ansigt, huskede hun, at præsten lige havde sagt ordene *»skøn på bjergene«*. Kens læber havde formet ordet *»Flicka«*, og Nell havde gengældt hans smil. Hele ugen havde han kun tænkt på Flicka. Navnet smuttede med ind i alle hans samtaler – han talte uafladeligt om, hvad *hun* var – *og* hans far havde flere gange råbt i vrede: »Hvad *er* det for en *hun*, dreng?« McLaughlin havde været sammenbidt og vred på Ken, men ikke engang *det* spillede nogen større rolle.

Hver aften, når han kom i seng, lå han vågen og tænkte på Flicka så længe, det var ham muligt. Han så hendes sejlende flugt over kløfter med kroppen flad og benene strakt langt frem og tilbage i springene, til hun kun syntes en svagt bølget strime strakt i luften. Han så hendes ansigt nær sit eget – han havde i virkeligheden kun et øjeblik set det nær. Det var første gang, hun flygtede forbi ham i rædsel og i et nu vendte ansigtet mod ham. Da kom det så tæt, at han kunne have bøjet sig frem og rørt ved det. En skønne dag ville han gøre det, tænkte Ken. Han ville stryge kærtegnende over ansigtet og børste hendes viltre pandelok, til den hang sirligt midt mellem øjnene; han ville lægge sin kind mod hendes bløde mule.

Undertiden kunne han fyldes af vild besidderglæde. Mens han sad på terrassen, sang hans hjerte, og han måtte bøje hovedet af frygt for, at de andre skulle opdage den stolthed og fryd, som tindrede i hans blik ...

Bag ham lo de atter i kor, og han vendte sig for at se, hvad de morede sig over. Hans mor fortalte noget, som fik dem til at le. Hun sagde, at når Rob så så forsoren ud, da de kørte til kirke, var det, fordi han havde sat hatten på snur.

»Ja man kan gætte sig til meget af den måde, en mand sætter sin hat,« hævdede hun. »Den kan sidde, så han ligner en respektabel *gentleman* –,« (der lød kraftigt bifald) »en rigtig udhaler,« (»ham kender vi,« lo mrs. Gilfillan), »en indbildsk nar –,« (majoren dunkede obersten i ryggen og sagde: »Buk pænt for fruen, oberst, og tag det til efterretning«) »eller en forsigtig sippe –,« sluttede Nell, og løjtnanten sagde: »Jeg bliver aldrig pæn, så jeg dyrker forsigtigheden.«

De prøvede hinandens hatte.

Ken og Howard var med i spøgen og spankulerede om med de andre. Mrs. Gilfillan og mrs. Grubb tog drengenes små lærredshatte og anbragte dem højt på deres blonde hår.

Senere på eftermiddagen stillede McLaughlin en blikdunk på en grangren, og officererne skød til måls efter den fra terrassen.

Drengene blev sendt ind efter deres salonrifler, så også de kunne vise deres skydefærdighed, og til slut hentede McLaughlin de to store geværer, expressriflen og winchesterriflen. Alle officererne skød med dem, de lange projektiler susede over dalen og klippede splinter af klippen en halv mile borte. Skuddene drønede, til Tim kom ud fra stalden – han var rødere i ansigtet end ellers – og sagde, at han ikke kunne malke køerne, mens der blev skudt i gården – de havde allerede sparket to fyldte mælkespande fra ham.

Mrs. Grubb og mrs. Gilfillan ville gerne ud at se avlshopperne. De masede sig alle ind i to biler, og McLaughlin kørte forrest.

Da de nåede frem til følhopperne, standsede de i passende afstand og stod ud. McLaughlin havde lovet, at Banner skulle komme dem i møde og tage pænt imod dem.

»Hvor ved De det fra?« spurgte mrs. Gilfillan.

»Det gør han altid.«

Hopperne holdt op med at græsse. De stod årvågne, lyttende, rede til flugt omkring Banner.

Han ragede med knejsende nakke op over dem alle, og selv på afstand kunne damerne mærke, hvor gennemtrængende hans blik var.

Pludselig kom den store hingst hen imod dem med rejste ører og spørgende, frygtløse øjne. Han slog over i trav med høje, frie og elastiske bevægelser, så manke og hale vajede gyldent efter ham.

»Han har alle bannere flyvende!« råbte Nell.

Officererne udstødte et bifaldsråb, da hingsten uden at komme ud af travet øgede farten og susede mod dem som en fanfare i blæsten.

Banner standsede på en halv snes skridts afstand og betragtede gruppen. Hans gyldne pels skinnede i solen.

»Hvor har han et klogt hoved!« udbrød obersten. McLaughlin, der endnu bar sin grå flonelsdragt og havde hatten på snur, gik hen til hingsten og undskyldte høfligt, at han ikke havde fået en spand havre med i vognen.

Da Ken sent om aftenen lå i sin seng, huskede han, hvordan Banner havde taget sig ud. Banner – Flickas far – Flicka havde samme gyldne og glansfulde lød, samme skønhed, samme vajende flag – åh *min* ... min plag ... min egen ... min egen eneste ...

Han spekulerede på, hvornår hans far på ny ville hente Flicka hjem.

Han havde spurgt sig selv om dette hver dag, når Gus viste

sig i køkkendøren med sit runde, rødmossede ansigt og sagde: »Hvad skal vi lave i dag, chef?« Men hans far havde hidtil haft andet arbejde for – enge, som skulle slås, vand, der skulle ledes i nye grøfter, endeløse timers slid med treåringerne, som nu skulle afsendes om få dage. Der skulle rejses nye led ved en jernbaneoverskæring.

Men da Gus næste morgen spurgte: »Hvad skal vi lave i dag, chef?« gav McLaughlin først besked om det gængse arbejde, men tilføjede så: »Jeg tror –.« Han tav atter.

Ken så ned for at skjule sin spænding; han knyttede hænderne under bordet.

McLaughlin fortsatte: »I morgen skal vi atter have etåringerne ind, Gus, så vi kan udskille Kens hoppeplag. Jeg vil have det ordnet, inden Ross rejser. Vi kan måske få brug for hans assistance.«

I morgen ...

19

Da Ken vågnede næste morgen og kiggede ud, så han, at tågen lå tæt om huset. De havde overhovedet ikke haft regn siden den dag for en uges tid siden, da blæsten havde revet »sprinklersystemet« itu og jaget alle flængede skyer bort. Det var samme dag, som han havde fundet Flicka, og lige siden havde det været brændende varmt. De havde næsten ikke kunnet døje solskinnet ude på terrassen, og de havde hver dag taget lange svømmeture. Ude på bjergene var græsset begyndt at visne til en svag, lysebrun farve.

Nu kom der atter skyer, som sænkede sig lavt over dem. Efter en periodes stærk varme fulgte ofte tæt tåge, hagl eller undertiden sne.

Ken stod ved vinduet og kunne næppe se nåletræerne på

den modsatte bjergskrænt. Mon hans fader ville prøve at få etåringerne hjem i en sådan tåge? Det ville blive umuligt at se dem; men alligevel meddelte McLaughlin ved morgenbordet, at han ikke ændrede sine dispositioner. Det var kun en stor sky, som havde lagt sig over ejendommen – den ville enten stige eller falde, og der var muligvis klart vejr på Svajet.

De sadlede op og red ud.

Tågen lå i alle bjergfolder. Her og dér så man en sollys tinde, men lidt længere borte svøbtes de atter i den bomulds-hvide tåge, der gennemblødte alle fire ryttere og dannede opa-liserende dråber i hestenes mulehår.

Det var svært at holde sammen. Pludselig blev Ken ene – de andre var forsvundet. Han holdt Shorty an og lyttede. Skyer og tåge rullede ham forbi, og han følte sig ganske ene i verden.

En *bluebird* med farver som lavlandets vilde, blå ridder-spore blev åbenbart interesseret i ham og sad spejdende på en busk i hans nærhed. Mens han lod Shorty skridte langsomt videre, ledsagede fuglen ham fra busk til busk.

Drengen red langsomt uden at vide, hvilken retning han skulle tage. Han hørte råb, gav Shorty et par schenkler og ga-loperede ud af tågen. Han fik straks øje på sin far, Tim og Ross.

»Dér har vi dem!« sagde McLaughlin og pegede over bjergs-skrænten. De red videre, og Ken så etåringerne stå i flok langt nede. De kiggede alle op, som var de meget interesserede i, hvem det var, de hørte. En tågestrime drev hen over dem, og de forsvandt atter af syne.

McLaughlin gav ordre til at omkredse dem. Rytterne skul-le trække vifteformigt ud til siderne og efterhånden lukke en halvkreds om dyrene, så de naturligt søgte mod gården. Hvis plagene først stak af i denne tåge, ville det være umuligt at finde dem, sagde han.

Planen lykkedes til fuldkommenhed. Plagene var ikke så sprælske, som de plejede, men lod sig uden besvær drive i den ønskede retning. Først da de nærmede sig bivejen og leddet, hvor Howard stod rede til at lukke dem igennem, opdagede Ken, der uafbrudt havde holdt øje med flokken, at Flicka savnedes.

McLaughlin opdagede det samtidig, og da Ken red nærmere til sin far, vendte denne sig mod ham og sagde: »Hun er ikke med i flokken.«

De standsede og holdt tavse alle fire, mens McLaughlin planlagde næste skridt. Plagene, der havde tabt humøret i den kolde tåge, nippede til græsset langs vejen. Både McLaughlin og Ken så tilbage mod Svajet. Drengen ønskede brændende, at han kunne gennemtrænge disen med sit blik og opdage, hvor Flicka havde skjult sig. Mon hun var i flokken, da de fik øje på den? Var hun listet bort i tågen? Havde hun måske slet ikke været sammen med de andre? Var hun flygtet langt bort fra ranchen efter sin oplevelse sidste uge? Eller – tanken gav ham kvalmende hjertevé – var hun måske død af den overlast, hun led, da hun brød ud af folden? Lå hun dødsstiv og myreædt med kravlende mider over sin hud ude i de øde bjerge?

McLaughlins ansigt var stramt. »Enspænder og sær – som sin mor,« sagde han. »Aldrig tilpas sammen med andre. Det kunne jeg have sagt mig selv.

Vi må vist hellere drive plagene tilbage,« fortsatte han omsider. »Der er ingen udsigt til, at vi finder hende, når hun er ene. Hvis de andre kommer i nærheden af hende, slutter hun sig vel til dem.«

De drev plagene tilbage. Så snart de havde passeret den første bjergkam, stak de unge dyr i løb og forsvandt hurtigt af syne. Tågen tætnede atter, og Ken måtte holde Shorty an. Han kunne hverken se sin far, Ross eller Tim.

Han holdt stille og lyttede i undren over, at deres hestes hovslag var så totalt forsvundet. Han syntes atter helt ene i verden.

Tågen lettede foran ham og afslørede, at han holdt på randen af en stejl skrænt. Den var næsten lodret, men ikke særlig dyb og førte ned til en halvrund foldedal. En bæk løb igennem den. Han så en klynge lave træer og en bred strime saftig kløver plettet af små, gule blomster.

Midt i kløveren stod Flicka og fråsede. Hun havde set ham, før han så hende, og hun betragtede ham med hovedet rejst. Kløverduske stak ud af begge hendes mundvige, og hun gumlede ivrigt.

Da Ken opdagede hende, kunne han hverken tænke eller handle.

Pludselig hørte han faderens stemme bag sig i tågen: »Rør dig ikke –.«

»Hvordan er hun sluppet derned?« spurgte Tim.

»Hun er klatret ned ad denne skrænt, og hun kunne sikkert også klatre op ad den, hvis vi ikke var her. Nu tror jeg, vi har taget på hende,« sagde McLaughlin.

»Til den anden side falder klippen stejlt mindst tyve fod,« sagde Tim. »Dér kan hun ikke slippe ned.«

Flicka var holdt op med at gumle. Der var stadig kløverstilke i hendes mundvige, men hun knejsede med hovedet og rejste ørerne. Hun lyttede ivrigt, og hver muskel i hendes krop var spændt.

Ken mærkede, at også han dirrede af spænding.

»Hvordan vil du indfange hende, far?« spurgte han dæmpet.

»Jeg kan nappe hende her fra,« sagde Ross, og i samme nu svarede McLaughlin: »Ross kan tage hende med lasso. Vi kan lige så gerne lægge reb på hende her som i folden. Vi spreder os i en halvkreds langs denne rand. Hun kan ikke slippe forbi os, og hun kan heller ikke komme ned.«

De red på plads, mens Ross tog lassoen af sin sadelknap.

Foran dem og dybt under den lille dal i bjergfolden løb etåringerne. Man hørte vrinsken og deres hovslags trommen, som dæmpedes af tågen.

Også Flicka hørte dem. Hun anede pludselig fare og sprang ud af kløveren og hen til det bratte nedfald på den dalside, som vendte ud mod de galoperende plage. Skrænten måtte være alt for dyb og stejl til, at hun turde vælge denne vej. Hun gik på bagbenene og vrinskede af skræk, snurrede omkring mod skrænten, hun havde fulgt på vej til dalen, men ved dens øverste rand så hun fire uheldsvangre skikkelser tårne sig op i tågen – hun hvinede og begyndte at trave rundt i den lille dal.

Ken hørte hvislen af lassoen. Ross kastede. Den slangede sig gennem luften, netop som Flicka dukkede ind i kløveren. Hun snublede, faldt og blev borte et øjeblik.

»Satan også –,« sagde Ross og rinkede lassoen op, mens Flicka atter kom på benene og fortsatte rundturen i sit snævre fængsel. Hun tørnede mod overalt og forstod, at der ikke var nogen vej ud.

Hun stod på spring ved afgrunden i anspændt længsel og desperation, mens hun lyttede til de andre plages hovslag dybt under sig. Hun skjalv og ludede sig ud over den stejle skrænt – et glimrende mål for Ross. Han svingede atter sin lasso – den hvinede ondt i luften.

Ken håbede, at den lille hoppeplag ville undgå lassoløkken – og dog ønskede han inderligt, hun skulle blive fanget. Flicka stejlede. Hendes spinkle forhove vinkede. Så sprang hun, og lassoen faldt for kort, idet McLaughlin sagde: »Det ventede jeg. Hun er gal som alle de andre.«

Flicka sprang som en svømmer fra en høj vippe. Hun ramte jorden med benene bøjet op under sig, hvorpå hun rullede og tumlede videre. Det så nøjagtig ud, som da den gale *bronc* klatrede over transportbilens lad og rullede ned ad fyrre fods skrænten. De fire ryttere sad i tavs spejden for at se, hvad der ville ske, når hun nåede bunden – Ken tænkte allerede på winchesterriflen og dens brag, der havde genlydt fra bjerg til bjerg.

Ved skræntens fod var det, som om Flicka landede på fire stålfjedre, der kastede hende opad og sendte hende i flyvende fart videre ned ad bjerget – det var en forbløffende opvisning af kraft, energi og fart. Ken var badet i hed sved fra isse til sål, og han lo – underlig kvalt ...

Stormen kom brølende over dem og fejede tågen væk. Skyen rullede bort over bjergene med lange slæb efter sig gennem slugter og med spredte hvide klatter i skrænternes buskadser. Dybt nede så rytterne Flicka galopere hen mod de andre plage. Hun nåede dem på et øjeblik, og dernæst opfattede man kun en samlet gruppe ubestemmelige skabninger i fart, med solglans over blank, skinnende pels.

»Nu hurtigt!« råbte McLaughlin. »Sørg for at komme bag dem. Nu har de fået fart på – hold dem i gang! Nu kan vi måske få dem alle drevet ind, før tempoet falder. Rid genvej til leddet, Tim, og hjælp Howard med at svinge flokken, så vi får dem alle igennem!«

Tim red i flyvende fart mod sognevejen. De andre ryttere galoperede i et sving ned ad bjerget, til de nåede bag plagenes flygtende stod. De råbte og skreg, mens deres heste fik sporerne at føle. Det lykkedes at holde plagene i fart, få dem til at svinge rundt og tage retning mod gården, indtil forfølgerne havde dem på sognevejen.

Langt fremme så Ken, at Howard og Tim stod ved leddet over vejen. Plagene holdt retning lige mod dem. McLaughlin satte farten ned og begyndte at råbe: »Hoa! Hoa! –,« til også plagene mindskede fart. De havde ofte nok fulgt denne vej i susende fart gennem leddet til foldene. Det var vejen til havre, hø og læ for vinterstormene. Ville de følge vejen nu? Flicka var med dem – midt i flokken – og hvis den fortsatte, mon hun da ville følge med?

Det var afgjort, næsten før Ken kunne trække vejret. Plagene ændrede retning, jog gennem leddet og ind i folden, hvor Gus havde åbnet vejen for dem.

Flicka var atter fanget.

Da hun tidligere var kravlet over et plankeværk, besluttede McLaughlin at beholde hende i hovedfolden uden for stalddøren. Dens vægge bestod af otte fods asketræsstammer. Resten af plagene måtte man manøvrere bort fra hende.

Nu, da tågen var lettet, brændte solen hedt. Både heste og

mænd drev af sved, før jagten var endt og plagene – en efter en – var drevet ind i andre folde. Flicka blev ene tilbage.

Hun vidste, at ensomhed betød fare, og at man havde skilt hende fra, fordi man ville gøre noget ved hende. Hun kastede sig desperat mod den høje indhegning, gennem hvis spalter hun kunne se de andre plage, stejlede, hamrede med forhovene mod bjælkerne, skreg, snurrede rundt og galoperede gennem folden på alle leder og kanter. Mens McLaughlin og Ross drøftede, om det var klogt at kaste hende med lassoen straks, opdagede hun pludselig et mørkt hul – staldens øverste, åbne halvdør – og sprang hovedkulds gennem det. McLaughlin skyndte sig at smække halvdøren i, og hun var fanget – nu opholdt hun sig i staldens sikre fængsel.

De øvrige plage blev drevet bort, og Ken stod lyttende uden for stalden. Han hørte Flicka sparke, hvine og tumle omkring derinde. Hans Flicka var inde i huset – ganske nær ved ham – og fængslet. Han kom til at ryste. Han ville så gerne berolige hende på en eller anden måde, *forklare* hende alt. Hvis blot hun anede, hvor højt han elskede hende, måtte hun forstå, at der ikke var noget at frygte. Hun og Ken skulle være venner – –.

Ross rystede på hovedet og grinede skævt. »Hun er min-sandten vild,« sagde han og rinkede sin lasso op.

»Komplet *loco*,« bemærkede Tim kategorisk.

McLaughlin sagde: »Lad hende nu bare få tid til at sunde sig. Når vi har spist, kan vi gå herop, fodre og vande hende og give hende lidt dressur.«

Men da de efter middagsmaden kom op til stalden, var Flicka forsvundet. Et vindue over en af krybberne var splintret, og krybben var fyldt af glasskår.

McLaughlin så længe på ødelæggelsen og lo kort, idet han vendte sig mod Ken: »Hun klatrede op på krybben. Hun har stået på foderkassen, mens hun slog vinduet i stykker med forhovene, og er så krøbet igennem!«

Vinduet vendte ud mod seks-fod-grønningen. Der var en

høstak i nærheden. Da de gik uden om stalden for at se, hvilken vej hun havde taget, opdagede de, at hun ganske roligt græssede mellem høstakken og pigtrådshegnet.

De nærmede sig, og hun flygtede østpå over grønningen.

»Hvis hun ligner sin mor, fortsætter hun tværs igennem pigtråden,« sagde Rob.

»Jeg tror, hun hopper over den,« sagde Gus. »Hun springer som en hjort.«

»Ingen hest kan springe over det hegn,« sagde McLaughlin.

Ken tav. Det var ham umuligt at sige et ord. Han oplevede de frygteligste øjeblikke i sit liv, mens han så Flicka styrte afsted mod det østre pigtrådshegn.

Et par favne fra det bremsede hun, drejede og satte farten op mod syd.

»Hun respekterede det! Hun respekterede det!« råbte Ken halvt grædende. Dette var første tegn på, at Flicka kunne reddes. »Far – hun er ikke gal! Hun er ikke!«

Flicka drejede af ved grønningens sydlige begrænsning og ved det nordlige hegn. Hun undgik stalden. Uden at nedsætte sin flyvende fart et øjeblik kunne hun beregne hver bevægelse og hver afstand rigtigt. Hun drejede af i yderste sekund, undersøgte hver eneste mulighed for flugt. Da det gik op for hende, at denne søgen var håbløs, satte hun størst mulig fart på mod syd, samlede sig og steg fra jorden i et håbløst forrykt spring.

Mændene, der så på hende, havde lyst til at holde sig for øjnene, og Ken skreg fortvivlet.

Plagen rev tyve meter pigtrådshegn med sig i sit hovedkulds fald. Hun blev hængende i de øverste tråde, slog en kolbøtte, landede på ryggen, trak pigtråden over sig med alle fire ben og filtrede sig håbløst ind i den.

»Gid fanden havde al pigtråd!« bandede McLaughlin. »Hvis blot jeg havde råd til rigtige hegn – –.«

Ken var bundulykkelig, mens han fulgte efter mændene ned mod plagen. De stod i kreds og betragtede Flickas sprællen og sparken, som endte med, at pigtråden snærede sig fast om hende, stak og flåede hendes hud og kød. Til slut tabte hun bevidstheden. Strømme af blod randt over hendes gyldne hårlag, og der dannedes store, røde pøle på græsset under hende.

Gus, der altid gik med en trådsaks i lommen, klippede pigtråden af hende. De fik hende drevet ind på tunet, fik bødet hegnet, anbragte en kasse havre, en portion hø og et kar vand foran hende og lod det være godt.

»Jeg tvivler meget om, at hun overlever det,« sagde McLaughlin kort. »Det er måske bedst, hvis hun ikke gør det. Var det ikke sket på denne måde, havde hun spoleret sig på en anden. Der er ikke noget at gøre ved en hest, som er *loco*.«

20

Ken lå på græsset bag Flicka. En lille, brun drengehånd strøg kærtegnende over hendes ryg, med faste og nænsomme, bløde tag. Han hvilede kinden mod den anden hånd, og hans ansigt var bøjet over plagen.

Kens strube var tør, og hans læber var stive som papir.

Efter lang tids fuldkommen tavshed hviskede han: »Det var ikke min mening at drive dig i døden, Flicka –.«

Howard kom ud og satte sig hos ham – højtidelig og respektfuld som det passer sig, når man stilles overfor den store kval i sygestue eller ved et dødsleje.

»Highboy har aldrig skabt sig på den måde,« bemærkede han.

Ken svarede ham ikke. Han så ufravendt på Flicka, der åndede meget langsomt. Han havde ofte før set heste styrte og miste bevidstheden. Undertiden havde han set dem slemt flået af pigtråden – men de kom sig. Flicka ville også blive rask

178

igen.

»Gud fader bevares! Hun er næsten lige så tosset som Raket,« sagde Howard opmuntrende.

Ken hævede sit hoved og skulede: »Raket! Den gamle, sorte satan!«

»Javel, men Flicka er da hendes datter, ikke?«

»Hun er også Banners datter –.«

Kens hjerne havde mange rum, som var hermetisk lukkede. Nu, da Raket havde lidt en forsmædelig død, var alt, som angik hende, yderst bekvemt isoleret i et sådant glemslens indelukke.

Kort efter sagde Howard:

»Vi har ikke fået rørt plagene i dag.« Han trak hælene ind under sig og foldede hænderne om knæene.

Ken svarede ikke.

»Far regner med, at vi gør det – det er vores pligt,« fortsatte Howard. »Far bliver gal i hovedet, hvis vi forsømmer det.«

»Jeg vil meget nødig gå fra hende,« sagde Ken med høj, næsten pibende stemme.

Howard var medfølende tavs. Lidt efter sagde han: »Jeg kan godt røre dine to for dig, Ken –.«

Ken så taknemmeligt på broderen: »Vil du virkelig, Howard? Det – det er morderlig pænt af dig –.«

»Jeg skal nok tage mig af dem alle fire, så du kan blive her hos Flicka.«

»Mange tak.« Ken støttede atter kinden mod den ene hånd, mens den anden strøg kærtegnende over Flickas ryg.

»Hun var egentlig så pæn,« sagde Howard med et suk.

»*Var?* – Hvad mener du med *var!*« bed Ken sin bror af. »Du mener vist *er* – hun *er* nemlig meget smuk!«

»Jeg mente, hun var smuk, mens hun løb herhjem,« skyndte Howard sig at sige.

Ken svarede ikke. Den Flicka, han havde set i sejlende spring over kløfter, var noget vidt forskelligt fra den sløve masse, som lå på græsset med bugen presset op, ryggen og halsen slapt hvilende mod jorden og hovedet fremstrakt – ydmyget, følelsesløs.

»Og så tænke sig, at du kunne vælge, hvilken etåring du ville,« sagde Howard. »Allerede nu kunne du have haft den halvt tæmmet dernede i folden og måske have vænnet den til at stå bundet.«

Da Ken vedblev at tie, rejste Howard sig langsomt. »Nå, jeg må vel hellere gå ned til plagene,« sagde han og gik. Da han var nået et stykke af vejen, vendte han sig om og råbte: »Vil du med til byen, hvis mor kører efter post?«

Ken rystede på hovedet.

Så snart Howard var ude af syne, rejste Ken sig på knæene og undersøgte Flicka nøje. Han havde aldrig tænkt sig, at han i løbet af så kort tid skulle komme hende nær nok til at klappe hende, kæle for hende, holde hendes hoved eller undersøge hende. Han følte besidderglædens dybe sødme. Hun var hans alene – syg og ødelagt som hun var, og hans hjerte var ved at sprænges af kærlighed til hende. Han glattede hendes hårlag overalt og ordnede hendes manke. Han prøvede at anbringe hendes hoved mere bekvemt.

»Nu er du min, Flicka,« hviskede han.

Han efterså hendes skader. De to værste var en grim flænge over hasen på højre bagben og et dybt sår i hendes bringe, der gik helt ned i forbenets muskler. Desuden var hun fuld af trekantede åbne småsår, hvor kødet pressede ud gennem skindet, overstribet med skrammer og rifter, langs hvilke blodet tørrede i små, sorte perlerækker.

Ken tænkte på, om ikke de to store sår burde have været syet. Han tænkte på dyrlæge Hicks, men også på, hvad hans far havde sagt: »Du koster mig urimelige penge, hver gang du overhovedet rører dig.« Nej! – Måske Gus kunne klare det. Han var flink til at sy flænger sammen på sårede dyr. McLaughlin hævdede imidlertid, at man som regel stod sig ved at overlade helbredelsen til naturen. Sårene lægedes af sig selv. Der var for eksempel Sultan, som blev påkørt af en bil ude på hovedvejen. Den havde slynget ham omkuld og revet en stor luns kød ud af hans bringe, hvor huden hang flået og daskede. Såret heledes, uden at nogen pillede ved det, og det eneste, der røbede, hvor såret havde siddet, var en hvid plet i hårlaget.

Såret i Flickas bagben var frygtelig dybt –.

Ken lagde sin kind imod hende og hviskede atter: »Flicka! Det *var* ikke min hensigt at drive dig i døden!«

Lidt efter tryglede han: »Bliv rask, Flicka – bliv rask *bliv rask!*«.

Gus kom ud til ham med en blikdåse fuld af sort salve.

»Chefen gav mig besked om at smøre noget af denne salve på plagens sår, Ken – den hjælper med til at læge.«

De gennemgik i fællesskab alle skader, de kunne finde på Flicka, og sørgede for, at samtlige sår blev smurt med salven.

Gus blev stående og så på drengen.

»Tror du, hun kommer sig, Gus?«

»Det er muligt, Ken. Jeg har set andre heste komme sig efter lige så hård en medfart.«

»Far siger –.« Kens stemme svigtede, da han huskede, at hans far havde sagt, at Flicka lige så gerne kunne dø nu som siden, fordi hun i alle fald var *loco*.

Svenskeren stod lidt endnu og så venligt på drengen med sine lyseblå, mærkeligt transparente og sjælfulde øjne – så gik han mod stalden.

Tågen var helt forsvundet, solen skinnede klart og brændende hedt. Ken var ved at kvæles af varme og drak vand af Flickas trug, hvorpå han dannede skål af sine små hænder og hentede vand, som han hældte i Flickas mund. Hun rørte sig ikke. Ken lagde sig atter bag hende med en hånd på hendes hals. Han hviskede opmuntrende til hende som før.

Da der var gået en tid, sank hans hoved udmattet mod græsset. Han sov.

En brølende storm vækkede ham. Han så mod himlen, hvor tunge, sorte skyer pressedes sammen i en skarpt afgrænset vold.

Kolde vindstød hvirvlede mod jorden og fejede blade, kviste og rundbælge med sig som små skypumper.

Fra den sorte vold på himlen sank en tynd, isnende tåge gennem luften, og pludselig drønede et øredøvende tordenskrald. Hele rummet sitrede og skjalv af flakkende lyn. Højt oppe var der en larm som af skrattende trompeter og brølende tubaer. Partiklerne i den iskolde tåge voksede undervejs mod jorden, De begyndte at danse og hoppe ned ad den som ærter – som marmorkugler – som bolde til bordtennis.

De hamrede mod Ken, slog gennem hans tynde skjorte, piskede hans bare nakke og ansigt. Han lå på knæ og holdt sine foldede arme beskyttende over Flickas hoved. Haglene var store som bordtennisbolde – som billardkugler – som små hårde æbler – som større æbler – og pludselig faldt de hist og her så store som tennisbolde, der knustes mod stenene eller rullede og hoppede bort over græsset.

En af dem ramte Ken i ansigtet, og en tynd blodstrime randt over hans kind sammen med vandet.

Skjult bag skyernes og nedbørens mørke løb uvejret som en hare mod øst, mens det piskede bjergenes græs fladt på sin vej. Umiddelbart efter mørket, stormens hylen og de flyvende hagl fulgte et klart, sølvhvidt lys, og græsset rejste sig atter med funklende dråber på hvert eneste strå.

Ken satte sig tilbage på hælene og betragtede Flicka med et suk. Hun havde overhovedet ikke rørt sig.

En usynlig kæmpepasser tegnede en strålende regnbues halvcirkel over ranchen. Langt borte til siden hang et svindende ildslør, hvor uvejret rasede.

Ken lagde sig på ny bag Flicka med kinden mod hendes mankes bløde filter.

I mørkningen kaldte Nell på Ken, tog ham i hånden og førte ham bort fra Flicka, som stadig lå stille og ubevægelig. Mørket sænkede sig blidt over hende. Hun var ene under himlens stjerner, der kredsede i store, tyste buer over hende. Store og Lille Bjørn gik rundt om Nordstjernen. Plejadegruppens syv små søstre klyngede sig nær til hinanden, som gik de arm i arm gennem rummet; Ørnen – Aquila – ventede næsten til midnat, før store usynlige vinger bar den over horisonten, og lige over gården tindrede den skønneste stjerne af alle, den blånende, diamantfunklende Vega.

Mørk i stjernernes skær, mere ubevægelig og livløs end de, lå Flickas krop på det blodplettede græs, jordbundet, skæbnetung – hvert åndedrag betød en ny lille, kostelig sejr i kampen mod døden.

Hen ad morgen stod en blank halvmåne i zenit.

Et enkelt, skarpt bjæf brød stilheden. Et andet svarede, et tredje og derefter mange – der hørtes forsigtige, spørgende glam og en piben, som steg til lange, skælvende hyl. Prærieulvenes skarpskårne, små troldeansigter hævedes mod månen; hylene skjalv og sitrede gennem deres lange, lodne struber og åbne, vuggende gab. Hver lille prærieulv fik tilstået en solo, der først lød skræmt og meget usikker, men efterhånden steg i kraft og frækhed. Andre sluttede sig til den, og omsider var koblet forenet til et hylende, glammende kor, hvis klange blev onde, udfordrende, ustyrlige. De fyldte luften med lyde, der får håret til at rejse sig på menneskehoveder og gør alle nattens dyr årvågne.

Flicka genvandt bevidstheden med et dybt, sitrende suk. Hun hævede atter hovedet og rullede om på bugen, idet hun trak benene en smule ind under sig. Mens hun hvilede i denne stilling, lyttede hun. Prærieulvenes glammen steg og faldt. Lyden var velkendt. Hun havde hørt den, lige fra hun blev født. Koblet opholdt sig hinsides bækken i skovranden.

Pludselig tog Flicka sig sammen til en smertefuld kraftanstrengelse – og kom på benene. Det var ikke klogt for en lille plag at ligge hjælpeløs på jorden med et kobbel prærieulve i nærheden. Hun stod svajende med benene slattent skrævende og med hovedet sænket i svimmelhed. Det tog minutter, inden hun kom rigtig i balance, og mens hun ventede derpå, lugtede hun vand. *Vand!* Hvor nær kunne det være? Kunne hun nå det?

Hun opdagede karret og gik slingrende hen til det, satte mulen mod vandet og drak. Det var, som sugede hun nyt liv og ny kraft i sig. Hun holdt pause, hævede mulen og smaskede, så tunge og svælg kunne blive opblødt af væden. Hun drak atter dybt, hævede hovedet højere end før, drejede det og lyttede til prærieulvenes kor, indtil deres glammen dæmpedes, udtyndedes og døde hen.

Flicka stod længe ved karret. Koblet begyndte en ny helvedeskoncert, men denne gang lød det hult og fladt som et ekko, fordi prærieulvene var søgt langt bort. De jagede nu hinsides dalen.

Gryet lysnede over jorden, og østhimlen blev citrongul. Stjernerne blegnede en efter en, gryets blege, uskyldsblå himmel lukkede sig over dem.

Da Ken om morgenen kom ud til Flicka, havde hun drukket alt vandet og ædt en del af havren. Hun stod med den ene side vendt mod solen. Dens skrå lys bragte lægedom, og Flicka nød hver infra- eller ultrarød stråle, som helede og opbyggede hendes medtagne krop.

21

Så snart de havde spist morgenmad, gik de alle ud for at se til Flicka. Hun stod så langt fra dem, som hun kunne komme – helt op ad pigtrådshegnet – mens de drøftede hendes læsioner og særegenheder, navnlig om hun havde taget mest arv efter Banner eller Raket –.

Alle udtalelser om hende virkede på Ken, som var det ham selv, man diskuterede, men han ønskede at høre de andres vurdering og spurgte: »Hun har nu mange fremragende egenskaber, synes du ikke, far?«

McLaughlin gloede bistert på Ken. »Du har ønsket at få hende, Ken. Nu er hun leveret dig kvit og frit, men uden forpligtelser fra min side. Din metode er åbenbart først at vælge, dernæst at forgabe dig i dyret og først bagefter at undersøge, hvilke egenskaber det har – du skal nok få et resultat ud af hesteopdræt.«

Ken rødmede og så til siden. Det var, som om også Flicka skammede sig over den situation, hun havde bragt ham i. Hun slæbte sig besværligt af sted langs indhegningen, først i én, dernæst i en anden retning under et valent forsøg på at finde en vej til flugt.

»*Jeg* synes, hun er henrivende,« sagde Nell, der stod sammen med de andre i sin ridedragt klar til at give Rumba en times træning.

»Flyt hende ned i Kalvehaven,« sagde McLaughlin. »Dér kan hun finde skygge, dér er rigeligt græs og rindende vand. Jeg skal bruge denne indhegning til de andre heste.«

»Men der er kun tre rækker pigtråd i indhegningen,« sagde Ken uroligt. »Måske hopper hun over dem og stikker af.«

McLaughlin sendte sin søn et blik, der sved af foragt. »Hun hopper ikke over tråden, Ken. Hun hopper ikke over noget som helst – ikke i lang tid.«

»Desuden får hun selskab dernede,« sagde Howard. »Kalvene og hopperne med føl er inde i Kalvehaven. Hun bliver ikke alene som her.«

»Jo, hun skal nok blive alene,« sagde McLaughlin med en kort, hård latter, og Ken huskede, at en hest, der var *loco,* altid holdt sig fra de andre. »Hun skal nok blive alene.«

Nell og Ross gik ned til stalden for at begynde tilridningen af poloponyerne. De øvrige trak vifteformet ud bag Flicka og drev hende forsigtigt mod Kalvehaven, hvis led Gus havde åbnet. Hun tog kun få skridt ad gangen og måtte uafladeligt hvile sig. Hun stod kraftesløs med hængende hoved.

McLaughlin så endnu vredere ud end før. Endelig fik de hende ind i Kalvehaven og lukkede leddet efter hende. Gus og

Tim gik til deres arbejde, og McLaughlin sagde: »Kom med, Howard. Det gavner ingen at stå og glo på en syg hest hele dagen.«

Ken glædede sig over, at Flicka kom ind i Kalvehaven. Her tilred drengene deres heste, her græssede malkekøerne om natten og kalvene om dagen. Hun kom nærmere til deres hus. Man kunne overse det meste af Kalvehaven fra grønningen, fra terrassen og fra Kens vindue, og det trøstede ham, at Flicka opholdt sig i hans nærhed, skønt han ikke kunne være hos hende.

Da solen begyndte at brænde, gik Flicka med langsomme, vaklende skridt hen i skyggen af de tre fyrretræer, der stod på rad over højen. Hun havde endnu ikke søgt ned til bækken. Ken tænkte, at hun fandt vejen for lang, så han slæbte vandingstruget ind i Kalvehaven, fyldte det med frisk vand og satte en foderkasse med et mål havre ved siden af det – foder og vand, sol og skygge fandtes nu med kun få meters mellemrum. Flicka rørte næsten ikke havren og prustede mere korn på jorden, end hun åd. Græsset rørte hun ikke. Ken antog, at det voldte hende for store smerter at bevæge sig og at græsse – han måtte bede sin far om lidt hø.

Efter middagsmaden havde mandskabet travlt med at indlade de fire heste til rodeoen i lastvognen, som McLaughlin selv ville køre til Cheyenne. Det var Lady, Calico, Baldy og Buck.

McLaughlin havde sat sig ind i førerhuset, da Ken kom farende for at tale med ham, inden vognen startede.

»Far!«

McLaughlin så ned på ham. »Hvad er der nu?« råbte han gnavent.

»Jeg må vel ikke få nogle få forkfulde hø til Flicka? Hun græsser ikke, og jeg tror, hun har meget svært ved at bevæge sig.«

At bede McLaughlin om hø var som at bede om hans højre

øje. Det var hans faste princip aldrig at fodre med hø, så længe der overhovedet fandtes grønt græs.

Han brølede vredt: »Har jeg ikke sagt dig, Ken, at du koster mig penge, hver eneste gang du rører dig?«

»Må jeg ikke godt få det, far,« spurgte Ken tappert.

»Jo – lad gå!« sagde McLaughlin. »Giv hende hø et par dage.« Han lænede sig ud ad førerhusets vindue, råbte på Gus, og Ken styrtede afsted.

»Vi er klar,« sagde Gus, der kom frem fra lastvognens bagende. Han tog plads ved siden af McLaughlin, der startede vognen. Hestene inde bag dens høje sider trippede i begyndelsen noget forskræmt, men faldt hurtigt til ro for at nyde køreturen med hovederne stukket ud over vognsiderne. De så nysgerrigt på landskabet, som rullede dem forbi.

Ken bar hø ned til Flicka med en fork. Hvert skridt, han tog for hende, voldte ham glæde. Da hun så ham komme, prøvede hun at flygte, og Ken sagde: »Nej, nej, Flicka, du må ikke løbe. Du skal ikke være bange. *Jeg er Ken.* Jeg kommer med hø. Det er noget, du kan lidt, Flicka – kom og æd noget hø.«

Han blev stående i kort afstand fra hende efter at have lagt høet nær vandtruget. Inden længe haltede Flicka hen til det, snusede og begyndte at æde.

Ken lagde sig med albuen mod jorden og hovedet støttet i hånden, mens han iagttog Flicka. Nu og da hævede hun gumlende hovedet og så hen på ham. Hun begyndte så småt at vænne sig til ham.

Han vidste, at hun befandt sig bedre. Sårene var holdt op med at bløde, men de var ophovnede. Hvor kødet den foregående dag havde skinnet blegrødt, var det nu blevet tørt og mørkere. Der var begyndt at komme sårskorpe. Også denne dag tog Howard sig af Kens heste. Ken ville nødigt forlade Flicka blot en time.

Ved malketid kom Tim ned til kostalden med sine spande. Hestetæmmeren, Ross, var som sædvanligt med ham. Han gik stift på sine høje hæle, og hans tynde ben i de blå ridebukser af molskind var så hjulede, at en hund kunne løbe imellem dem.

De gik en vending gennem Kalvehaven for at se på hoppeplagen.

»Jeg vil lade mig hænge,« sagde Ross roligt og uden at fortrække en mine i sit lille ansigt, »om hun ikke begynder at se helt kvik ud!«

Han satte sig på en stor sten, tog sit cigaretpapir, en pose Buli Durham tobak og gav sig med stor fingerfærdighed til at rulle en cigaret.

Tim stod med to malkespande på hver arm og det vante, forbavsede grin på sit sjove ireransigt. »Nå, Kennie!« sagde han, »hvad synes du om at være sygeplejerske?«

»Godt!« sagde Ken lidt flov.

»Da jeg så hende mase ned mod hegnet,« fortsatte Tim, »troede jeg ikke, hun kunne finde på at springe over det, men så sagde jeg til mig selv: *Gale folk kan man spærre inde på en idiotanstalt; men gale heste må have lov til at begå selvmord.*«

Ken hævede langsomt hovedet og så på Tims røde, grinende ansigt.

Pludseligt klaredes alle tågede tanker og spekulationer i hans hjerne. *Loco* – det var ikke blot *loco,* som når man sagde: »Du må jo være tosset.« *Loco* betød, at man var sindssyg, hørte hjemme på en idiotanstalt som gale mennesker – *Flicka var altså ikke rigtig klog!*

Han gennemsitredes af en pludselig, vild rædsel.

»Ja, hun er et skørt kvindfolk, det passer,« sagde Ross alvorligt.

Ken så fra Tim til Ross. »Tror *I* virkelig, at hun er ...« Ordet, der altid før havde været så mundret at sige, blev hængende i hans strube. Med største besvær lykkedes det ham at sige – »*loco?*«

»Ja, det ved gud, hun er!«

»Har du aldrig tæmmet en hest, der var *loco,* Ross?«

»Det kan jo nok ske, at jeg nu og da får stukket en bandit ud til dressur.«

»Hvad gør du så?«

»Tæmmer den, hvis det er muligt.«

Ross knipsede cigaretstumpen bort og rullede en frisk cigaret.

»Sidste forår fik jeg et galt spektakel til dressur – jeg har aldrig slidt værre med nogen hest i mit liv, men jeg kunne ikke tage pippet fra den. Krikken tog pippet fra mig – den sled mig simpelthen op.«

»Hvor var det?«

»Jock Heely fik mig med ned til en ranch, hvor han havde købt en hest. Han bad mig om at tæmme den og ride den hjem gennem ørkenen. Jeg burde have været klogere, men han overtalte mig til det. Da jeg kom ned til ranchen, fandt jeg en vild, ti år gammel *bronc,* der aldrig havde været redet. Jock havde ingen sans for, hvad en god og ordentlig hest egentlig var, han skulle altid købe de værste og ældste. Når man endelig får tæmmet dem – hvis det overhovedet lykkes – er de ingen ting værd.

Nå – jeg sled med bæstet tre hele dage og fik så meget dressur i ham, at han kunne rides noget. Vi begav os på hjemturen gennem ørkenen. Krikken blev ved med at gå i kreds, og det var mig komplet umuligt at få bæstet til at gå lige ud. Jeg blev helt rundtosset, for da solen gik ned, syntes jeg, det var i øst. Ja, mine herrer, jeg var redet fuldstændig i kreds og på vej tilbage til startstedet. Jeg bandt krikken til et træ, lagde mig på jorden og sov. Næste morgen prøvede vi forfra igen, men krikken blev ved med at dreje i kreds, til jeg var svimmel, jeg *kunne* ikke få ham til at gå lige ud. Jeg tævede ham, til jeg blev lam i armen. Til sidst sagde jeg farvel og lod ham passe sig selv, mens jeg måtte gå til den nærmeste by med min sadel på hovedet.

En gang imellem træffer jeg Jock, som påstår, at jeg skylder ham en hest; men jeg svarer, at jeg skylder ham meget mindre end ingenting-.«

»Kunne du tæmme en plag som denne her?«

»Hvis jeg skulle tæmme hende, fik hun ingen havre – eller i det hele taget ret meget at æde, før hun var faldet til føje. Jeres far lader mig fodre disse hersens *broncs,* mens jeg skal tæmme dem – det gør dem alt for kåde og rebelske. Jeg kunne have tæmmet dem for længe siden, hvis han havde givet mig lov til at knappe af på deres foder. Hvad nu hende her angår, ville jeg sørge for, at hun ikke havde alt for mange kræfter, og så hilde hendes forben, så hun ikke kunne løbe. Når det var gjort, ville jeg longere hende, til hun styrtede af træthed, og så stable hende på benene, se at komme på ryggen af hende og give hende pisken. På den måde kan man tage pippet fra en hest; men ser du, Ken, hvis det er en krikke, som er *loco* eller sær og stejl, må man blive ved så længe og behandle dyret så forbandet, at der ikke er meget ved det, når man bliver færdig med dressuren. Det er ikke umagen værd.«

Ken bemærkede næppe, at de gik. Hans hjernes spærreskodder åbnedes, og han så begivenhederne fra de sidste fjorten dage rulle forbi sig som en film. *Broncoen,* der hoppede ud af lastvognen og rullede ned ad bjerget – knaldet af riflen, der sendte den på knæ nede i græsset – Rakets krop, som styrtedes i skakten, og lyden, der nåede dem, da hun ramte bunden som et dæmpet slag på en stortromme – *plump!* – og før det skete, hendes stejlen på lastvognen, da hun knuste hovedet mod skiltet, hendes vilde kamp i læssefolden, hvor hun nær havde slået hans fars ene øje ud – *loco – loco!!*

Men han huskede også Banner, og det gjorde mere ondt, end når han tænkte på Raket. Banner – hyldet af officererne, da Kens mor råbte: »Se ham med alle bannere flyvende!«

Også Flicka burde nu løbe frit i bjergene med *sine* bannere vajende for vinden, gylden og skøn som Banner – *ikke i skakten* ... Havde han kunnet gøre det alt sammen om igen, have gengivet Flicka bjergenes frihed og ensomhed, ville han ikke have betænkt sig.

22

Da Nell havde afsluttet dagens dressur af Rumba, skiftede hun
fra ridedragt til en blomstret hjemmekjole. Efter middagen
fuldførte hun det huslige arbejde, hun ikke havde nået at få
til side inden hesterøringen, og gik ud på terrassen. Hun suk-
kede, da hun så altankasserne og blomsterbedene, hvor den
foregående dags hagl havde knust næsten alle vækster. Sådan
var det at bo heroppe på verdens tag – den slags kom som
svøbeslag gennem rummet! Da de dagen før spiste aftensmad,
havde Rob fortalt om et haglvejr, hvis isklumper var så store,
at en mand ikke kunne løfte dem, ja end ikke spænde om de
største. En fårehjord var blevet massakreret. Mange menne-
sker kom kørende fra de nærmeste byer for at se de mange dyr,
som lå strøet over græsningen, dræbt af mægtige isklumper,
der kom susende med stormen fra himmelrummet. I lang tid
kunne man spore stanken af hjordens kadavere i mange kilo-
meters afstand. Hun havde selv en fjerde juli været i Cheyenne
under et voldsomt haglvejr. Glasset knustes på alle byens driv-
huse, og samtlige biler, som kom stormen på tværs, fik søn-
derslået tagene.

Nell fandt sine arbejdshandsker, sin plantespade og ha-
vesaksen og gik i gang med at fjerne de knuste og visnende
blomster.

Der blev ikke mere frisk, hjemmeavlet salat til bordet i
denne sommer ... Salatbedet var komplet ødelagt ... det var
for sent at så ny salat i år ... Glasset over mistbænken var knust
... Rob måtte anskaffe nye ruder til den og lade den reparere ...
han ville blive rasende ... Hvor er han gal i hovedet på Ken ...
og det var mig, som startede hele ulykken ... jeg sagde, at Rob
burde give ham en plag ... og hvad blev resultatet? ... Åh, her-
regud, alle geranier er ødelagt ... komplet spolerede ... jeg kan
lige så gerne skære dem ned til roden ... Hvad har jeg egentlig

til aftensmad? ... kold kødbudding og stuvet makaroni med reven ost ... Jeg kan sætte den i ovnen, når jeg har bagt småkager ... lad mig huske at bage rigeligt denne gang ... Rob kommer nok hjem med tomater, salat og ferskner ... Se nu her, hvor det hele er ødelagt ... det var dog et skrækkeligt uvejr! ... Fire af mine små Rhode Island-kyllinger er dræbt af haglene ... de har ikke nået at slippe i dækning under moderens vinger ...

Da hun havde gjort sit bedste for at bringe orden i altankasser og blomsterbede, gik hun ind i køkkenet, tændte op i komfuret og begyndte at røre dej til småkagerne. Hun mindedes med et smil, hvordan hun oprindelig fik opskriften på sin specialitet.

Rob havde bedt om klejner – rigtig fedtede og knasende, som han mindedes dem fra sin barndom.

Nell studerede opskriften på klejnedej i flere kogebøger og besluttede at gøre den rigtig lækker ved at tilføje mere fedtstof end opgivet. Hun endte med at lave dejen på grundlag af det interessanteste i alle anvisninger og tilføjede en stor portion dejligt jerseysmør.

Da dejen var lavet – en mægtig portion, som glinsede gylden af smør – varmede hun fedt i en jerngryde, skar en klejne ud og prøvekogte den i det hede fedt.

Hun blev meget forbløffet ved at se klejnen skilles i to stykker, dernæst i fire – i otte – en masse krummer – og til sidst forsvinde helt.

Nell befandt sig rigtig ilde ved at betragte sin store portion gylden dej, der åbenbart ville opløses til praktisk talt intet i fedtgryden.

Hun opgav klejnerne, rullede dejen tyndt ud, lagde den på plader, snittede den i rombeformede stykker med en spids kniv, satte pladerne i ovnen og fik, da de var bagt, den herligste portion sprøde, knasende og lækre småkager, hun nogen sinde havde smagt.

Dermed havde hun indført en særlig kageopskrift på Goose Bar Ranch, og hver gang, hun blev opfordret til at bage disse kager, hed det uvægerligt: »Vær så rar at lave en portion klejner ...«

Nu var ovnen passende varm, og da hun næsten var færdig med at lave dejen, kom Ken ind i køkkenet. Han lænede sig op ad bordet med hagen støttet i hænderne. Han havde bundet et rødt tørklæde om halsen. Hans bløde, brune hår var meget pjusket.

»Hvis Flicka virkelig er *loco,* mor ...«

Hans ansigt skræmte Nell. Blikket var stift hæftet på hende, næsten vildt gloende – det var noget fremmed for Ken. Han stirrede på hende for at få ren besked, for at tvinge hende til at give faktiske oplysninger.

»Hvad da, Kennie?«

»Ja – hvis hun nu altså er *loco?*«

»Så ser det meget mørkt ud for hende, ikke sandt?«

Der fulgte en lang tids tavshed, hvorunder Ken førte en indre kamp. »Hvis hun er helt sindssyg, *virkelig loco,* mor – –.«

»Hvis hun er det, Ken, så kan ingen magt på jorden – –.« Nell sluttede ikke sætningen, men slog dejen ud på bordpladen, dryssede mel på kagerullen og begyndte at rulle dejen ud.

Ken iagttog hende, plaget af det frygtelige HVIS.

»Mor, er der noget, du *frygtelig* gerne vil have?«

Nell holdt inde med rulningen og så ud ad vinduet en stund, før hun atter optog arbejdet.

»Kennie, der var noget, jeg *frygtelig* gerne ville have haft – noget, jeg har ønsket mig i lang tid.«

»Hvor længe?«

»Lige fra du var et par år.«

»Men, mor, jeg troede ikke, du kunne ønske dig noget så inderligt!«

»Næsten alle mennesker har et eller andet brændende ønske, min dreng.«

»Men ikke du, mor. Du er jo voksen og gift, du har far og os – du er *færdig* med alt det.

Nell lo. »Og så synes du ikke, jeg burde ønske mig noget

– ikke *frygteligt* – når jeg er færdig med alt det? Men det gør menneskene, Ken.«

»Alle mennesker? Altid, mor? Bliver man aldrig færdig med at ønske?«

Nell standsede atter kagerullen og fik et fjernt blik i sine blå øjne. »Gud ved, Ken! Måske i ganske korte perioder.«

Det var de kortvarige øjeblikke, tænkte hun, hvor alt var fuldkommen fred, de mærkelige stunder, der altid indtraf uventet og uforklarligt. Hvorfor skulle det være sådan, at man det ene øjeblik kunne føle sig syg af den endeløse kamp, den utilfredsstillende higen og i næste nu opleve en svimmel, ønskeløs salighed – frigjort, lykkelig, ansvarsløs ...

»Mor –.«

»Ja, hvad er der?«

»Bliver du – og jeg – nogensinde færdige med at ønske?«

»Hvad er det, du ønsker så *frygteligt* netop nu, Ken?«

Han havde en så knugende følelse i brystet, at det gjorde ondt, og han måtte gispe efter vejret.

»Jeg ønsker så forfærdeligt, at Flicka må blive helt rask og ikke være *loco*.«

Nell så på ham, mens hun rullede kagedejen tyndere og tyndere ud.

Hun så et spørgsmål i hans blik. Han ville vide, om Flicka ikke kunne blive helt rask og normal, hvis han ønskede det tilstrækkeligt intenst. Hans ansigt stivnede i ængstelse og frygt for svaret.

Netop nu, tænkte hun, idet kun kneb øjnene sammen om de svidende tårer, der dannedes så let, *netop nu* burde han have at vide én gang for alle, at håb og ønsker ikke kan rokke ved kendsgerninger.

»Måske er hun ikke *loco*, min dreng, det kan man ikke vide endnu med sikkerhed. Men *er* hun gal, Ken,« hans mor talte nu langsomt og vægtigt, »kan end ikke de hedeste ønsker ændre noget ved sagen.«

Ken gjorde omkring og gik ud af køkkenet med sænket

hoved.

»Kom tilbage, når kagerne er færdige, Kennie,« råbte hun efter ham. »De bliver lækre – varme, brune, sprøde og friskbagte ...«

Hun fortsatte arbejdet – rullede dej ud, snittede den i firkanter på pladen og satte dem i ovnen. Men det skete rent mekanisk. Alle hendes tanker ledsagede Ken op ad skrænten, ind mellem træerne, hvor han lagde sig på maven og kradsede med fingrene i det tætte lag visne fyrrenåle, mens salte tårer sved i hans øjne ...

»Nej, lille Ken – hverken din kærlighed eller længsel – eller alle dine håb og ønsker nytter noget ...«

Hun vidste ikke, at Ken i tankerne så mineskaktens sorte gab på bjergskrænten – så en hestekrop styrte i dybet – og det var *ikke* Rakets!

Han kunne ikke udholde det. Der måtte være en udvej ... det havde der altid været før ...

Han vendte sig om på ryggen og så mod himlen. Den var så nær, dybblå, men ikke dunkel; det så ud, som kunne man vandre længere og længere ind i rummet ... Når han tænkte på denne vis – eller blot lod tankerne passe sig selv – gik det bedre. Der var så mange kendte stier i hans sind, som førte bort fra virkeligheden og ind i fantasiens grænseløse rige. Han holdt op med at tænke på Flicka. Han tænkte slet ikke på noget virkeligt. I fantasiens verden var der også heste og skønne hoppeføl. Han ønskede sig en fantasiplag, der aldrig kunne komme til skade, som kunne springe glat over pigtrådshegn på seks fods højde, som hverken skulle tæmmes eller tilrides, *som ikke kunne blive loco,* en plag, der bar ham så let på sin ryg, som en fugl bærer sine fjer ... Han begyndte at føle sig frigjort og vel tilpas ... dette var løsningen ... dette var den rette vej ...

Drengen lå ubevægelig og så med vidtåbne øjne op i det blå rum. Ansigtets stivnede træk blev bløde. Hans læber var let skilte, og han smilede.

Sådan gik en time. Lyset skiftede, skyggerne lagde sig lange og flade over jorden. En fugl begyndte at kvidre ivrigt og ængstet, men Ken ænsede det ikke, han rørte sig ikke. Han åndede regelmæssigt og dybt, men med korte pauser mellem åndedragene – som når man sover.

Den vedholdende ringen af klokken, som kaldte til aftensmad, vækkede ham, og han satte sig lidt forvirret over ende. Kunne klokken allerede være så mange?

Han vendte sig bort fra klokken og så ned mod Flickas opholdssted i Kalvehaven ved de tre grønne fyrretræer. Hun lå meget nær ved vandtruget og foderkassen, han havde stillet hen til hende.

Der var noget ved hendes fuldkomne udmattelse, som hun lå der med kroppen slapt og ubevægeligt stille mod græsset, der greb ham om hjertet. Han havde fuldstændig glemt hende og kun været optaget af sit eget. Han havde været lykkelig, mens hun lå uænset og ensom – aftensmaden! Han kom for sent.

Han løb ned ad skrænten, over grønningen, styrtede ind i køkkenet, vaskede hænder, glattede håret.

Al hans kval kom igen. Flicka – måske var hun død – måske lå hun ikke stille, fordi hun sov, men fordi hun havde opgivet kampen for livet. Hvis hun var død, ville det være hans skyld, fordi han totalt havde svigtet hende, da han forlystede sig med sine drømmeheste – han havde vendt hende ryggen. Måske havde hans forræderi fået hende til at slippe det kraftesløse tag, hun havde haft i livet og livsviljen. Måske havde hun på en eller anden måde kunnet mærke det, vidst hvad han gjorde, og at han ikke længere havde brug for hende. Måske var hun blevet mere og mere træt, så hun blot havde lagt sig sløvt til ro og ...

Så snart han havde spist, skyndte han sig ud til hende. Nu stod hun atter på benene og flyttede sig næsten ikke, da han nærmede sig. Han satte sig i græsset foran hende, foldede sine arme over knæene og aflagde højtidelige løfter.

»Det var ikke mit alvor, Flicka ... du er den eneste, jeg bry-

196

der mig om ... jeg skal aldrig mere forlade dig ... aldrig, Flicka! Jeg bryder mig slet ikke om de andre plage. *De betyder intet, absolut intet for mig.* Jeg har et ansvar over for dig – det, som far talte om. Jeg lod dig slæbe ind fra de frie og åbne bjerge, hvor du var vild og kunne klare dig, og det er min skyld, at du ikke kan det nu. Derfor er det min pligt at værne og vogte dig.«

Flicka stod stille og betragtede ham. Hendes store øjne var matte og kun halvt åbne. Hendes hår var pjusket og uredt. Hun måtte skræve og kunne ikke stå lige på benene. Men hun havde vendt ørerne fremefter, lyttede, prøvede vel at forstå ham – og hun var ikke bange.

23

Nell sad i sin blå silkekimono, hvis bælte var strammet om hendes smalle midte, og børstede hår til natten. Det lå i en blød, bølget, lysbrun levende masse over hendes skuldre. Hun rejste sig. Stadigt børstende gik hun omkring i stuen, hængte tøj ind i skabet, slog sengetæpperne til side, lagde Robs pyjamas frem og talte med ham om Ken.

»Jeg ville ønske, du kunne være lidt venligere mod ham, Rob.«

»Hvorfor skulle jeg det? Han er gået på tværs af alt, hvad jeg ønskede!«

»Jeg tror, han har det rigtig skidt med sig selv.«

»Det har jeg virkelig også – og hvad er grunden?«

Rob sad i den dybe lænestol og rakte ud efter støvleknægten. Han satte den ene fod på den og klemte den andens støvlehæl fast i gaflen, idet han fortsatte: »Hvis han havde valgt en ordentlig hest, han selv kunne tæmme og tilride, som Howard gjorde det med Highboy, kunne det måske have lært ham noget og gjort ham til en slags mandfolk. Hvad kan han stille op med den elendige, lille, ramponerede hoppeplag? Ikke det fjerneste. Han sætter sig bare på halen nede i Kalvehaven og glor på hende uden at foretage sig noget nyttigt hele sommeren. Nu har Howard to dage i træk haft Kens heste til dressur foruden sine egne.« Rob halede kraftigt i den slidte, brune ridestøvle og fik den trukket af.

»Giv ham en smule tid, Rob,« bad Nell indtrængende. »Han er helt ude af ligevægt for tiden.«

»Det samme er jeg – af arrigskab!« Han halede den anden støvle af og fortsatte sin tankerække. »Sådan som hun er lavet til, kan han overhovedet ikke stille noget op med hende. Han kan ikke lægge grime på hende. Der er ingen kræfter tilbage i hende, selv om hun — hvad jeg tvivler på – skulle komme sig. Skræm hende blot én gang til, driv hende op i et hjørne, læg reb eller grime på hende, så er hun færdig.«

»Men, Rob, kan du da ikke se, at der allerede *er* sket en del. Ken *er* anderledes end før. Han har lært meget, selv om han ikke kan tæmme plagen.«

»Lært? Hvad har han lært? At ligge på maven og glo under et fyrretræ!«

Nell lod sig glide ned på en skammel foran Rob og foldede sine arme om hans knæ. Den sidste uges hede solskin og hendes daglige ridedure med Rumba havde solskoldet hendes næsetip og givet hende rødme i ansigtet, der normalt havde den blege, svagt gyldne farve som ferniserede fyrreplanker.

Rob lænede sig tilbage i stolen, men hans øjne, der lyste intenst blå i det vejrbidte ansigt, blev ikke blidere i blikket. »Han lærer måske, at det betaler sig at være trodsig og egensindig og dum?«

»Nej! Han lærer at leve i *virkeligheden* – *og* det gælder dog først og fremmest om, at han bøjer sig for kendsgerninger.«

»Bøjer sig for kendsgerninger? Det har jeg ikke set noget til,« sagde Rob hårdt. »Han ser rigtig slap og sløj ud. Hvis dette fortsætter hele sommeren, bliver han herlig at sende tilbage til skolen i september.«

Nell følte sig affejet. Hun rejste sig og fortsatte sine sysler i tavshed.

Også Rob rejste sig, tog sine ridestøvler, sparkede støvle-knægten ind i en krog og gik hen til Nell. Han stod med støvlerne i den ene, strakte arm. Den anden lagde han om hendes liv.

»Elsker du mig?« spurgte han.

»Det vidste jeg, du ville sige!« udbrød hun vredt. »Det er ikke noget at spørge mig om, når du lige har gjort mig vred.«

Han lukkede armen lidt fastere om hende og ruskede hende let: »Elsker du mig?« gentog han.

»Jeg føler ikke den ringeste trang til at elske dig netop nu.«

»Elsker du mig?«

Det dybe smilehul i Nells højre kind dannedes mod hendes vilje, og hun vendte sit ansigt bort fra ham. »Nå – *ja!* Når du endelig vil vide det.«

Hun prøvede på at gøre sin stemme sårende og fornærmet, men Rob havde den irriterende vane, at han gerne lod sig nøje med formel underkastelse. Man skulle tro, at han tænkte, at havde han først tvunget andre til lydighed, kunne han altid få dem resten af den vej, han ønskede.

»Så er alt såre godt,« sagde han. Hans hårde, runde hoved pressede hendes så meget rundt, at han kunne kysse hende på munden.

»Men, Rob – Ken – –.«

»Ti stille med Ken,« råbte han. »Jeg har fået mere end nok af den hvalp!« Han gik ud, knaldede døren i efter sig og trampede gennem forstuen til badeværelset.

Nell krøb i seng, skruede lampen op, tog en bog fra natbordet og begyndte at læse. Smilehullet var forsvundet fra hendes kind. Hendes læber var blevet smalle og stramme.

Den følgende dag ville Rob køre over til Sargents ranch for at træffe aftale om leverancen af de fire poloponyer. Nell skulle ledsage ham, og de ville blive borte hele dagen.

Da Howard og Ken hørte det ved morgenbordet, sagde Ken: »Kan du ikke lige få tid til at gå ned i Kalvehaven og se, hvordan Flicka har det? Jeg synes, hun ser meget kvikkere ud, og nu er hun begyndt at æde af havren.«

»Nej jeg vil ej,« tordnede McLaughlin. »Jeg vil hverken se hende eller høre mere om hende! Jeg vil ikke tænke på den elendige krikke!«

Stilheden blev trykkende. De sad alle med nedslagne øjne og spiste i tavshed. Efter nogen tids forløb så McLaughlin på sin yngste søn og bemærkede de mørke rande under drengens øjne.

»Badede du sammen med Howard i går?« spurgte han.

»Nej, Sir.«

»Hvorfor ikke?«

»Jeg ville ikke gå fra Flicka.«

»Nu har jeg snart fået nok af denne forestilling! Howard laver alt dit arbejde, og du gider efterhånden ikke foretage dig andet end at sidde hele sommeren under et fyrretræ og glo på Flicka. Tror du, det er sundt og gavnligt for dig? Hvordan tror du egentlig, du bliver, når du skal i skole? Vi får ikke varmere sommerdage end netop nu, og du har godt af at bade. Fra i dag af har du at gå i vandet sammen med Howard og så for øvrigt passe dit arbejde!«

»Javel, Sir.«

Kort efter sagde Howard: »Far, kan du huske, at du sagde, at Flicka ville stå alene og ikke prøve at komme i nærheden af de andre heste? Det slog til. Hun står helt alene nede ved hjørnet af indhegningen eller under et af fyrretræerne. Hvorfor gør hun det? Jeg troede, at heste holdt af at gå i flok.«

McLaughlin sagde intet, men Ken svarede modigt: »Det er, fordi hun er sær.«

McLaughlin så overrasket på drengen, men Ken gengældte hans blik. Han havde næsten aldrig før kunnet udholde at se ind i faderens hårde øjne et helt minut. Nu magtede han det

– for Flicka. Hvis hun var sær og enspænder – *lone wolf,* sagde de – nuvel så var han også sær. Han måtte kæmpe for Flicka. Han stod på hendes parti, han var en særling som hun – det gav ham mod.

Mens McLaughlin og Ken fastholdt hinandens blikke, sagde Rob til sig selv: »Det var som bare fanden! Den lille bandit! Nell havde ret – han har mod til at se kendsgerningerne i øjnene. Han er ikke bange!«

McLaughlin drejede hovedet og bad om et stykke ristet brød. Nell rejste sig hurtigt og vendte en brødskive, der lå på kanten af komfuret. Den var ristet fristende lysebrun. Hun bragte den knitrende hed på blikpladen og lod den derfra glide ned på kanten af Robs tallerken.

Han var tankefuld, mens han tog en klump frisk, usaltet smør og smurte det på brødet.

»Ken,« sagde han omsider, »sådan mente jeg det nu ikke, da jeg sagde, at Flicka ville holde sig for sig selv. Det gør hun, fordi hun er syg. Et såret eller sygt dyr søger altid ensomheden.«

Kens mørkeblå øjne fik et skær af håbefuld tillid, mens han så på sin far, og McLaughlin blev mærkelig rørt.

»Åh!« sagde drengen. Han ville gerne have spurgt, om Flicka måske alligevel ikke var en særling, men det var vist klogest ikke at trække for store veksler på faderens venlighed.

Lidt efter spurgte McLaughlin: »Har du givet hende salt?«

Ken fik et så forvirret og overrasket udtryk i sit ansigt, at hans forældre måtte se bort for ikke at briste i latter. »Nej,« sagde drengen skyldbevidst, mens han stirrede på sin far.

»Jeg har en klump jodsalt oppe i stalden,« sagde McLaughlin med rynket pande.

»Det varer lidt, før jeg kan tage afsted, Rob,« indskød Nell. »Kunne du ikke se til Flicka, mens jeg gør i orden –.«

»Lad gå, Ken,« sagde hans far. »Jeg skal komme ned med saltet og se på hende.«

Ken rødmede af glæde, og Nell sukkede lettet.

Ken styrtede ud til Flicka, skønt han allerede tidligere havde set til hende. Kort efter solopgang var han gået ned i Kalvehaven og havde sagt: »*Jeg er Ken!* Kan du ikke kende mig? Mit navn er Kenneth McLaughlin.« Han havde banket på sit bryst med sin lille knyttede hånd. »Du hedder Flicka. Det betyder »lille pige«. Vi to skal være venner.«

Nu løb han atter ud til hende og sagde: »Far kommer for at se på dig, Flicka. Nu må du være en god pige og ikke stikke af.«

Man skulle tro, Flicka havde forstået ham, for hun ventede roligt i kort afstand fra McLaughlin, da han kom ud for at se til hende og anbragte en blok jodsalt nær fyrretræet. Han tog sin pibe frem og tændte den, hvorpå han undersøgte hoppeplagen, mens Ken spændt iagttog ham som for at aflæse kendelsen på hans ansigt.

Langt om længe sagde McLaughlin: »Hun er så syg og elendig, at man ikke med sikkerhed kan sige noget om hende – endnu.«

»Tror du, hun er *loco*?«

McLaughlin knurrede. »Hvis man kun skal tænke på hendes opførsel, kan man næsten sværge på det, men vi har på den anden side kun set hende, når hun var vild af skræk.«

Ken tænkte sig om. Da han så Flicka første gang, flygtede hun fra Banner, og hendes øjne glødede som ildkugler. Ja, hun havde været rædselsslagen! Det var hun også første og anden gang, de bragte hende hjem til foldene.

»Alle heste får vilde øjne, når de er bange,« tilføjede McLaughlin.

Ken tvang sig til at nævne det vægtigste indicium mod hende. »Hun prøvede at hoppe over hegnet – og hun vidste godt, det var umuligt.«

»Man må ikke glemme, at hun har fået en helt håbløs opdragelse,« sagde McLaughlin.

»Hvordan mener du?«

»Hun blev opdraget af en vanvittig hoppe.«

»Åh –!«

»Desuden kan alle – selv du og jeg – få lyst til at gøre det umulige, i hvert fald én gang,« fortsatte McLaughlin med et lille smil. »Du kender vel talemåden: *Det var umuligt, men den store idiot vidste det ikke, så han gennemførte det alligevel.* Heste har tidligere hoppet seks fod – trænede konkurrenceheste. Flicka troede måske, hun kunne gøre det, så vi kan godt tilgive hende forsøget. Spørgsmålet er, om hun vil tage ved lære. *Kan hun lære af sine erfaringer?* Raket kunne ikke.«

»Far, hvis hun nu *er loco* – ligesom Raket – kan vi så ikke slippe hende løs i bjergene?«

»Hvorfor?«

»Så kan hun blive ligesom Banner i søndags – ikke som Raket –.«

Rob så nøje på Kens ansigt. Det var så desperat alvorligt, så åbent og ivrigt, at den voksne mand på ny blev grebet. *Drengen så atter de hårde kendsgerninger i øjnene –.*

»Prøv at tænke problemet igennem, Ken. Banner færdes frit ude på græsgangene, fordi han har et hverv at røgte, ikke sandt?«

»Jo.«

»Hvilket hverv?«

»Han skal bedække hopperne og passe på dem og deres føl.«

»Hvad er en hoppes opgave?«

»At sætte føl i verden – eller blive en god ridehest.«

»Akkurat! Men hvis en hoppe er *loco,* duer føllet ikke. Du så den samling, jeg solgte i sidste uge. Jeg kunne kun sælge dem, fordi de var så smukke. Der er altid tåber, som falder for en smuk hest, enten den er *loco* eller ej. Nu prøver man at tæmme dem. Nogle af hestene er allerede dræbt, halvdøde eller alvorligt læderede. Det ville have været bedre for dem, om jeg havde skudt dem ned.«

»Bedre –,« sagde Ken usikkert og så hen på Flicka.

»Bedre for dem i det lange løb; men jeg trængte til pengene.«

Far og søn stod tavse nogle øjeblikke. McLaughlin bed hårdt på pibespidsen. »Det eneste passende sted for en hest, som er *loco,* eller en hest, der ikke vil lade sig tæmme, er de store, åbne vidder så langt fra al civilisation, at ingen mennesker ser dem eller prøver at indfange dem. Hvis nogen ser dem, og dyrene er både smukke og hurtige, gives der ingen pardon. En eller anden vil fange dem og prøve at kue dem, og så er de færdige.«

Ken kunne ikke sige noget.

»Du har selv set, hvordan skidt blod nedarves,« fortsatte McLaughlin. »Hvad tilridning angår, kan jeg blot minde dig om, hvor hårdt jeg selv sled i det med Raket – uden resultat.«

»Åh, far!« gispede Ken fortvivlet. »Måske får jeg aldrig Flicka tilredet!«

»Men i herrens navn, dreng, har du overhovedet ikke begrebet, hvad jeg har sagt dig? Har jeg ikke gang på gang advaret dig?«

Ken stod sløv og lammet.

»Forstod du ikke, hvad jeg sagde til dig?« spurgte hans far. »Hvad troede du egentlig, *loco* betød?«

»Bare fjollet –.«

»Og hvornår gik sandheden så op for dig?«

»I går. Tim sagde, at man kunne spærre sindssyge mennesker inde i en galeanstalt, men at man måtte lade de vanvittige heste begå selvmord.«

Rob lo kort og opgivende. »Nå sådan! Gud ske lov for Tim!«

»Far –.«

»Ja?«

»Da du sagde, at hun altid havde været skræmt, når vi så hende – mente du da, at det ikke er helt sikkert, hun er *loco?*«

Inden Rob svarede, betragtede han den lille hoppeplag nøje og vurderende, mens han dampede på sin pibe. »Hun har et klogt og opvakt ansigt,« sagde han omsider. »Det er meget bedre end Rakets. Hendes mule er fin og elegant, der er god plads mellem hendes kønne øjne, og årerne tegner sig smukt under huden – men det er umuligt at sige noget afgørende, før vi ser, hvordan hun reagerer over for tæmning og dressur.«

»Hvordan skal jeg bedst tæmme hende? Hvad skal jeg begynde med?«

»Du kan ikke foretage dig noget, som hun er nu; ikke ud over at vinde hendes tillid. Det er for øvrigt altid det vigtigste, og der er en ting, som vil være dig til stor hjælp.«

»Hvad er det?«

»Hendes sygdom og elendighed. Hvis man berøver et levende væsen alt – frihed, hjem, vaner, livsglæde, ja næsten selve livet, vil det i sin bitre nød og fortvivlelse vende sig mod det eneste gode, det har tilbage. *Dig.*«

»*Mig?*« Ken havde aldrig før følt sig så betydningsfuld.

»Ja! Nu er du hele hendes verden. Det står til dig, om hun skal holde af den.«

Det var et meget alvorligt øjeblik for Ken. Han vurderede sig selv helt anderledes end før og lyttede meget opmærksomt til faderens ord. McLaughlin gav sig så god tid, som om han ikke havde andet for end at undersøge Flicka og forklare Ken, hvordan drengen burde behandle hende. Han stod skrævende med den ene arm hvilende i bæltet og den anden støttet mod den, mens han holdt om shagpiben. Ridebukserne af whipcord sad som støbte, og de mørkebrune ridestøvler var i anledning af turen til Sargents ranch poleret, så folderne skinnede rødt som okseblod.

»Jeg har forgæves søgt at avle skrækken ud af disse vestamerikanske heste. Nu er Flicka blevet alvorlig skræmt, og kun, hvis hun kan få fuld tillid til dig, vil den angst fortage sig. Selv om det sker, kan der godt komme ubehagelige eftervirkninger i skrækken. Det betyder ikke, at du skal give afkald på herredømmet over hende. Hun skal lystre. Hun vil få mange impulser, som må holdes absolut i ave, da de ellers vil føre til uheldige handlinger. Men det er et spørgsmål om disciplin –

det kan komme senere – hvis hun bliver rask. Foreløbig –.«

»Hvad kan jeg gøre nu?«

»Ikke noget med disciplin. Giv hende din kærlighed, dit kammeratskab, væn hende til din stemme. Tal med hende.«

»Jeg taler altid med hende, far.«

»Det er udmærket. Gør hende så afhængig af dig, så vant til din kommen og gåen, så sikker på, *at du altid har noget godt med til hende* – hø, havre, frisk vand eller blot venlighed og snak – at hun ikke kan lade være med at få tillid til dig.«

McLaughlin tav, mens hans tanker gik på langfart. »Jeg har læst historier om vilde dyr i cirkus – ondsindede, utæmmelige bæster – der blev skikkelige og omgængelige, fordi de enten blev syge eller kom til skade, og et menneske plejede dem omsorgsfuldt venligt. Det er ofte sket. Derfor mener jeg, at din store chance ligger i Flickas nuværende svaghed. *Du* behøver ikke at tøjle eller tæmme hende. Det har hendes sår gjort for dig. Du kæmper på hendes side mod smerterne og sløjheden. Du hjælper hende.«

Flicka kom nærmere og begyndte at slikke saltblokken.

McLaughlin fortsatte belæringen. »Husk, at en hest kan fortælle dig en masse, hvis du blot er opmærksom og venter, den skal opføre sig klogt og fornuftigt. Vogt nøje på alle de små tegn – måden den bevæger sig på, dens øjne og ører, dens lette vrinsken – det er dens måde at udtrykke sig på. En hest kan vrinske i skræk og hvine i raseri, den kan klynke af nervøs utålmodighed – det lyder ganske ejendommeligt – eller finde andre lyde, der udtrykker længsel, sult, venskab, henrykkelse eller genkendelse. Hesten taler til dig, og det er din opgave at forstå, hvad den siger. Du må lære dens sprog, og den skal lære dit – glem aldrig, at *heste forstår alt, hvad man siger til dem.*«

»*Alt?*« Dette lød virkelig spændende.

»Hver eneste smule. Når du først er klar over det, bliver dit venskab med dyret noget helt andet end før. Så er der skabt gensidig kontakt.«

Da den røde Studebaker, der var så ren og blank i lakken, som når de kørte til kirke, havde kørt Kens forældre over broen og var forsvundet i svinget på bjergskrænten, skyndte han sig tilbage til Kalvehaven. Nu, da han vidste, at Flicka kunne forstå ham, var der noget, han absolut måtte betro hende. Hun måtte vide, hvor bedrøvet han var.

Han ville stille sig foran hende og sige: *»Jeg er Ken.«*- Det måtte hun være klar over. »Jeg er din ven, Flicka, og jeg er meget, meget ked af, at du kom til skade. Jeg håber oprigtigt, at sårene ikke gør ret ondt nu. Jeg vil give dig alt, hvad du har brug for, og jeg skal nok blive hos dig, så du ikke føler dig ensom. – Om lidt er jeg nødt til at gå i vandet, og jeg skal have redet mine heste, men det varer ikke ret længe –.«

Flicka stod ikke ved fyrretræerne. Da Ken så sig om efter hende, vrinskede hun, og hans hjerte begyndte at banke. Det var, som om hun talte til ham. Det var den første lyd, hun havde givet fra sig, siden den dag de fangede hende og hun skreg så uhyggeligt inde i stalden. Hun stod ved sydhegnet med halsen strakt op over det og stirrede mod Svajet. Hendes ører var rejst i anspændt lytten, og Ken hørte fjerne hovslag – det var etåringerne, der galoperede over græsgangene.

Flicka vrinskede atter. Hendes løftede hoved, hendes lytten og klangen i hendes vrinsken sagde Ken, at hun led under den tabte frihed ... *hun vrinskede af længsel* ...

Ken sænkede hovedet. Tårerne brændte bag hans øjne.Han gjorde omkring og gik ganske langsomt tilbage til stuehuset.

24

Ken havde fundet en bedre plads til Flicka.

Et hegn strakte sig ret nord fra kostalden og dannede skel mellem Kalvehaven og ridebanerne. Langs hegnet løb en sti, der ca. tre hundrede meter fra foldene nåede et sted, hvor en gruppe popler dannede værn mod sol og blæst. Under disse poplers tykke grene begyndte stien at falde ret stejlt ned til et fladt stykke frodigt, blødt grønsvær, der gennemstrømmedes af bækken Lone Tree Creek.

Når der var højvande i bækken, blev hele den grønne plet oversvømmet, men i den varme sommertid var den tør, og græsset virkede skærende grønt, når man så det efter at have passeret de højere, mere udtørrede arealer uden om lavningen. Solskinnet lå gyldent over en del af den lille græsning, og over resten lå sval skygge fra poplerne, der hældede ud over skrænten og sendte lange, slyngede rødder ned over klippegrunden for at finde vand. Her kunne Flicka uden anstrengelse drikke af bækken og æde af det saftige græs, og her var både sol og skygge.

Ken kaldte stedet for *Flickas barneværelse* og gik hver morgen og aften derud ad den lille sti med en spand havre, som han tømte i foderkassen, der var anbragt nær poplernes stammer.

Når Flicka strakte sig nede i lavningen, kunne hun skimte Ken, der kom gående på stien. Han kunne også se hende. Det kriblede saligt i ham, da han første gang opdagede hendes hoved – det smukke ansigt med den lyse pandelok og de fine, rejste ører i en ramme af poplernes grønne løv – og han forstod, hun nu ventede på ham, længtes efter ham.

Ken pralede af det, da de spiste aftensmad, men Howard sagde: »Sludder, Ken! Hun længes efter sin havre – ikke efter dig!«

McLaughlin svarede skarpt: »Det kommer ud på ét, om det er havren eller den, der bringer havren, hun længes efter.«

Nell bemærkede tørt: »Mon mennesker er stort anderledes?«

Det var tydeligt, at Flicka satte pris på sin havre. Når Ken bøjede sig frem for at tømme havrespanden i foderkassen, holdt hun sig tæt op ad ham og stak mulen ned i kornet; men rakte han hånden ud for at klappe hende, veg hun tilbage. Hun tålte ikke, at han rørte ved hende.

Ken havde stadig sit arbejde at passe. Han skulle være i foldene, når føllene blev brændemærket. Han skulle gå Tim til hånde, når karlen blev sendt ud i den lille Fordlastvogn for at reparere pigtrådshegnene. Bilen blev læsset med hegnspæle, som var tilhugget i sommerens løb, tørret og dyppet i asfalt, for at de ikke skulle rådne ved jordoverfladen. Der var nok at ordne ved drængrøfter og på engene, hvor det gjaldt om at få græsset så tæt som muligt inden høhøsten. Nu, da rodeohestene var kørt til byen, red drengene atter Cigaret og Highboy. Med få dages mellemrum måtte de tilse ranchens grænser for at undersøge, om der var brud på hegnene, om der var sluppet fremmede dyr ind på deres område, om alle led stod rigtigt åbne eller lukkede. Lystfiskerne kom fra hovedvejen, åbnede leddene for at køre igennem med deres biler til fiskestederne, og glemte undertiden at lukke leddene efter sig, når de kørte hjem. En dag opdagede Ken og Howard, at hundrede fremmede ungkreaturer var sluppet ind på McLaughlins område, hvor de nu åd og nedtrampede det fine enggræs. Drengene galoperede hjem og slog alarm. McLaughlin og hans folk red ud og drev ungkvæget bort, medens McLaughlin i raseri surrede alle led med pigtråd og lukkede dem med bomme, så ingen uvedkommende kunne åbne dem.

Der var hverdagens slid med at tæmme og dressere de fire unge plage. McLaughlin havde lært Ken og Howard, hvordan de skulle bære sig ad, og det første par dage havde han hjulpet dem.

Først skulle plagene i boks. De kom travende sammen med hopperne, der lod sig friste, fordi de ventede at få havre. Så snart plagene var vel anbragt i den lille boks – og de var ikke særlig bange, da moderen opholdt sig i nærheden – blev de grebet og holdt fast, mens man lagde grime på dem og fastgjorde en lang tømme i grimens jernring.

Dernæst blev plagene trukket bort fra mødrene og ind i

den større fold, hvor de for første gang blev tøjret til pæle. Tømmerne blev slået mange gange om pælene, og drengene stillede sig bagved med tampene i hænderne, så dyrene måtte tro, det var drengene, ikke pælene, som holdt dem fast.

Plagene kæmpede uvægerligt for at slå sig løs og blive fri for tømmerne. De bevægede hovederne fra side til side, rykkede baglæns og strittede imod med stive ben. Selv ældre heste bar sig sådan ad og satte sig undertiden stædigt på bagen, som om de var hunde. Det kunne ske, at denne styrkeprøve varede længe, men som oftest gik der kun kort tid, inden dyrene opgav at ruske og rykke. Opgivelsen af kampen skete altid på samme måde. De stejlede på bagbenene, sprællede med forbenene i luften et øjeblik og lod sig dernæst atter dumpe ned på jorden for at undgå det snærende træk i hovedtøjet. Netop når de dumpede ned på jorden og kom helt nær det menneske, der hersede med dem, fik de en behagelig følelse af, at tømme og grime ikke længere strammede. Så fulgte overgivelsen. Når plagene stod trætte og skælvende nær ved deres herre og mester, lød en beroligende stemme, en hånd klappede deres hoved, og dyrene begyndte at føle sig i sikkerhed. Der kunne godt komme senere kampepisoder, men aldrig så langvarige eller intense. I løbet af et par dage havde plagene vænnet sig til grime og tømme, og de fulgte og adlød det mindste træk i *longen*.

Når dette punkt var nået, behøvede Ken og Howard ikke yderligere hjælp. Plagene kendte snart drengene lige så godt, som de kendte deres mødre. De snusede til dem, nippede i deres tøj, stejlede og legede og slog fra sig med deres spinkle forhove.

Den sidste uges tid havde drengene bare ført plagene rundt ved tømmen, nu og da råbt: »Hoa!« og samtidig standset dyrene med et let træk. De dresserede dem til at gå med vekslende gang for *longen* fra skridt til frit trav. Efter longeringen bragte de plagene tilbage i boksen, fjernede tømmer, legede med dem, kælede for dem, klaskede dem og svingede dækkener over dem, lænede sig tungt mod deres rygge og lod dem æde havre af hænderne.

Bag hegnet om Kalvehaven, hvor drengene dresserede plagene, lå ridebanen, hvor Kens forældre og hestetæmmeren mange timer daglig tilred de fire poloponyer Rumba, Blazes, Don og Gangway.

Omsider kom dagen, da dette slid var forbi. De fire ponyer blev læsset på lastvognen, og McLaughlin kørte dem til stationen, hvorfra de skulle ekspederes videre sammen med Sargents kobbel.

Den lille hestetæmmer rejste. De samledes alle til afsked om hans ramponerede Sedanvogn, der var pakket fuld af sadler og andre grejer; de sagde farvel og ønskede Ross alt muligt held på rodeoen.

»Lad være med dumdristigheder,« formanede Nell McLaughlin. »Men jeg ved for øvrigt, at De er meget, meget forsigtig.«

Ross så på hende med sine skarpe, blå øjne og svarede hende frejdigt og ærbødigt, som han plejede: »En mand, der skal leve af at omgås vilde heste, gør sig ingen falske forhåbninger, Missus. Det gavner ingen.«

Så smilede han: »Jeg ligger nok igen på hospitalet, når rodeoen er overstået, men skulle jeg slippe fri, vender jeg tilbage for at se, hvad Ken har fået ud af sin lille hoppe.« Han smilede opmuntrende til Ken, som gengældte smilet.

Ross tog sin brede *sombrero* af hovedet og gav dem alle hånden, klatrede op på førersædet og kørte raslende bort.

Næste store begivenhed var rodeoen.

Ken var helt alene hjemme på ranchen, da han opdagede, at Flicka ikke kunne rejse sig.

Det var rodeoens sidste dag. Så længe den store opvisning havde varet, var Studebakeren hver morgen kørt ind til Cheyenne. GAMLE GRÆNSEDAGE stod der på Cheyennes plakater – ÆLDST OG BEDST I VESTEN.

Ken var med til rodeoen den første dag. I åbningsparaden så de fire af byens vise fædre i gamle dragter ride Lady, Calico, Buck og Baldy. Rytterne havde kæmpestore filthatte på hovedet og lange frynser langs buksesømmene. Han så den berømte, vilde hest Midnight smide alle de ryttere af, som overhovedet kom i dens sadel; men han blev hjemme de følgende dage, ja undslog sig endog for at ledsage de andre på denne sidste dag med dens væddeløb af vildheste. Det ærgrede McLaughlin, selv om han sagde, at Ken naturligvis selv måtte om det. Ville han hellere drysse rundt på ranchen end følges med sin familie til en morsom rodeo, blev det hans egen sag. Én ting var sikkert: han fik ingen til at holde sig med selskab. Gus og Tim havde begge fået fri. Gus ville komme hjem med bussen klokken fire for at malke køerne, men så længe var Ken alene.

Ken svarede, at det ikke gjorde noget – han havde Flicka.

Han stod ved vognen, da de kørte. Det sidste, han hørte, var faderen, der stak hovedet ud ad vinduet og råbte: »Hav det godt, dreng – husk, at nu har du hele ansvaret for ranchen – *jeg betror alt til dig, mens vi er borte!*« Studebakeren med hans forældre, Howard, Gus og Tim gled bort ad skrænten, skramlede over broen og fortsatte lydløst ad den jævne vej.

Ken blev stående og så efter bilen, til den forsvandt af syne. Hvor alt var forandret nu, da de var borte. *Hele ansvaret var hans* ... Han havde en stærk fornemmelse af de pligter, faderen havde pålagt ham ... nu havde han kommandoen! De to hunde, collien Kim, der lignede en prærieulv, og den sorte spaniel, Chaps, stod ved siden af ham. Også de havde blikket rettet mod vejen. Det var de vant til, og de kendte fornemmelsen af, at der blev anderledes på ranchen. De havde så ofte set Studebakeren forsvinde ad vejen – eller set den komme – de vidste, hvordan det var, når vejen lå tom, og der blev stille på gården.

Ken gik op på sit værelse, stod nogen tid foran reolen og valgte omsider »Junglebogen«. Med den i hånden skyndte han sig ned ad trappen, over grønningen, gennem Kalvehaven og ad stien langs hegnet til Flickas »barneværelse«. Hun stod og drak af bækken.

Han holdt en længere tale til hende, gik indenfor og stod hende så nær, som hun ville tillade. Så satte han sig på skrænten under poplerne og begyndte at læse.

Flicka vandrede om i sit »barneværelse«. Snart trængte hun til solvarme og stillede sig i det flimrende gyldne lys, snart ønskede hun skygge og var med et par skridt inde i den svale plet under træerne. Ken kiggede op fra bogen og opdagede, at hun var ham ganske nær, og at hun iagttog ham nøje. Han begyndte at læse højt for hende, og hun rejste ørerne, som lyttede hun interesseret.

Han læste afsnittet om høgen Rann, der ser drengen, Mowgli, blive ført afsted gennem trætoppene af abebanden, om Mowgli, der huskede junglens kendeord, som hans læremester, den brune bjørn, Baloo, havde lært ham, og hvordan han råbte til høgen: »Vi er af samme blod, du og jeg – følg mit spor! Bring bud til Baloo og Seeonees ulvekobbel og Bagheera fra Rådsklippen! Følg mit spo-o-or!«

Flicka drejede hovedet. Mens Kens stemme stadig lød, gik hun hen til den tomme foderkasse, snusede til den og slikkede med en lang, lyserød tunge de sidste levnede kerner fra morgenfoderet i sig. Hun stod stille med flanken vendt mod Ken, mens hun svingede med sin lyse hale for at holde fluerne borte.

Nu og da gjorde Ken en pause i oplæsningen, lukkede bogen og lagde sig tilbage, støttet mod skrænten med armene under hovedet, mens han så op gennem poppelgrenenes fletværk. Han kunne se en stump blå himmel, hvor en bleg, gennemsigtig halvmåne sejlede i den lyse dag. Det var »børnenes måne«, der vel kaldtes sådan, fordi det var den eneste måne, småbørn i reglen så. Først havde han troet, den var en lille stump sky.

Det var meget varmt, men her, hvor han lå, var der rart og skyggefuldt. Man hørte ikke en lyd ud over bækkens rislen over sten og små sandbanker, det svage plask af en springende ørred og den monotone summen af de talløse, svirrende fluer. Det var en sommerlig lyd – man mødte den overalt uden for stuerne, og den var som en del af stilheden.

Ken og Flicka var ene i Kalvehaven. De fire plage, som drengene havde tæmmet, var sammen med deres mødre sendt ud til Banner på vidderne, fordi arbejdet med at vænne dem til tømme og grime nu var gjort – og velgjort, sagde deres far – så dyrene lystrede deres læremestre villigt og tillidsfuldt. Det havde taget en måned at nå så vidt.

Flicka gik ned til bækken for at drikke, og Kens blik fulgte hende. Hun var hverken tæmmet eller grimevant. Da det var noget af det vigtigste ved de unge plages dressur, måtte det gøres snarest muligt. Flicka var nu langt over et år, og han kunne stadig ikke så meget som røre ved hende. Han fik kuldegysninger ved tanken om, hvad der ville ske, hvis man begyndte at vifte ridedækkenen over hende eller longere hende – han vidste, hvor desperat hun ville kæmpe mod tøjle og grime – opføre sig, som hun havde gjort det tidligere i folden og stalden – skabe sig som Raket – helt *loco* –.

Ved denne tanke trak Ken knæene op, foldede hænderne om dem og støttede panden mod sine arme. Det var, som krøb han sammen i skræk – *han vidste endnu ikke, om hun var loco*. Han *kunne* ikke vide det, før han prøvede at vænne hende til grime og tømme. Han fik kvalme af angst for udfaldet.

For kort tid siden havde han haft mod til at forestille sig, at Flicka måske var gal. Nu var dette mod forsvundet, og det ville blive meget svært at vænne sig til tanken. Medens han vågede over Flicka, havde han håbet, og den lille hoppeplags sky og sjældne tilnærmelser havde drevet angsten ud af hans tanker, ja havde næsten spærret den inde i et af de sikre rum, hvor hans hjerne oplagrede ubehagelige kendsgerninger. Dørene lukkede blot ikke så tæt mere. Drengen vidste nu, hvad der gemte sig bag dem. Han havde én gang evnet at se den store rædsel i øjnene. Han havde formået at overvinde den, og han ville sikkert kunne gøre det endnu en gang.

Ken havde en vag fornemmelse af alt dette, inden han hævede panden fra arme og knæ. Han måtte samle styrke til den dag – og den ville snart komme – da Flicka skulle vænnes til grime og tøjle.

Han skubbede alle disse spekulationer fra sig, lukkede døren i for dem og frydede sig over den lille hoppe, der var hans. Den røbede for ham en mærkelig og fængslende personlighed lunefuld, sky, temperamentsbetonet. Nu gik den et par skridt over grønsværen. Ude i solskinnet blinkede dens fine hårlag som guld, mens den svingede sin lange hale frem og tilbage. Nu og da stod den ubevægeligt stille, når dens opmærksomhed fangedes af et eller andet, som Ken ikke så eller hørte. Den var som en statue med halsens fine bue, de smukke, rejste ører og hver linje i kroppen præget af liv og fine instinkter. Den fortryllede Ken, som heste fra tidernes morgen har fortryllet mennesker. Han var bjergtaget af den – som generationer har været det af andre heste.

Bare han kunne blive *rigtig* ven med den! Han havde gjort sit yderste for at vinde dens tillid. Han havde fulgt alle sin fars anvisninger. Flicka måtte vide, at han elskede hende, at han opholdt sig her udelukkende for at tjene hende, være god mod hende, men alligevel drejede hun hastigt hovedet bort, fik et vagtsomt udtryk i øjnene og veg tilbage, når han kom hende for nær. Når de andre unge plage galoperede over bjergskrænter og Flicka hørte dem, vendte hun sig mod lyden og længtes efter dem. Hun vrinskede af længsel. Ken vidste, at havde hun sin frihed og fire raske ben, ville han aldrig se hende mere hun ville forsvinde som en frigjort kraft – et glimt af røde og gyldne farver i flyvende fart over vidderne –.

Han sukkede. Nå – det var spisetid! Han måtte gå op til hovedbygningen efter sin mad.

Flicka stod, da han gik. Men da han havde spist og løb tilbage ad stien med begge hunde i hælene, stirrede han mod det sted på skrænten, hvor han sidst – og ofte før – havde set

Flickas hoved. Det var der ikke.

Han løb ned ad skrænten og så, at hun lå fladt på siden.

Da hun hørte ham, gjorde hun en kraftanstrengelse for at komme på benene, men det lykkedes ikke.

Ken standsede brat, stod nogle øjeblikke og løb så hen til hende og knælede ved hendes side. »Åh, Flicka!« udbrød han. »Hvad er der sket med dig, Flicka?«

Måske var hun ved at dø ... måske havde hun været dødssyg hele tiden – eller var der sket noget, mens Ken spiste sin frokost? ... Var hun faldet og kommet yderligere til skade? ... Havde hun brækket ryggen? ...

Ken vidste knap, hvad han gjorde. Han klappede og kyssede hendes ansigt, knælede ved hendes hals og omfavnede hende, så hendes hoved kunne støtte i hans arme.

Flicka gjorde endnu et forsøg på at komme op. Når en hest, som ligger på venstre side, vil rejse sig, ruller den sig om på bugen, retter forbenene, skubber sig frem imod dem og sætter samtidig af med højre bagben, indtil den kommer op at stå Det eneste ben, som ikke bruges, er venstre bagben, som dyret ligger på.

Flicka var klar til forsøget. Hun lå på bugen med benene samlet og hovedet løftet. Hun vrinskede og sluttede af med nogle få, korte grynt, der fik Ken til at smile, fordi han så tydeligt forstod, hvad hun sagde. Hun vrinskede ikke nervøst og utålmodigt, men meget beslutsomt, og de små grynt var udslag af en vis nervøs spænding – hun ville gennemføre sin beslutning, men var ikke ganske klar over, om det lykkedes.

Ken trak sig bort for ikke at være i vejen. Hun begyndte at stavre benene på plads, men brød pludselig sammen og sænkede atter hovedet.

»Åh, Flicka, Flicka!« råbte han, næsten sikker på, at der måtte være noget galt med hendes ryg. Han sank atter på knæ og tog hendes hoved i sine arme.

Hun sukkede dybt, lukkede øjnene halvt og slappede helt af, mens Kens små brune hænder bevægede sig over hendes hoved og hals, glattede de fine, silkebløde hår, kærtegnede ansigtets ædle konturer og kæmmede hendes pandelok.

Hun lod ham gøre det! Var det kun, fordi hun var så hjælpeløs? Var det måske – som hans far havde sagt – fordi hun nu i sin kvide og svaghed glemte den sidste smule frygt, så hun virkelig ønskede hans nærhed og holdt af ham? Al drengens nænsomhed og længsel kom i alt fald frem. Han pressede sine hænder fast mod hende – han lagde sin kind mod hendes hoved, og han kunne næsten ikke trække vejret af betagelse.

Omsider satte han sig atter på skrænten og ønskede inderligt, at eftermiddagen hurtigt ville få ende og Gus vise sig. Bussen ville sætte ham af på hovedvejen ved firetiden. Det ville tage ham en halv time at nå hjem, skifte om til arbejdstøj – han var taget til byen i et stramt, blåt sergessæt og med en mægtig filthat på hovedet – og gøre klar til malkning. Ken skulle drive køerne hjem i indelukket, sørge for foder til dem og fordele det i krybberne, så Gus ikke besværedes med andet end at lukke køerne ind i folden og malke dem.

Flicka var åbenbart faldet i søvn. Inden længe havde Ken også lagt sig til ro og var sovet ind.

I søvne hørte han en lyd – en langtrukken, jamrende klage. Den lød stærkere og stærkere, til den blev en frygtelig, forpint brølen, der fik Ken til pludselig at sætte sig over ende, dirrende af skræk. Lyden havde intet at gøre med Flicka, men også hun lyttede med hævet hoved.

Det var en ko, som brølede. Lyden kom fra øst, hinsides Kalvehaven. Der måtte være sket noget meget slemt, men hvad? Burde han undersøge det? *(Du har hele ansvaret –)* Måske var det pumaen. Han tænkte straks på winchesterriflen ... hvor var den? Den lå bag i bilen ... nej, officererne havde jo skudt med den, og bagefter havde hans far anbragt den i spisestuens geværstativ ... ja ... han kunne få fat i den og måtte have undersøgt, hvad der var galt ...

Ubeslutsomheden lammede ham; men pludselig tog han sig sammen, gjorde omkring og løb mod øst. Han fløj langs bækkens bredder, krydsede det smalle vandløb for at kunne løbe på jævnest grund. Nogle steder stod pilene så nær og tæt ved bækken, at han måtte løbe en omvej. Brølene fortsatte. Nå ... hvis det var vildkatten, havde den i hvert fald ikke dræbt koen ... den lavede en farlig ståhej ... måske havde vildkatten dræbt koens kalv.

Ken løb så hurtigt, at han ikke nåede at blive bange. Han så en rød herefordko – altså ikke en af deres egne jerseykøer. Den stod ved bækkens bred, hvor pigtrådshegnet krydsede vandløbet. Da Ken rullede under pigtråden og nærmede sig koen, kunne han ikke se noget galt. Så lige med ét gik det op for ham, og han blev ganske svimmel.

Den nederste pigtråd i hegnet var sprængt. Nogle gamle, rustne tråde havde viklet sig sammen, og hele spindet af skarp-pigget ståltråd var snæret om koens yver. Den havde prøvet at rive sig løs – en af patterne var omtrent flået af, og blodet strømmede fra den. Jo mere koen trak, des dybere gravede pigtråden sig ind i dens kød.

Ken førte hånden til sin overalls' baglomme. Hans far hav-de ofte formanet ham: *Lad mig aldrig gribe dig i at færdes på ranchen uden en pigtrådssaks i lommen!* Men der var ingen! Nu huskede han, at han havde fået rene molskinsbukser om mor-genen, og at pigtrådssaksen lå på bordet i hans værelse. Han styrtede afsted mod kostalden, hvor der måtte findes andre sakse. Mens han løb, håbede han, at Gus ville komme. Han spurgte sig selv, om han burde vente med at få koen frigjort, til Gus nåede hjem *(alt ansvar er dit ...)*. Nej – han måtte selv gøre det.

Det tog ham et kvarter at nå tilbage til koen med pigtråds-saksen, og da havde han løbet så hurtigt, at han måtte knæle ved koen nogle minutter, til vejrtrækningen kom i orden, og hans hænder blev så rolige, at han turde begynde sit arbejde.

Koen, der var vild af smerte, prøvede at sparke ham. Gang på gang kastede den sig fremad for at rive sig løs. Ken talte til den og klappede den beroligende, mens hans små næver, der ikke var vant til arbejdet, masede med saksen. Han klippede pigtråden over flere steder, fjernede den i småstykker og trak piggene ud af det blødende kød, til koen omsider var fri.

Han havde spurgt sig selv, hvad han vel yderligere kunne gøre for den. Den ene patte og nogle af de længste flænger burde vel syes sammen. Gus kunne måske gøre det, hvis Ken blot nåede at få koen hjem i deres egen stald; men dyret skånede ham for flere spekulationer. Så snart det følte sig fri, flygtede det i galop med blod og mælk drivende af sårene. Koen satte kurs mod sin hjemlige stald.

Ken gik langsomt tilbage gennem Kalvehaven til Flicka. Hun lå, som han havde efterladt hende.

Drengen var knuget af gru og ensomhed. Han gik ud efter køerne og fandt dem i sektion seksten, drev dem hjem til indelukket ved malkefolden og lukkede leddet efter dem. Han afvejede kraftfoderet og fordelte det i krybberne. Så gik han ud mod vejsiden, satte sig på en sten og rettede blikket mod det sted, hvor Gus først ville vise sig, når han kom hjem.

Ken kunne høre duret af den transkontinentale trafik – tuden af horn, støj af dårlig gearskiften. Belysningen ændredes. Skyggerne lagde sig lange over græsset ... han havde en fornemmelse af, at han gled ind i en dagdrøm, og hans blik flakkede ... men han tog sig sammen til virkeligheden. Flicka ... og koen ... han var filtret ind i påtrængende kendsgerninger og kunne ikke skubbe dem fra sig. Langt nede ad vejen så han en lille, sort plet – det var Gus, som kom traskende med armene svingende i store bevægelser fra sine skrå skuldre. Han gik, som om skoene klemte ham.

Ken hoppede ned fra sin store sten og løb, så hurtigt han kunne, ned ad markvejen for at møde Gus. Han kunne ikke udholde at vente et minut længere i sin ensomhed.

25

Ken ville gerne have haft Gus til at undersøge Flicka omgående, men intet kunne sinke svenskeren i først at gå op til arbejderhuset og slippe af med stadsklæderne.

Mens de fulgtes ad mod gården, fortalte Ken om dagens begivenheder – alle de skrækkelige ting, der var indtruffet, Flicka, som lå sløvt hen og nok var kommet til skade, Crosbys ko, der havde fået yveret sønderflænget i pigtråden, og Kens angst for, at det skulle være en puma, som var på spil. Mens han talte, så han ufravendt op mod den store forkarls ansigt. Gus havde lyseblå øjne med små sorte pupiller. Der var altid glans i øjnene, og når han smilede, trak han mundvigene opad som et barn. Intet kunne bringe Gus ud af fatning eller få ham til at jage. Den store, flotte *Sombrero* så pudsig ud på hans grå krøller.

Mens Gus klædte om i sit blå molskinstøj og trak i et par fjederstøvler, tøjrede Ken køerne i deres bindsler.

Selv efter at køerne var malket og drevet ud på græsgangene, ville Gus hverken se til Flicka eller spise aftensmad, før han havde været på Crosbys ranch for at høre, hvordan det gik den sårede ko.

Ken stillede aftensmaden frem i arbejderhuset, hvor han spiste sammen med Gus, så snart svenskeren vendte tilbage. De fik koldt oksekød med varme kartofler og æblegrød med tyk, gul fløde.

Koen var løbet hjem. Da Gus ankom til ranchen, var Crosby i færd med at forbinde dens yver. Gus hjalp ham og fortalte samtidig om, hvordan Ken havde fundet koen og klippet den løs af pigtråden. De havde brugt lærredsbind og hæfteplaster.

»Hvorfor syede I ikke sårene sammen?« spurgte Ken.

Svenskeren rystede på hovedet. »Koen er færdig. Den kan hverken bruges som avlsdyr eller malkeko. Crosby sender den til slagteren.«

Gus vaskede tallerkener, Ken tørrede op og stillede dem på plads. Så tog Gus sin pibe, tændte den, satte sin gamle, slidte hat på hovedet og fulgte med drengen ned til Flicka for at se på dyret.

Ken medbragte en spand havre. Da han og Gus var nået halvvejs, begyndte han at fløjte og kalde på Flicka.

Pludselig standsede han og greb hårdt i forkarlens arm. Han råbte atter Flickas navn, og hun svarede med en vrinsken.

»Åh, Gus – kan du høre, hun kalder på mig?«

»Ja, minsandten!« sagde Gus smilende. »Det gør hun virkelig.«

Ken løb i forvejen ad stien og råbte: »Flicka – Flicka – Flicka –.« Den lille plag vrinskede atter ivrigt.

Da Gus nåede frem, sad Flicka halvt op på forbenene og åd af den havre, Ken hældte i foderkassen.

»Det er sjovt nok, men hendes appetit fejler ikke noget,« sagde Gus langsomt, mens han betragtede hende. »Hun ser ikke ud til at være hverken syg eller såret.«

Han satte sig på skrænten. Det var godt at være i arbejdstøjet. Det var rart at komme hjem. Han røg eftertænksomt og fredeligt i sit velvære.

»Hvad tror du, det kan være, Gus?« spurgte Ken ængsteligt. »Skal vi prøve at rejse hende?«

Gus rystede på hovedet. »Lad os hellere vente, til din far kommer hjem. Det kan naturligvis være noget med hendes ryg – men sådan som hun nu sidder og æder havre – ærlig talt, jeg kan ikke regne den ud!«

Ken hentede en spand vand. Flicka dyppede villigt sin mule i det og drak.

»Hun er nu en fiks, lille tingest,« sagde svenskeren.

»Du tror da ikke, hun er *loco,* vel?« Ken trillede spanden bort og satte sig i græsset hos Flicka med armene om hendes hals.

»Nej. Se blot på hendes ansigt – og øjnene. Hun har ingen

hvide ringe om øjnene, som Raket havde det.«

»Jamen, Gus – hun *prøvede* at hoppe over hegnet –.«

»Det er hendes skidte mor – dårlige vaner, forstår du. Da hun løb sammen med Raket, masede de sig gennem alle hegn.«

»Ja. Far sagde, at hun altid skulle smadre gennem vores hegn sammen med sin gamle mær af en mor.«

»Ja, Ken, det var jo Raket, der dresserede hende og fik føllet til at følge efter sig. Det er tydeligt nok. Føl løber nu engang altid i hælene på deres mødre. Men nu er det en anden sag. Nu har Flicka selv prøvet at smadre et hegn, og hun faldt og slog sig. Hun oplevede nogle meget ubehagelige minutter, mens hun lå på jorden, og pigtråden flængede hende, så det sved og brændte. Måske er hun fornuftig nok til at have taget ved lære, og det er meget muligt, hun aldrig mere vil prøve at hoppe over et pigtrådshegn.«

»En gang, da jeg red på Shorty, trådte han på en lille stump løs pigtråd, som lå i græsset – bare en gammel, rusten tråden-de, som ikke var mere end nogle meter lang – men i samme øjeblik, som Shorty rørte den, kom han til at ryste over hele kroppen.«

»Shorty er en klog hest.«

Kens familie kom ikke hjem før over ti. Gus var for længst gået i seng, men Ken ventede på højen bag stuehuset. Her sad han og de to hunde og stirrede spejdende mod den tomme vej. Der var en vrimmel af stjerner på himlen, og Mælkevejen tindrede så klart, at den sendte et blidt lysskær over skove, marker og vandløb.

Ken følte en varm glædesbølge gennem sin krop, da han omsider så vognlygterne. Chaps gav sig til at gø, begge hunde havde rejst sig og trippede uroligt omkring drengen, mens de logrede og sloges for sjov.

Bilen tordnede op ad skrænten, drejede og stoppede. Ken sprang op på trinbrættet og stak hovedet ind ad forreste åbne rude.

Dér var hans mor. Hun smilede til ham, hendes grønne

turbanhat skinnede, og alle talte samtidig. Hun sagde: »God aften, min dreng. Nu er vi her. Har du været meget ensom?«, mens Howard råbte fra bagsædet: »Du har vel nok snydt dig selv! Du skulle have set væddeløbet mellem de vilde heste – tre indianere blev smidt af.« Kens far så efter, om han havde glemt noget på sædet, gav Tim vognnøglerne og bad ham om at tømme bagagerummet for sækkene med kartofler og løg.

»Howard – du kan hjælpe med at læsse af og stille sækkene på plads,« tilføjede han, inden han vendte sig mod Ken og sagde: »Der er noget, jeg skal tale med dig om, Ken.«

»Far, Flicka –.« Det var tredje gang, Ken havde sagt disse ord.

»Kom med.« Hans fars hånd lagde sig fast på Kens skulder og skubbede ham lempeligt med uden om husgavlen.

»Far, Flicka –.«

»Ken, jeg er stolt af dig.« De stod på terrassen, og Ken, der gabede af undren over, hvad han hørte, stirrede op på McLaughlins ansigt. Det var træt, men der var et stort smil om hans mund – hans hvide tænder skinnede i mørket.

Ken gloede kun.

»Det er på grund af Crosbys ko,« sagde McLaughlin. »Vi holdt ved stationen for at hente post på hjemvejen. Crosby var også nede ved Tie Sidings efter *sin* post. Han fortalte mig, hvordan du havde klippet hans ko løs af pigtråden, da den var blevet hængende fast med sit yver, og at Gus var redet over til ham for at fortælle det.«

Ken var atter på nippet til at sige Flicka, da McLaughlin hævede en af de små drengehænder og holdt den fast i sin egen store, stærke og hårde næve. »Jeg har altid før troet, at dine hænder ikke duede til noget. De er alt for blide. Men i dag har de tumlet med en pigtrådssaks og klippet en ko løs, der var vild af smerte. Sådan noget har du aldrig før kunnet magte. Hvad fik dig til at gøre det?«

Det kunne Ken ikke selv forstå, men han sagde: »Jo, hun brølede så forskrækkeligt, at man kunne høre, der var noget i vejen. Jeg troede, det var en puma, som var efter hende, og så huskede jeg, du havde sagt, at *hele* ansvaret var mit, og så tænkte jeg på, at hvis det nu havde været Flicka –.«

»Nå Flicka! Javel!« McLaughlin begyndte at gå hen imod døren, men vedblev at holde Kens hånd i sin. »Hvad var det så, du ville fortælle mig om Flicka?«

Ken skyndte sig at fortælle om Flickas hjælpeløshed, og McLaughlin lyttede alvorligt.

»Hvorfra ved du, at hun ikke kan rejse sig?« spurgte han.

»Fordi hun prøver på det. Hun hæver hovedet og stabler sig halvvejs op på forbenene, men så falder hun ned igen. Hun opfører sig, som om hun har fået ryggen beskadiget,« tilføjede han, mens hans øjne fastholdt faderens i ængstet spørgen.

»Hvordan ligger hun?« spurgte McLaughlin.

»På venstre side – nede på den lille græsning,« sagde Ken og tilføjede: »Gus og jeg prøvede ikke på at flytte eller rejse hende, fordi vi mente, du bedst vidste, hvad vi skulle gøre.«

»Så kan hun vel ikke æde noget?« spurgte McLaughlin træt.

»Jo, hun æder sin havre.«

»Hvordan?«

»Jeg stiller foderkassen lige under hendes hoved, så løfter hun hovedet og æder.«

»Hele foderet?«

»Ja, hver kerne. Jeg gav hende også vand i en spand, og hun drak af den.«

»Så fejler hun ikke noget videre. Jeg skal se til hende i morgen, Ken.«

»Åh, far, kunne du ikke nok –.«

»Hold mund!« tordnede McLaughlin på vej til døren. »Kan man da for pokker aldrig få fred? Det er på høje tid, du skrubber i seng – kom nu!«

Efter at de havde spist den følgende morgen, gik Rob ned til »barnekammeret« for at se på Flicka. Nell lod opvasken stå og ledsagede ham med katten på sin ene skulder. Howard og Ken var løbet i forvejen.

Flicka havde ædt sit morgenfoder og slikket de sidste hav-rekerner af foderkassen. Hun løftede uden vanskelighed sit hoved, vrinskede nu og da, men ville ikke rejse sig.

Robs diagnoser blev stillet i en fart. Han sagde: »Gå væk fra hende – alle sammen. Jeg ruller hende om på den anden side.«

Flicka lå på venstre side. McLaughlin gik bag om hende, bøjede sig frem og tog fat om begge hendes forben. Samtidig med, at han trak tilbage, drejede han benene og fik hende lempeligt trimlet over på højre side.

Plagen begyndte øjeblikkelig at stavre forbenene frem og havde det ene bagben rede til at sætte af. Den gjorde en kraft-anstrengelse for at komme op – og det lykkedes. De lo alle. Flicka blev stående roligt midt i deres kreds, og da Ken gik hen til hende og tog hendes ansigt mellem sine hænder, lod hun det roligt ske.

»Hendes ryg fejler intet,« sagde McLaughlin. »Det er hen-des ben – det højre bagben. Hun kunne ikke bruge det til at sætte af med, og da hun lå på venstre side, kunne hun ikke komme op uden at bruge det.«

»Jamen, hun *har* brugt det før,« sagde Ken forskrækket.

»Javist. Det så også ud til at være kommet sig, men se på det nu. Det er meget hævet. Hun har betændelse i det, og det gør mere ondt end de friske sår. Læg mærke til, at hun ikke støtter på det.«

Kens ansigt fik et udtryk af dyb ængstelse, da han så, hvor ophovnet Flickas højre bagben var over knæhasen. Enhver vidste, at det farligste ved pigtrådssår var betændelserne, de ofte fremkaldte. »Hvordan kurerer man betændelser på he-ste?« spurgte han stammende.

Nell svarede opmuntrende: »Akkurat som når det gælder et menneske. Våde omslag; grødomslag, så betændelsen trækker til og såret åbnes.«

Flicka var hverken bange eller nervøs. Mens Ken kælede for hende og strøg hende over halsen, så hun tillidsfuldt og taknemmeligt på ham.

»Det bliver ikke svært at kurere på hende, nu da hun lader os komme helt hen til sig,« fortsatte Nell.

»Hvorfor gør hun det, far?«

»Tja,« sagde McLaughlin bittert, »hun har jo kun tre ben, som kan bruges – der er ikke store chancer for, at hun kan undslippe, vel?«

Han gik, og Howard fulgte ham. Ken vidste, at hans far ikke kunne holde ud at se syge dyr, men hans mor sagde: »Det skal vi hurtigt få klaret, Kennie. Jeg skal hjælpe dig.«

En tung byrde var løftet af Kens skuldre. Dø skulle Flicka i hvert fald ikke, og hendes ryg var da heller ikke brækket. Han fulgte med sin mor op til stuehuset, hvor hun kogte melgrød, fyldte den i en linnedpose og blandede desinficerende midler i en spand til afvaskning. Ken bar spanden.

Flicka så dem komme, og skønt Ken slæbte på en spand og Nell bar et fad med melgrød og forbindinger – nok til at skræmme selv den bedst dresserede hest – viste hun intet tegn til frygt.

»Hun *er* da meget fornuftig, ikke, mor?« mumlede Ken, mens de ordnede grødomslaget. »Tror du ikke, hun forstår, at vi vil hjælpe hende?«

»Man skulle synes det.« Nell havde travlt med forbindingerne. »Stå nu ved hendes hoved, Ken – hun er vant til dig – mens jeg ordner dette –.«

Flicka hævede benet, mens Nell badede det og bandt grødomslaget på. Det dannede en pudsig, hvid klump over hasen.

26

Ken var begyndt at drømme om natten. Han havde aldrig

fred. Om dagen tyngedes han af sit nye store ansvar, af sit lidenskabelige håb og plejede Flicka så omhyggeligt som muligt. Om natten oplevede han i drømme det ene eventyr efter det andet, og de var ofte forfærdelige. Gang på gang mumlede han i søvne eller skreg højt, så forældrene blev bange og skyndte sig ind til ham. Der var noget, som stadig forfulgte ham – noget ukendt, grusomt og blodtørstigt.

Det var en eneste lidelse, og man kunne efterhånden se det på ham. Drengene plejede at vokse kendeligt i ferierne, men lagde sig også ud i bredden. Det skete ikke denne sommer med Ken, der kun løb i vejret og ikke tog på i vægt. Hans ansigts udtryk var ængsteligt og spændt.

Der var så megen spænding i hans ængstelse, at han følte sig som en bue, der spændes for hårdt. For første gang oplevede han at præstere noget nyttigt. Det var ikke bare hans hænder, som var blevet anderledes. Hele den slaphed, der kendetegnede hans dagdrømmerier og flugt fra kendsgerningerne, var forsvundet. Han gik og stod, så og handlede med iver og beslutsomhed. Han var forelsket. Han havde fået tag i noget meget væsentligt og kæmpede så determineret som Jakob med englen.

Han havde vundet Flickas venskab. Nu havde han en hest på samme inderlige og personlige måde, som Howard havde Highboy. Endnu kunne han ikke ride den; men Flicka var hans, fordi hun selv havde givet sig til ham.

Hun elskede hans hænder, deres berøring, deres kærtegn. Hun holdt af, at han stod foran hende med hænderne om hendes kæber, mens de så hinanden i øjnene som to elskende. Han tilbragte al den tid, han kunne afse, hos Flicka.

Mens hun åd sin havre, glattede hans hånd det silkebløde skind under hendes manke. Dets hårlag var tæt og blødt som silkefløjl. Hans fingre legede med de lange, gyldne lokker, og han redte pandelokken sirligt ned mellem hendes øjne. Hun var lidt bredpandet – som en araber – og der var langt mellem hendes øjne. Ken gemte en strigle og en kardæsk i en af poplernes grengafler. Han striglede og børstede hende ofte og nænsomt. Flicka nød det. Mens han puslede om hende eller knælede for at strigle hendes ben og polere hendes små hove, der var blanke og fine som flødegul marmor, drejede hun hovedet efter ham, fulgte ham med øjnene og hvilede sin hage på ham, når det var muligt. Ken vænnede sig til at føle hendes varme, fugtige læber mod sin skulder eller ryg, og hans mor klagede over de mange poloskjorter, Flicka grisede til.

Han forkælede hende. Snart gad hun ikke selv gå ud i bækken for at drikke, men ventede, til han holdt en spand vand for hende. Hun drak og hævede sin dryppende mule op af spanden for at lade den hvile på hans skulder, mens hendes gyldne øjne så drømmende mod horisonten. Så sænkede hun atter mulen mod vandet og drak.

Når hun drejede hovedet mod syd, rejste ørerne og stod i spændt lytten, vidste Ken, at hun hørte de andre plage galopere over bjerget.

»Du skal nok komme tilbage til det alt sammen, Flicka,« hviskede han. »Når du bliver tre og jeg tolv år gammel, er du så stærk, at du slet ikke mærker, du bærer mig på din ryg, så suser vi afsted som blæsten. Vi vil standse øverst oppe, hvor vi kan se ud over hele verden og lugte sneen på Neversummer Range. Måske opdager vi en antilope –.«

Da benet begyndte at komme sig, fulgte Flicka Ken, hvor han gik. Hun kom humpende, når han fløjtede, og drejede, når han drejede, så hun stadig gik ved hans side. Ofte holdt han en hånd under hendes hage eller bøjede armen under hendes hals, så han kunne lægge sin hånd på den af hendes kæber, der vendte bort fra ham. Undertiden knugede han hende, undertiden hvilede hans hånd ganske let på hendes manke med nogle af mankens lokker flettet om sine fingre.

Det var dette, han altid havde drømt om – selv at eje en hest, der kom, når han kaldte, og frivilligt fulgte ham, hvor han gik.

Når han var på vej til hende med havre, kunne det ske, at

han standsede og tænkte på alt dette i salig fryd. Det var gået netop, som hans far havde sagt ... hun spejdede efter ham, som var han kernen i hele hendes tilværelse. Hun tænkte tilsyneladende kun på ham. Hun ventede sagte vrinskende ved leddet til kvægfolden, når han kom med havre til hende ganske tidligt om morgenen. Hun snusede til havren, men han holdt den bort fra hende og skyndte sig ned ad stien, mens han forklarede, at hun burde indtage sit første måltid pænt i »barnekammeret«. Flicka humpede afsted ved hans side. Hun vidste lige så godt som han, hvor de skulle hen. Før de nåede skrænten, skyndte hun sig i forvejen, så hun stod rede ved foderkassen, når han hældte havren op til hende.

Når Ken havde spist sin morgenmad, kom han tilbage sammen med sin mor og katten Pauly. Også nu vidste Flicka, hvad der skulle ske. Hun gjorde omkring, humpede foran dem til »barnekammeret«, stillede sig til rette på det vante sted og løftede benet, mens Ken fjernede forbindingen.

Al hendes skyhed og frygt var forsvundet. Hun lod sig ikke mere skræmme. Samtidigt med at hun sluttede sig til Ken, fik hun en følelse af, at mennesker vist i grunden var venlige og troværdige, og at deres underlige forehavender var ganske harmløse.

De skiftede bandagen hver dag, vaskede såret med desinficerende væske og lagde nyt grødomslag på. Ken tændte bål på ridebanen bag hegnet og brændte de gamle bandager.

Flicka lyttede hele tiden til Kens passiar med moderen og vendte sig skiftevis mod dem, som forstod hun, hvad de sagde.

»Far siger, Flicka *kan* forstå mig,« hævdede Ken. »Hun kan i hvert fald tale, og jeg forstår mindst seks af de ting, hun siger.«

Hans mor pralede: »Pauly kan skam også tale. Hun kan sige syv ting.«

»Hvad kan hun sige?« spurgte Ken udfordrende.

»Hun kan sige: *God morgen, god morgen, god morgen! Hvor har jeg ventet længe på dig!* Det siger hun, når hun har siddet i køkkenet og ventet på, at jeg skulle komme og lave morgenmad. Hun kan sige: *Må jeg ikke godt få det og tak skal du have* og *Hvad er det nu, du vil?* og *Er det ikke et yndigt vejr? Skal vi ikke foretage os noget?* og *Lad mig være i fred!* Det er, når hun føler sig nervøs. Og hun kan sige: *Jeg er en stakkels, hjælpeløs lille kat, der prøver på at komme frem i verden.*«

»Det var de syv ting,« sagde Ken.

»Hun kan i virkeligheden sige mere. Hun siger altid *noget,* når jeg taler til hende – måske kun et enkelt ord.«

»Hvilket ord?« spurgte Ken misundeligt.

»Det skifter: *Hvad* eller *ja* eller *tak* eller måske *Åh for pokker!*« For at bevise sine påstande så Nell på Pauly, der lå sammenkrøbet som en sfinks på skrænten med de gule øjne halvt lukkede. Nell kaldte skarpt på hende.

Paulys svar kom aldeles omgående. Det var et lille skarpt, spørgende mjav, som tydeligt sagde: *Hvad er det nu, du vil?* Ken måtte indrømme, at det kunne han ikke få Flicka til.

Plagen blev øjensynligt raskere. Den kunne nu humpe hele Kalvehaven rundt på sine tre ben. Tidligt om morgenen stod den oppe på bjergskrænten nær de tre fyrretræer og med siden mod solen. Det var dens radiumkur, sagde Nell. Så snart Ken vågnede, for han hen til vinduet for at se Flicka stå derude så ubevægelig som en statue med slap hals og sænket hoved, som alle heste står, når de tager solbad.

Grødomslagene åbnede og rensede såret over hasen for materie og fjernede ømheden, så Flicka nu kunne rejse sig frit. Snart begyndte hun at støtte på benet, og så mente Nell, det var på tide at holde op med grødomslagene.

Den store drøm var blevet virkelighed. Han havde vundet en sejr, der fyldte hans lunger, strålede i hans øjne og gød kraft i hans hænder. Flicka var hans. Hun var blevet rask, hun elskede ham. Der var kun ét tilbage nu ...

»Far!« sagde han, da de sad ved aftensmaden. »Nu er Flicka *min* hest. Hun kan lide mig.«

»Det glæder mig, Ken,« sagde McLaughlin. »Det er vidunderligt at have en hest til ven.«

Kens ansigt var spændt og lidt hærget. »Hendes ben er meget bedre,« sagde han. »Nu smerter det ikke mere – så ...«

»Så hvad?«

»Ja, så må vi vel have det undersøgt, ikke?«

»Hvilket?«

»Om hun er *loco.*«

»*Loco!* Vel er hun ej!« gryntede McLaughlin.

»Du sagde selv, at vi ikke kunne vide det, før vi begyndte at tæmme hende.«

»Har du gået og spekuleret på det i al denne tid? Den lille plag har så godt et sind som nogen hest, jeg har set.«

»Men hvordan kan vi vide det, far? Måske er hun sindssyg – som Raket. Måske bliver hun helt vild, hvis vi prøver at give hende grime eller tøjle på – og det *skal* vi jo have overstået ...«

McLaughlin betragtede sin lille søn med et drilsk smil. »Nå, er det *det,* du fisker efter? Skal du have hjælp til at tæmme et vildt fruentimmer?«

Kennie nikkede. Robs blik mødte Nells, og han skubbede stolen tilbage fra bordet, fik ild på piben og så alvorligt ud ad vinduet.

»Jeg tror, vi kan nå det i morgen,« sagde han omsider. »Ja, det går nok med tiden. Vi tager fat, så snart vi har spist morgenmaden.«

Da de havde spist, flygtede Ken fra stuen og løb ned til Flicka med havre. Han fortalte hende om morgendagen, glattede hendes manke og bad hende om at opføre sig pænt. Han forsikrede, at der ikke var nogen grund til at være bange for grime eller tømme. Han fortalte om, hvordan han og Howard havde vænnet de andre plage til at gå for tøjle, at plagene havde været glade for at lære det, og at de alle havde haft det morsomt, mens det varede. Han tiggede og tryglede hende – *Å Flicka –.*

Ken begyndte at spekulere på, hvad der ville ske, hvis hun ikke opførte sig godt. Han tænkte på Raket og på den gabende mineskakt – så lagde han sin pande mod Flickas manke og blev tavs, for den slags kunne han ikke fortælle hende – hun ville ikke begribe et muk.

Nell kom og kaldte på ham. Hun plejede hver dag at aflægge visit hos Flicka. Hun og drengen fulgtes ad gennem vænget. Luften var sød af vilde rosers duft. På solnedgangshimlen skiftede strimer af dyb rosa, guld og blegrødt med blåt af himmeldybet. Violette og mauvefarvede skyer tårnede sig op over solglansens genskær. Månen og en nær stjerne skinnede blegt i dette farveorgie.

Nell greb fat om Kens ene skulder og drejede ham hurtigt om, inden han så seglmånen. »Kennie, der er en ny måne på himlen – se op på den over din venstre skulder – det giver held.«

Ken kiggede lydigt på månen over skulderen. Han ville helst have set længe på den. Bare det dog kunne bringe held – bare det dog kunne sikre ham held i morgen! –

27

Næste morgen stod Gus som sædvanlig lænet mod køkkendørens karm og spurgte: *»Hvad skal vi lave i dag, chef?«* Og McLaughlin begyndte at instruere om en fuld dags slid.

Han planlagde høhøsten. De var nået midt ind i august, og græsset var højt og modent. De kunne slå det tidligt i år. Vejret havde været så fint, at alle ranchejerne i nabolaget gjorde klar til høsten. Mange steder havde slåmaskinerne allerede lagt deres brede strimer af duftende hø langs vejen. Der var en ny lugt over landskabet. Når høhøsten begyndte i Wyoming, sagde man, af duften kunne spores i hundrede miles omkreds.

Slåmaskinernes knive med de små, skarpe, trekantede blade skulle efterses, boltene strammes, slidte dele udskiftes og nye tænder sættes i riverne. Seletøjer skulle bødes, stakkema-skinerne repareres.

Ken sad næsten syg af spænding, mens hans far instruerede Gus og pålagde ham et meget omfattende dagværk.

»Men inden vi tager fat på alt det andet, Gus, skal Ken have sin plag vænnet til grime og tøjle,« tilføjede McLaughlin. »Jeg vil gerne have, at både De og Tim er til stede, mens det foregår –.«

Gus spilede forbavset øjnene op. Han skævede til Ken, der var blodrød i hovedet og sad med bøjet nakke: »Javel, chef – hvor skal det foregå?«

»Nede i Kalvehaven. Kald på Tim.« – McLaughlin rejste sig fra bordet. – »Vi starter med det samme, så vi kan få det overstået.«

Tim og Gus kom fra staldene med lasso, grime og reb.

Tilskuerne stod i en klump lige inden for hegnet, mens McLaughlin og Ken gik et lille stykke ind over græsset. Ken fik ordre til at kalde på plagen.

Han adlød, og inden længe kom Flicka til syne over højen og travede hen til Ken.

McLaughlin løste det røde tørklæde af Kens hals, rakte ham det og sagde: »Slå det om halsen på hende og bind det i en løs knude.«

Ken adlød, forbløffet over denne mærkelige ordre, og Flic-ka opfattede det hele som et nyt kærtegn og gnubbede mulen mod hans nakke.

»Tag din livrem af,« sagde McLaughlin.

»Her? Nu?« spurgte Ken, som var komplet forvirret.

»Stik den gennem tørklædet,« befalede hans far.

Da Ken havde gjort det, hang remmen i en løs løkke under Flickas hals. McLaughlin slog ud med hånden: »Gå så ned ad stien med hende – stik din ene arm ind i remmen.«

Det gjorde Ken, og McLaughlin trak sig tilbage til sin kone. Han lagde armen om hendes skuldre og lod, som om han støttede sig tungt til hende. Han morede sig fortræffeligt.

Ken gik ad stien, og Flicka humpede afsted tæt op til ham. Da de nåede poplerne ved skrænten, råbte McLaughlin: »Gør omkring og kom tilbage! Slip remmen, men hold din hånd i luften under hendes hage!«

Ken adlød. Halsklædet og remmen hang løst dinglende om Flickas hals. Ken holdt sin hånd frit i luften under hendes hage, førte hende med en usynlig grimetøjle, og den lille plag fulgte ham så nær, som hun kunne.

»Det kalder jeg at vænne en plag til grimen,« sagde McLaughlin med et bredt smil, da Ken nåede op til ham. Ken var mere end forbløffet. »Men, far –,« sagde han, »hun har jo ikke haft grime på –.«

»Du er ikke let at overbevise, min unge ven,« sagde Rob. »Men lad os se! Giv os en grime, Gus!« Gus kom med grimen.

»Læg den på hende,« sagde McLaughlin.

Ken blev bange, holdt grimen i sine hænder, vendte sig mod Flicka, men blev stående.

»Hvordan skal jeg gøre det?« spurgte han og huskede, hvordan han og Howard havde kæmpet med de andre plage, når de skulle have grime på.

»Ligesom når jeg lægger hovedtøj på Taggert,« sagde hans far.

Ken huskede nøje, hvordan det foregik. Hans far nærmede sig altid Taggert med hovedtøjet rakt frem, så hun kunne se det. og Taggert stod roligt, til hun kunne stikke hovedet i det.

Han opbød alt sit mod og gik hen mod Flicka med grimen i sine hænder. Flicka, der elskede Kens hænder, som kun havde givet hende kærtegn og andre livets goder, gik ham i møde. Ken smøgede grimen over hendes hoved og spændte dens kindrem.

»Træk hende så,« sagde hans far.

Ken adlød og gik en snes skridt ned ad stien med hende, standsede, gjorde omkring og vendte tilbage. Flicka fulgte ham hele tiden så tæt, at grimetøjlen hang slap.

»Men hvordan er hun dog blevet grimevant, far?« spurgte

Ken, der stadig var helt omtåget.

McLaughlin gav intet direkte svar. »Det var alt, mine herskaber,« sagde han henvendt til tilskuerne. Gus og Tim grinede begge bredt. »På den måde tæmmer man heste på Goose Bar Ranch. Jeg ville ønske, Ross Buckley havde været her og set det.«

»Men, far,« protesterede Ken og tog grimen af Flicka. Hun snusede nysgerrigt til den og nippede i den med læberne.

»Find selv ud af hemmeligheden,« sagde McLaughlin oprømt larmende, idet han gik. »Kom med, Gus og Tim – vi skal have set på maskinerne ...«

Ved middagstid gik Ken i vandet sammen med sin mor. McLaughlin og Howard var kørt ind til byen for at købe reservedele til slåmaskinerne.

McLaughlin havde lavet et temmelig stort svømmebassin på en lille græsning mellem engene ved at opstemme hjortebækken, kort før den løb sammen med Lone Tree-bækken. Omgivelserne var maleriske med stejle klipper, rislende vandløb og spredte buske.

Ken lå på maven på springbrættet, der ragede ud over bassinets dybeste ende. Solen bagte på hans nøgne, våde krop. Det var dejligt. Der var fred både i hans sind og uden om ham. Nu var der intet at frygte. Han behøvede ikke mere lukke sin hjernes trætte døre i for tanker og skræmmebilleder, der gav ham kvalme og kuldegysninger. Alt var, som det skulle være, solen, vandet, Flicka, hans far –.

Nell flød på vandet i sin yndlingsstilling med krydsede ankler. Hun lå mageligt og bekvemt som på en divan. Hendes hoved i den hvide badehætte var lagt så langt tilbage, at vandet nåede op over hendes ører, og hun så hele landskabet i fiskeperspektiv, som lå hun på bunden af en skål, hvis vægge dannedes af træerne, bjergene og de stejle klipper, der omgav hende. Himlen lukkede sig blå over hende med små drivende og lette skyer. Sådan hvilede hun fuldkommen.

Livets larm og tummel var stilnet af. Alt det, der havde set helt håbløst ud, var blevet forunderlig nemt og godt. Trælsomt arbejde var udført, bekymringerne forbi. Nu blev Flicka raskere for hver dag. Rob var mere omgængelig og venlig mod Ken – og Ken selv var rørende lykkelig.

Nell vendte sig om på brystet og svømmede med lange, dovne tag gennem vandet. Hendes brune fødder, der var små, magre og så velskabte som et barns, pjaskede med korte, hårde smæk, til der dannedes skum som kølvand efter dem.

»Mor, se Pauly«, råbte Ken. Nell drejede hovedet og så den lille kat stå ængsteligt trippende på bredden, som betænkte den sig på at hoppe ud til hende.

»Kom, Pauly!« kaldte hun og spekulerede på, om man nogen sinde kunne lokke en kat i vandet. Den mjavede ivrigt, løb frem og tilbage langs bredden, standsede nu og da for at strække en pote frem og røre ved vandfladen. Pauly krummede sig sammen som til spring, men den vovede det ikke.

Nell vadede ind mod bredden, rakte hænderne frem, og Pauly sprang i hendes arme og klatrede op på hendes skulder.

På vej hjem gennem den oversvømmede eng lod de Pauly følge sig, som den bedst kunne. De ville se, hvordan den lille kat klarede problemet.

Ville den forlade dem og løbe hjem over bjerget? Nej! Pauly ville hverken forlade dem eller forlades af dem. Den lod sig hverken skræmme af vandet eller det høje græs.

Den fulgte dem i en række spring og landede med et plask, når den havde hoppet så højt, at den kunne se Nell og Ken over græsset. Den gav ikke en lyd fra sig, men brugte al sin kraft og energi til de uafladelige hop.

Omsider tog Nell den op til sig og satte den på sin ene skulder.

Pauly begyndte straks at slikke sig tør og glatte den bløde, brune pels, der var blevet pjusket og oversprøjtet.

Der var endnu noget, som pinte Ken. Hestegraven i den gamle mineskakt havde gjort et dybt indtryk på ham.

»Er det nu helt brandsikkert, at Flicka ikke er *loco?*« spurgte han.

Nell standsede og betragtede sin lille søn under skyggen af den store stråhat, der sad løst på hendes hoved. »Går du stadig og tænker på det, Kennie?« spurgte hun.

»Hvordan kan man være *helt* sikker? Nu er hun grimevant – på en *måde* da – det forstår jeg nok. Men hun er hverken *rigtig* tæmmet eller dresseret. Der er stadig en masse at gøre.«

Nell stod stille nogle minutter. Det lunkne vand nåede hende over anklerne og det høje græs næsten til livet Hun gik med sin badekåbe over armen og lod den korte, sorte badedragt tørre på kroppen. Hun ville gerne én gang for alle drive frygten ud af Kens sind.

»Naturligvis er Flicka hverken dresseret eller tilredet endnu,« sagde hun. »Du har også ret i, at det ikke altid vil gå så glat med hende som i morges. Flicka vil trodse dig – hun vil sætte sig til modværge – og du må lære hende at lystre. Det skal nemlig gøres. Men jeg kan love dig, Kennie, at det hverken vil skaffe dig bekymringer eller stort besvær – det vil gå meget let og hverken volde hende smerte eller gøre dig ked af det –.«

»Hvorfor ikke?«

»Flicka holder jo af dig, ikke?«

»Jo – *det* gør hun!«

»Det viser, at hun er en klog og fornuftig hest, og en klog hest, der har lært at omgås mennesker, vil nok kæmpe, men altid kæmpe fornuftigt – det er egentlig hele hemmeligheden.«

»Hvorfor viser det, at hun er klog?«

»Fordi kærlighed er det eneste, der kan forjage al frygt og give mod til at erkende virkeligheden. Hvordan tror du, verden var uden kærlighed?«

Ken begreb ikke et muk.

»Hvordan tror du, vi ville have det hjemme eller her på ranchen, hvis vi ikke holdt af hinanden?«

Ken sagde »Ah!« og hans mund blev stående åben som en

lille mørk og skæv oval i det troskyldige og undrende ansigt.

Nell gik videre. Hun skævede til Ken og smilede ved tanken om, at han havde tænkt lige så lidt på kærlighed som på luften, han indåndede, og jorden, han gik på. Hun prøvede atter at forklare ham, hvad hun mente.

»Hvis man møder *kærlighed* – og det er lige meget, om det er et menneske eller et dyr, som møder den – finder man også fred og sikkerhed – ikke sandt? Kærlighed er trøst i nøden, venskab og hjælp. Alle længes efter at møde kærlighed – al slags kærlighed. Men hvis nu Flicka – for eksempel – havde mødt din kærlighed uden at være så klog, at hun forstod det, hvis hun lønnede din kærlighed med stadig at være vild og gal af skræk –.«

»*Så* havde hun været *loco?*« afbrød Ken, der omsider begyndte at finde mening i Nells forklaringer. Han så ivrigt spørgende på sin mor.

Nell nikkede. Pauly, som sad på hendes skulder, stak en lille rød tunge frem og slikkede Nell på kinden.

Ken råbte triumferende: »*Så er hun ikke loco!*«

Da Ken om aftenen kom hjem efter at have fodret Flicka, gik han ud til sine forældre på terrassen og sagde med en opgivende hovedrysten: »Nu må vi begynde forfra med grødomslagene, mor –.«

Nells latter hørte op ved Kens ord. Hun vendte sig om for at se på ham. »Hvad er der i vejen, Ken?«

»Låret svulmer op igen over hasen, og hun støtter ikke på benet.«

Kens forældre sad så tavse og alvorlige nogle øjeblikke, at drengen blev bange. »Grødomslagene kurerede hende jo i første omgang – så kan de vel også gøre det nu, ikke?«

Nell rejste sig hurtigt. »Lad mig se på det, Ken –.«

McLaughlin gik med.

De undersøgte såret, der var meget hævet og åbenbart smertede en del. Flickas venstre forben var også hovnet op lige fra knæet til såret i bringen.

Ken blev forfærdet, da hans far gjorde ham opmærksom på dette nye område for infektionen. »Kan vi ikke give hende grødomslag der?« spurgte han bekymret.

Nell nikkede. »Jovist! Det bliver ikke nemt at få anbragt en forbinding; men vi klarer det vel.«

Da McLaughlin næste gang vendte hjem fra byen, medbragte han en flaske serum og gav Flicka en indsprøjtning.

»Hvad gør det godt for, far?« spurgte Ken ængsteligt.

»Det er serum mod generelle infektioner.«

»Generelle infektioner?« spurgte Ken uforstående.

»Ja. Først var hun kun inficeret et enkelt sted. Der var betændelse i såret på bagbenet, men det andet i bringen var rent og lukkede pænt. Nu har hun også fået betændelse i det rene sår – nu er også *det* inficeret. Smitten er kommet med blodet fra hendes bagben. Det kalder man generel infektion.«

McLaughlin talte roligt og nøgternt forklarende på en måde, som dæmpede Kens frygt.

»Bliver hun snart rask, far?« spurgte han glad.

»Det håber jeg, min dreng – undertiden hjælper denne serum storartet – undertiden gør den hverken fra eller til.«

»Hvor har du fået den?«

»Fra dyrlæge Hicks.«

Dyrlægens navn fik altid Ken til at tænke på udgifter, og nu fik han et helt chok ved at høre det. Han mindedes faderens ord: – »Bare du vender dig om, Ken, koster du mig unødvendige penge!«

»Hvor meget kostede det, far?« De fulgtes ad op mod gården.

»Ti dollars.«

Ken standsede brat, men McLaughlin fortsatte alene mod redskabshuset, hvor Gus stod og arbejdede på en af slåmaskinerne.

Ti dollars! *Ti dollars!* ... og hans far, der knurrede over hver skilling, drengene brugte ... over en favnfuld hø ...

Ken løb efter sin far. McLaughlin diskuterede slåmaskine-knive med Gus. »Far,« begyndte han.

»Hvad er der?« McLaughlin så op fra maskinen.

»Jeg – jeg – vidste ikke – det du sagde, husker du nok –.«

»Ud med sproget, knægt!« tordnede McLaughlin irriteret.

»Det at jeg kostede dig penge, bare jeg vendte mig om. Jeg forstod ikke, hvad du mente med det – ikke før nu, far! *Ti dollars* ... tusind tak, far.«

»Ti dollars!« råbte McLaughlin, mens han grinede lidt bit-tert og spottende. »Det er kun småpenge, når det gælder dig, Kennie – bare et knips med fingrene! Du kan skam helt ander-ledes. Du smider tre hundrede dollars i vasken bare ved at glo ud ad et vindue en times tid.«

»Hvad – hvordan – jeg har aldrig – tre hundrede dollars –.«

»Skrub nu af, så jeg kan få bestilt noget!« brølede McLau-ghlin og gav sig atter til at tumle med maskinen.

Ken opsøgte sin mor. Også hun havde travlt. Hun var ved at sortere tøj til vaskeriet og sad på hug foran en dynge skjor-ter, arbejdsbukser, sokker og undertøj.

Ken redegjorde for problemet. »Hvordan kunne jeg det, mor? Det har jeg da aldrig gjort, vel?«

Nell lo og noterede: *6 par overalls* på sin liste. »Jo du har Kennie. Du gloede ud ad vinduet en hel time i stedet for at skrive stil. Derfor blev du oversidder i klassen, og din far beta-ler tre hundrede dollars i skolepenge for dig hvert år –.«

»*Tre hundrede dollars!*« gispede Ken forfærdet. »Hvordan kan det blive så dyrt?«

»Regn selv efter: Otte måneders kost og logi til 25 dollars pr. måned; hundrede dollars for undervisning og bøger – alt det lod du gå i vasken, forstår du. Hvis du havde skrevet din stil, havde din far ikke behøvet at betale et helt års ekstra sko-lepenge for dig.«

Ken gik hen til bordet, satte sig med hovedet støttet i hæn-derne og stirrede på den rødternede dug. Han kunne næsten ikke fatte, at der kunne komme så meget ud af at kigge ud ad et vindue og glemme at skrive stil.

»Hvis jeg skrev stilen nu, mor –,« sagde han omsider.

»Det har jeg bedt dig om for en måned siden,« sagde Nell. »Har du gjort det?«

»Nej.«

»Har du overhovedet tænkt på at gøre det?«

»Nej, ikke efter at far sagde, at jeg måtte være fri for tvungen lektielæsning.«

»Du kunne jo skrive stilen uden at være tvunget til det,« sagde Nell, der fortsatte optællingen af vasketøjet. »Din far gør så meget for *dig* af egen fri vilje –.«

»Det ved jeg godt – det er netop det, jeg tænker på. Mor, tror du, at rektor Gibson vil lade mig blive i min klasse, hvis jeg skriver stilen nu?«

Nell lagde blyant og papir fra sig og sank frem på knæene. »Hvis du skriver stilen, Kennie – *»Historien om Sigøjner«* – så skal jeg skrive et brev til rektor med en forklaring, og så sender vi begge dele til ham. Når skolen atter åbner, vil han måske give dig en chance for at blive i klassen.«

Hun begyndte at fylde tøjet i de store vaskerikurve, og Ken knælede ved hendes side for at hjælpe til med det. Da arbejdet var endt, sagde hun: »Du må hellere skynde dig at tage fat på stilen, Ken. Sommeren er forbi, inden du aner det.«

28

Da den safrangule høstmåne steg over østhimlens sorte kiming og ligesom hang stille dér i sitrende luft, kom der en duft af efterår i blæsten og blændende hvid nysne over tinderne på Neversummer Range. Kom vinden fra syd, blæste den kolde duft over ranchen som noget uvelkomment, fremmed og skræmmende – som ukendte hårde knoers banken på ens dør.

Floraen var ændret i alle små lavninger, langs alle vandløb. Man så ikke mere vårens og sommerens lyserøde, blå og hvide torskemund, riddersporer og klokkeblomst. De var afløst af lodden nellikerod, asters og høstblomster i gyldne og purpurdunkle nuancer.

Det gode vejr fortsatte. Da det let kunne slå om, lejede McLaughlin yderligere seks arbejdere for at få høhøsten overstået på tre uger i stedet for at fortsætte arbejdet gennem det meste af september med et par ekstra arbejdere.

Nell skulle lave mad til tolv personer, så hun havde travlt. Ken måtte selv vaske og desinficere Flickas ben. De havde opgivet grødomslagene. Sårene var hævede og hårde, men de ville ikke briste, så materien kunne løbe ud.

Nu spiste alle i køkkenet, og Gus havde ikke tid til selv at lave mad i arbejderhuset. Efter at der var kommet så mange folk, blev hans stilling som forkarl mere end en hæderstitel. Han blev McLaughlins næstkommanderende og skulle desuden tage sig af maskinerne. Som de fleste svenskere havde han medfødte anlæg for al mekanik.

Ken og Howard syntes, det var sjovt at spise sammen med arbejderne i køkkenet. Folkene kom trampende ind til spisetiderne med renvaskede ansigter og hænder og vandkæmmet hår. Køkkenet genlød af høj latter og muntre bemærkninger.

Der gik ikke en dag uden vanskeligheder og spektakler. De første daglejere var upålidelige, og der gik en uge, før McLaughlin fik samlet et brugeligt sjak. Han fyrede en del af de først antagne, kørte dem ind til byen og lejede andre i deres sted. Det var ikke altid ham, som fyrede daglejerne, det ordnede de ofte selv. De kunne finde på at forlade arbejdet uden nogen rimelig grund. Det gik meget fåmælt for sig:

»Nu går jeg.«

»Ja – gå bare.«

De to store byers nærhed – Cheyenne mod øst og Laramie mod vest – gjorde folkene rastløse. De kunne høre den transkontinentale rutes store biler drøne forbi ad hovedvejen, og så snart de havde nogle få dollars på lommen, følte de en uimodståelig trang til at give dem ud.

Der skete også andre ting. En dag væltede den største transportvogn med et mægtigt læs hø, fordi kusken svingede for brat. Den skulle tømmes helt, rejses på hjulene og atter læsses. Det spildte to kostbare timer, og McLaughlin var rasende.

Et spand heste løb løbsk med en rive, tørnede mod en ledstolpe og brækkede stjerten samtidig med, at den ene hest fik et sår.

En dag, da McLaughlin var kørt til byen, prøvede folkene at få en høpresser over bækken ved Castle Rock engen. De slog bro over vandløbet med nogle få svære planker, kørte den tunge maskine fast i mudderet på den ene bred og masede forgæves en hel formiddag under råb og eder og bitter sved med at få den løs.

Da McLaughlin kom ned i engen ved totiden om eftermiddagen, konstaterede han, at hele den første del af dagen var spildt. Nell, der var kørt med ham derned i bilen, ventede for at se, hvordan sagen ville udvikle sig.

McLaughlin tog straks kommandoen. Han spændte fire heste for presseren og lod folkene hente sveller, der skulle bruges som løftestænger bag hjulene, der var sunket dybt i den bløde bund. To mænd blev anbragt ved hver svelle og fik ordre til at vugte med al deres kraft, når McLaughlin gav ordre til det. Han tog selv tømmerne og den lange pisk. Pludselig lød hans kommando med et sådant smæld og energi, at man skulle synes, den var nok til alene at vælte et hus. »Ginger! Sultan!« Knaldet af pisken var intet mod hans stemmes hidsende, drivende smæld. Mændene råbte op og kastede sig med al kraft over løftestængerne, hestene sled og stred som besatte uden at rokke den tunge vægt af stedet. I lange, ulidelige minutter piskede McLaughlin hestene frem til desperat anspændelse med snerten og sin stemmes svøbeslag, mens høpresseren med døde genstandes uanfægtede stædighed klemte sig fast i det sugende mudder. Den gav ikke efter. Den forfærdelige anspændelse blev ubønhørligt forstærket – holdt oppe alene af McLaughlins vilje, stemme og raseri – indtil Nell følte sveden springe ud af alle porer. Det værste var synet af de fire hestes stejlen og desperate træk i skaglerne.

Pludselig gik presseren løs, svuppede vaklende op af mudderet og ind over bækkens lave brink under råb og skrål fra mandskabet.

McLaughlin råbte »Hoa!« Hestene gik skælvende og gispende i stå. Han gik frem til dem og takkede.

»Det var godt klaret, Ginger – godt klaret, Sultan – I er flinke, gamle Nellie og Tommy –.« Han klappede dem hver især og roste dem, til det vilde og skræmte udtryk svandt af deres øjne, til de havde set sig rolige på deres herre og mester.

McLaughlin sagde til folkene, at broen var skredet for dem, fordi de ikke havde lagt plankerne vinkelret – men noget skråt – over bækken.

Det opvejede alle vanskeligheder og spildte timer, at det gode vejr holdt. McLaughlin havde spillet hasard med vejret, og han vandt for en gangs skyld. Hver morgen før solopgang blæste det op til en frisk brise, der steg til stridere blæst i dagens løb. Sammenrivningen, stakningen og transporten af høet skete ofte i en sådan kuling, at stråene føg om arbejderne og næsten drev dem til desperation, men McLaughlin var taknemlig. Det var den stride blæst, som gjorde, at vejret holdt. Der lå rugende uvejr hele vejen om Sherman's Hill. Store skybanker tårnede sig sammen og ville give stormbyger med torden, hagl, lynild og regn, hvis de blot kunne få luft nok til at nå op i højfjeldet. Når blæsten lagde sig ved solnedgang, kunne man se randene af disse onde skyer dukke op over horisonten. I løbet af natten fik de mere fart på og spredtes over den halve himmel, rede til angreb, men hvert gry blev de splittet og drevet tilbage af den stride morgenblæst.

McLaughlin holdt uafbrudt øje med himlen. Det skete kun sjældent, at enranchejer kunne glæde sig over god nedbør først på sommeren, mens græsset groede, og tørt vejr i høhøstens tid.

Han sled selv i det og drev sine folk til lige så hårdt slid.

Når de spiste, drejede samtalen sig oftest om politik og økonomi, som den plejer, hvor landmænd er sammen. Da mindedes McLaughlin, at en stor høst ingenlunde altid betød store indtægter, men meget ofte stor fattigdom for producenterne, og han kunne rase i bitter veltalenhed:

»En god høst?« råbte han. »Ja – hvad nytter det? Resultatet er, at priserne falder på hø og andre afgrøder, så ingen kan være tjent med at sælge sit overskud eller blot får så mange penge i kassen, at produktionsomkostningerne dækkes. Det er stadig det gamle problem om udbud og efterspørgsel, og al denne snak om økonomiske vanskeligheder er det rene pjank –. Det hele er komplet vanvittigt!«

»Hvordan kommer De egentlig til det resultat?« spurgte Tim.

»Det er da skørt, at man er fattig, når man er rig! Hele denne stat er rig som Krøsus – og skal alligevel have understøttelse! Er det ikke vanvid? Tag for eksempel vor egen amtskreds. Sæt vi har lutter fint vejr, store afgrøder og gode kreaturer eller heste på gårdene. Det er rigdom – *den sande rigdom.* Men hvordan ser det ud omregnet i dollars? Vi er fattige! Undertiden gør den bedste høst ranchejeren ludfattig. Hvis jeg fik en rig høst her på gården, enten det nu skyldtes særlige vejrforhold eller andre lokale foreteelser, mens alle mine naboer samtidig fik en dårlig høst – fordi de måske var uheldige og slog deres *græs* på et galt tidspunkt – skulle jeg så gå rundt og fryde mig, fordi jeg havde en masse hø og de andre intet? Så kunne jeg smække prisen i vejret, skrue den højere og højere op, mens mine naboer gik i hundene, mens deres dyr sultede, mens de var tvungne til at købe foder af mig til den pris, jeg bestemte, og pantsætte deres ejendele for at kunne betale mig! Men netop sådan et år ville jeg sælge dem mit hø så billigt som muligt – mens jeg burde gøre det modsatte! De år, da vi får rigdom og overflod fra naturens hånd, burde vi sætte penge i banken, have råd til at betale vore regninger og sende vore sønner på højere skoler.«

»Hvis man bare kunne afskaffe systemet med udbud og efterspørgsel, fik man has på meget andet skidt,« sagde gamle Harvey. »Der skulle indføres faste priser overalt – ikke den skrappe konkurrence som nu –.«

»Ja – og man skulle samtidig afskaffe truster og monopoler –.«

McLaughlin slog i bordet for at give sine udtalelser eftertryk. »Jo hårdere man slider, jo dygtigere man er til sit arbejde, jo mere held man har med sig – des værre får man det! Prøv at behandle en hest efter sådanne principper og se, hvad man får ud af den!«

Det var i reglen Gus, som gjorde en ende på diskussionen ved at rejse sig fra bordet og kalde folkene til arbejde.

McLaughlin havde hverken tid eller tålmodighed til at hjælpe Ken med Flicka. Mon det var de ti dollars, dyrlægen havde fået for serum, der gjorde hans far så irritabel og kort for hovedet, tænkte Ken.

Når Ken spurgte, hvad han nu burde gøre ved sin plag, snerrede McLaughlin: »Gør, hvad pokker du vil! Træk med hende. Væn hende til foldene og staldene.«

Ken trak afsted med sin plag med et reb i dens grime – ud og ind af folde og vænger, op gennem slugten til Hestehaven, hvor hun var blevet fanget. Da han første gang prøvede at få hende ind gennem stalddøren, stoppede hun brat, og Ken prøvede ikke på at tvinge hende. Han stod en tid lang sammen med hende ved døren, inden han gik alene ind og hældte noget havre op i en krybbe. Det klarede vanskelighederne. Hun gik frivilligt ind, og da hun havde ædt havren, undersøgte hun nysgerrigt alle kroge i stalden. De fulgtes ad. Ken havde en hånd på grimen og forklarede hende, hvad hun så.

Alle på ranchen vænnede sig til synet af drengen, der trak rundt med den lille, gyldenbrune hoppeplag. Flicka humpede afsted på tre ben og holdt det fjerde hævet. Såret i bringen var hårdt og ophovnet, men syntes ikke at genere hende.

Drengene skulle skiftes til at være hos høstfolkene, hvor de på mange måder kunne yde deres hjælp. Når høet før hjem-kørslen læssedes fra de små bunker i marken til de store stakke ved gården, kunne Howard og Ken hjælpe med på læsset ved at lægge og stampe det opforkede hø rigtigt på plads, så væg-ten blev jævnt fordelt. De red ustandseligt ærinder på High-boy og Cigaret.

»Howard, se denne lille bolt her. Rid op til redskabshuset, hvor der står en gammel kaffekande på hylden over vinduet. Find nogle bolte mage til denne og skynd dig at komme med dem ...« – eller:

»Ken, rid op til gården og sig til din mor, at hun må pakke middagsmaden ind og bringe den ud til os i bilen ...« – eller:

»Rid hjem til din mor, vi har brug for nogle forbindings-sager – en af folkene har fået en grim flænge. Sig, hun må skynde sig at køre herned med grejerne ...«

Howard blev hele dagen hos høstfolkene; men Ken skynd-te sig hjem til Flicka, så snart han kunne få fri.

Han konstaterede med stigende bekymring, at tiden fløj for ham. Det var snart september – skolen begyndte den fem-tende – og han kunne kun være sammen med Flicka et par uger til. Når han stod ved hendes hoved, så hende i øjnene og talte til hende, gjorde tanken om deres adskillelse ondt. Hele sommeren var gået! Snart måtte han tilbage til skolen *uden* Flicka, være borte fra hende i mange måneder, aldrig se hende, være uvidende om, hvordan hun havde det, hvad hun foretog sig, hvad hun lærte – om hun var artig eller rebelsk

Ken vidste, at han måtte bære det som en mand. Det var en del af den pris, han skulle betale for Flicka. Der var også denne stil, som han skrev på. Han tog sin kladdebog med ned til »Flickas barnekammer« og sad på den lille skrænt mel-lem poplernes rødder og skrev. Undertiden læste han afsnit af stilen højt for hende. Stilen behøvede ikke at være ret lang – kun nogle få sider. Det var ikke svært at finde på teksten, for han havde stof nok at tage af, men det kneb en del både med stavning og tegnsætning. Når kladden blev færdig, ville han renskrive stilen ved sit bord på kammeret, så der ikke blev noget at kritisere ved skrift og orden.

»Det er en stil til tre hundrede dollars,« sagde han stolt til Flicka. »Far har givet mig dig, Flicka, nu skaffer jeg ham tre hundrede dollars. Man kan egentlig godt sige, at jeg på den måde har betalt dig – en ganske pæn pris for en lille etårig hoppe – men jeg skal trække ti dollars fra for den serumindsprøjtning, du fik –.«

Mens han sad og gnavede på sin blyant og spekulerede på teksten til »*Historien om Sigøjner*«, hvilede hans blik på Flicka, og det slog ham, at hendes ribben stak frem under huden. Det havde han ikke tidligere bemærket. Hun åd sin havre, og hun græssede, men hun var alligevel ikke i nær så god foderstand, som da hun blev bragt ind fra bjergene. Hun var mere mager end for et par uger siden.

Han sagde det til sin far, og Rob gloede på ham: »Fodrer du hende med havre to gange daglig?«

»Hver dag.«

»Æder hun op?«

»Ja.«

»Så er der vel ikke noget i vejen.«

»Men, far – vil du ikke nok lige se på hende.«

»Nej jeg vil ej – lad være med at plage mig med den krikke!«

Ken listede tilbage til Flicka med kladdebog og blyant; men da han så på hende, blev hans blik bekymret. Sårene var hverken værre eller bedre end før – hårde, tørre og ophovnede – men hun havde mistet sit huld.

Nå, tænkte Ken, alle bliver jo tynde af at være syge, og Flicka havde været syg i lang tid. Hun kom sig nok lidt efter lidt, som voksne mennesker gør det, når en sygdom er helt overstået. Men foruden sårene var der jo det, hans far havde talt om – generel infektion af blodet. Det betød, at hun stadig var syg i hele kroppen. Hun skulle gennemgå meget!

29

Nell talte dagene, til høhøsten var overstået og ekstraarbejderne rejst, så hun atter kunne få tid til at trække vejret. Hun tilbragte nu al sin tid i det varme køkken eller i bilen, hvori hun hentede proviant fra byen.

Først når aftensmaden var spist og opvasken overstået, havde hun nogle få timer til sin rådighed. Et fyldt badekar ventede hende. Hun løb op ad trappen, afførte sig hurtigt arbejdsdragten, tog bad og trak i friskt, køligt tøj – helst grå lærredsbukser og en bluse, og gik så en ensom tur i skoven for at hvile ud og forfriske sig fjernt fra alle andre.

En aften søgte hun op gennem staldvænget. Før hun gik, kom hun i tanker om næste dags måltider og syntes, at harefrikassé egentlig kunne være rart til en afveksling. Hun tog et af de lette jagtgeværer fra stativet i spisestuen, fyldte bukselommen med patroner og gik ud mod staldvænget.

En time senere kom hun farende tilbage gennem slugten, hvid i ansigtet og med udvidede pupiller. Hun så sig tilbage, standsede og stirrede ind i mørket, som tætnede mellem klipperne og under aksetræerne. Skønt der ikke var noget skræmmende at se, gjorde hun brat omkring, satte atter i løb og råbte: »Rob!«

Hendes stemme sitrede let hysterisk, mens hun løb og stadig så sig tilbage.

»Rob!« råbte hun atter. »Det er vildkatten!« Da hun nåede randen af grønningen, standsede hun pludselig. Rob stod et stykke fra hende og skældte Tim ud. Han havde ikke hørt hende, og Nell prøvede at være mere behersket. Tim måtte ikke se hende hysterisk.

Hun gik roligt hen imod dem, længtes efter at søge ly hos Rob, holde ham i hånden eller blot være ved hans side, til han fik overstået opgøret med karlen. Hun skammede sig over sin frygt, men hun kunne ikke beherske sit hjertes hamren eller få de sitrende hænder i ro. Nell var vis på, at alt ville være overstået, når blot hun fik fortalt Rob om sin oplevelse.

Før hun nåede helt hen til de to mænd, stod hun igen stille, for Rob tordnede: »Når jeg giver ordre til, at køerne skal græsse i sektion sytten, så mener jeg ikke sektion seksten!«

Tim var meget rød i hovedet: »Det var Missus, som gav mig den ordre, kaptajn.«

Nell stod med den lette jagtbøsse i hånden og så fra den ene til den anden.

»Har du givet Tim besked om at lukke køerne ind i seksten?« råbte McLaughlin til hende.

Det gjorde hendes overspændte nerver godt at kunne svare skarpt igen: »Ja, jeg har! Hvorfor skulle jeg ikke kunne bestemme det?«

»Hvorfor,« skældte han arrigt. »Hvorfor? Fordi jeg har givet ham ordre til at anbringe køerne i sektion sytten! Må jeg spørge, om det er dig eller mig, der driver denne gård?«

Nell svarede vredt: »En af køerne er tyregal, og jeg vil ikke have den bedækket af Crosbys herefordtyr over hegnet til sektion seksten, som det skete med en ko sidste år. Da fik vi en bastard af en hereford og jerseykalv – det skal vi ikke have én gang til!«

»Hvem er det, som giver ordrer her på ranchen?« brølede Rob.

»Når det gælder køerne, er det mig – sådan har det altid været!«

»Du kan sige til mig, hvad du ønsker gjort, så skal jeg nok give ordren.«

Adskillige af folkene sad på bænken uden for arbejderhuset, hvor de kunne se og høre alt, som foregik.

Nell fik tårer i øjnene af vrede: »Jeg giver de ordrer, der passer mig, at du ved det!«

Hun gjorde omkring og løb hjem, hulkende af raseri og af angst. Hun græd, fordi Rob var i sit umedgørligste lune, fordi hun ikke kunne fortælle ham om pumaen, fordi han havde ydmyget hende i folkenes påhør, og fordi hun havde været så uklog at svare igen.

»Det nytter ikke noget,« mumlede hun, mens hun løb op ad trappen. »Det gør ham bare endnu mere gal i hovedet

Hun afførte sig hurtigt sine *slacks* og blusen og klædte sig om i sit bytøj.

Kort efter hørte hun Robs råb nede fra dagligstuen: »Nell!«

Hun svarede ikke, men trak sin grønne, blomstrede kjole over hovedet, lukkede dens lynlås og tørrede tårerne af øjnene.

»Nell!«

Hun satte sig på kanten af stolen foran toiletbordet og begyndte at frisere sig, fast besluttet på ikke at svare.

»*Nell!*«

»*Hvad er der?*«. Rob kunne altid tvinge hende til svar – endog mod hendes bestemte vilje.

Han trampede op ad trappen og stod i døren. Netop fordi han burde have været forbavset over at se hende i byklæderne på denne tid af aftenen, tav han stille. Hun gav ham uspurgt en forklaring.

»Jeg tager ind til byen,« sagde hun udfordrende. »Jeg kan ikke holde ud at være her bare et minut længere! Jeg går i biografen.«

Der var tavshed, mens hun gjorde sig færdig. Så sagde Rob: »Det er køligt i aften. Du må hellere tage en frakke på. Hvad for en vil du have?«

»Den ternede lysegrønne.«

Han gik hen til klædeskabet og rodede i det, til han fandt frakken, tog den af bøjlen og holdt den for hende.

»Husk et lommetørklæde. Har du penge?«

»Ja – nej vent lidt! Jeg har alligevel ingen penge.«

Rob tog sin tegnebog fra den jakke, han havde på, da han sidste gang var i byen, fiskede nogle sedler frem, stak dem i hendes taske, fulgte hende ned ad trappen og ud til vognen, tog børsten fra en dørlomme og børstede sædet rent, inden han lod hende sætte sig ind.

Nell satte sig ved rattet med sammenknebne læber. Hun så stift frem for sig og værdigede ham ikke et blik. *Hvis han nu spørger, om jeg elsker ham, slår jeg ham i ansigtet!* Hun håbede, han ville gøre det!

Han blev stående nogle øjeblikke ved den åbne vogndør, da hun var på plads og havde startet motoren. Så trak han sig tilbage, lukkede døren og stak hovedet ind ad den åbne rude.

»Glem ikke at fylde benzin på, når du kommer til byen.«

Nell svarede ikke, men ventede demonstrativt tålmodig på, at han skulle trække hovedet til sig og forsvinde.

»Kør nu ikke for hurtigt!« Omsider trak han sig tilbage.

Nell følte sig vidunderligt fri og ubunden, da hun kørte ad den store Lincoln-hovedvej med hundrede kilometer i timen – en halv snes kilometer over hendes vante hastighed.

Det var vindstille. En højtliggende tynd dis slørede stjernerne. Store mørke sletter strakte sig nord og syd for jernbanen til den yderste horisont. De lå rugende dystre, melankolske og mystiske. Nu og da tændte lyset fra hendes lygter glød i dyreøjne, hvor herefordkvæg stod ved hegnene ud til hovedvejen.

Hun mødte et tog, der kom ad jernbanen fra Cheyenne. Dets lygter blændede hende, og hun satte farten ned, mens den lange række oplyste kupévinduer gled forbi hende.

I Cheyenne kørte hun ganske langsomt gennem gaderne, frydede sig over de talrige neonlysreklamer, der trak konturerne op på hver butik, hvert pølseudsalg, hvert stormagasin, hver restaurant. Der var næsten lige så lyst som om dagen.

Den lille, menneskefyldte, grimme provinsby gjorde hende opstemt. Der var et knivskarpt skel mellem den og hendes vante tilværelse, livet ude på ranchen, den daglige færden i frisk, høj luft, Rob og drengene – det var som en sammenklippet film, når man fjerner en scene fra originaloptagelsen og klæber en anden ind i stedet for det afklippede stykke.

Det var hende en lettelse at glide ind i denne helt fremmede verden, der virkede dulmende med sine talrige, meningsløse detaljer.

I biografen så hun Ginger Rogers og Fred Astaire danse, og hun var henrykt for adspredelsen. Hverdagen udslettedes totalt. Hun drømte sig tilbage til studentertiden, dens fester og baller, hun dansede med under hele forestillingen og kom helt omtåget ud fra den. Hun vidste knap, hvor hun befandt sig, eller hvordan hun atter skulle glide ind i sin vante tilværelse.

Men hun måtte hjem – klokken nærmede sig elleve.

Ude på hovedvejen kørte hun ind i en sky, som hun først troede var spildedamp fra en lokomotivskorsten. Inden længe forstod hun dog, at det var regulær tåge. Mens hun sad i biografen, var en sky listet op over den højtliggende vej. Nu lå den tæt og uigennemsigtig mellem hende og ranchen.

Det var vanskeligt og risikabelt at køre gennem tåge ved dagslys. I aftenmørket var det direkte farligt. Nell stoppede flere gange og overvejede, om det ikke var klogere at vende tilbage til byen og sove dér om natten. Men der var så meget, som drog hende mod hjemmet – hun *måtte* prøve at nå hjem! Hun længtes efter ranchens bygninger, som skærmende lukkede sig om hende. Hun havde så meget at fortælle Rob – hun måtte også have fortalt ham om tågen! Måske var han syg af ængstelse for hende. Han ville sikkert blive bekymret over, at hun måtte køre alene hjem gennem tåge og mørke.

Nell nåede kun langsomt frem. Hun måtte rulle ruden ned, hænge halvt ud ad den og se på forhjulet, som hun prøvede at holde langs vejmidten. De godt fyrretyve kilometer virkede som mange miles.

Mon Rob var gået i seng? Han kunne da i hvert fald have ladet lyset brænde i dagligstuen, til hun kom!

Ja! Nu så hun lyset. Hun parkerede på højen bag stuehuset, gik ad terrassen og kiggede gennem vinduet.

Rob sad i lænestolen ved radioen, optaget af at lytte til et hørespil. Hans ene ben hang over stolearmen, og de rødbrune sokker var trukket op over de stramtsiddende ridebukser. Han røg. Det brune ansigt var mørkt og træt, og kinderne havde blå skygger af dagens skægstubbe.

Da han opdagede hende, smilede han, nikkede og hævede en hånd for at få hende til at tie. Han ville åbenbart nødig snydes for hørespillets slutning. »Har du noget imod, at jeg hører det til ende?« spurgte han dæmpet.

»Ikke det fjerneste!« svarede Nell lidt spidst. Hun gik op ad trappen til soveværelset.

En halv time senere lå hun i sengen ved hans side. Han røg sin cigaret i mørket og tænkte på, at det føltes, som sengen dirrede under Nell. Hun lå med ryggen vendt imod ham.

Rob røg cigaretten færdig og knuste stumpen i askebægeret på natbordet. Så vendte han sig om og tog Nell i sine arme. Han holdt hende tæt ind til sig, glattede hendes hår, lagde – som ofte før – sin kind imod det og kyssede det let.

Det varede længe, inden hun holdt op med at skælve.

Da hun endelig blev rolig, spurgte han stilfærdigt: »Hvad var det, der skræmte dig oppe i staldvænget? «

Hun svarede ikke.

»Var det vildkatten?«

»Ja.«

»Jeg hørte, du affyrede to skud – ramte du den?«

»Nej – det var to harer, jeg skød efter.«

»Fik du dem?«

»Jeg *skød* dem – men det var pumaen, som *fik* dem.«

»Hvad skete der?«

»Du kender klippen, som jeg plejer at kalde solnedgangs-klippen, ikke? Den jeg så ofte klatrer op på for at se solen gå ned?«

»Er det ikke den, der minder om en bjergtinde, der bryder igennem jorden?«

»Jo, netop! Jeg havde altså skudt de to harer. Det begyndte at skumre, og der var de skønneste farver på himlen. Jeg tænkte, der ville blive en særlig pragtfuld solnedgang, og ville gerne op på et eller andet højt sted, så jeg kunne se den over trækro-

nerne. Derfor besluttede jeg at klatre op på solnedgangsklip-
pen. Der er så stejlt hist og her, at man må hage sig fast både
med hænder og fødder for at komme op.«

»Ja, jeg kender den –.«

»Derfor stillede jeg jagtbøssen op ad et fyrretræ ved klip-
pens fod og bandt løbene på de to harer sammen med det
smalle, korte bånd, jeg havde om mit hår. Jeg hængte dem på
en stump brækket gren, som ragede ud fra fyrretræet.«

»Hvor højt?«

»Ikke ret højt – lige ud for mit ansigt. Så klatrede jeg op
på klippen og stod dér, mens solen sank. Da det var overstået,
gik jeg ned ad den modsatte klippeskrænt og rundt, indtil jeg
fandt stedet, hvor jeg havde efterladt bøssen og mine harer.
Men inden jeg kom så vidt, stod jeg ansigt til ansigt med pu-
maen – vi var ikke ti skridt fra hinanden – den kom også
gående langs klippens fod – og den havde mine harer i flaben!«

»Det var som fanden!«

»Vi stoppede og gloede på hinanden.«

»Blev du bange?«

»Ikke straks. Jeg blev forbløffet. Først stod vi begge stille, så
var det, som om vildkatten smeltede bort i halvmørket. Mør-
ket derude var efterhånden blevet ret tæt, og det virkede på
mig, som om jeg havde blinket en enkelt gang med øjnene og
hekset dyret bort. Jeg stod og lyttede, men hørte intet. Så gik
der panik i mig, og jeg begyndte at løbe hjem. Jeg huskede, at
man ikke bør løbe i en sådan situation, og prøvede at gå ro-
ligt. Men jeg blev ved med at se mig tilbage, og der var panik
i mig.«

»Jeg vidste godt, bæstet var her i nærheden.«

»Hvordan kunne du vide det?«

»Jeg så pumaens spor forleden morgen.«

»Hvor?«

»Inde i Hestehaven.«

»*I Hestehaven?*«

»Ja – fire poteaftryk på den strimmel jord, der er våd og

blød af spild fra drikketruget.«

Nell tav, mens hun i tankerne så vildkatten snige sig ud fra skoven over den åbne strækning til indhegningerne. Hun så den klatre lodret op ad hegnsstolpen – den smidige, grusomme kattekrop – så den kravle over øverste planke og springe lydløst ned i folden. Den gik snusende rundt, standsede nu og da for at lytte. Hver bevægelse af dens hoved, hver stilling, hver pause, hele dens sammenkrummede, spændte, årvågne krop røbede det primitive vilddyrs grusomhed.

»Du skal ikke være bange, min skat.« Rob holdt hendes hoved fast imod sit bryst.

»Nej, Rob – men *Flicka* – hvis der sker hende noget, hvad så med Ken?«

»Der sker ikke noget, Nell. Her har været pumaer før. Vi har set sporene, og vi har hørt dem skrige. De kommer og forsvinder. Det er kun sjældent, de holder til i nærheden af menneskeboliger.«

»Staldvænget er ikke ret langt borte, Rob.«

»Det er fuldt af vildt, og der er masser af dyr inde i skoven.«

Det var rigtigt. Mange af høstfolkene havde set dyr inde mellem træerne, når de tidligt om morgenen færdedes nær stalden. Nell havde selv set dyr derinde en dag, da hun troede, det var synsbedrag, skuffende farver og former i grenenes fletværk – men det *var* en gruppe på en buk og fem dåer, som stod ubevægelige foran hende.

»Det er underligt, at ingen af arbejderne har set pumasporene.«

»Gus opdagede sporene, fordi vi fulgtes ad. Jeg bad ham om at rive over dem, så de forsvandt. Jeg ville ikke have de andre arbejdere til at se dem og snakke for meget om sagen.«

»Af hensyn til Ken?«

»Ja! Han har gennemgået nok i denne sommer og skal ikke ligge vågen af skræk for vildkatten. Nu er der kun en halv snes dage, til skolen begynder.«

Det gav et sæt i dem begge, og Rob sprang halvt ud af

sengen. Et skingrende vræl flængede stilheden fra højen bag grønningen. Det steg fra et snerrende crescendo til et djævelsk, disharmonisk vildt hyl, der ebbede ud i hjerteskærende hulken og jammer.

Så fulgte en dyb stilhed – ødemarkens fuldkomne tysthed. Det var, som om intet havde besudlet den.

»Du gode Gud!« udbrød Rob. Han rev en tændstik og tændte lyset på natbordet, før han vendte sig og så på Nell.

Hun sad ret op og ned i sengen med mørke og opspilede øjne og læber, der var skilt i let hysteri.

»Har du hørt *mage* til lyd?« spurgte hun.

Rob rystede på hovedet. Lidt efter sagde han: »Det var smukt, synes du ikke?«

Nell nikkede voldsomt: »Pragtfuldt!«

De lyttede efter, om vildkatten ville skrige på ny. Lysflammen blafrede, og skygger flakkede over værelsets loft og vægge.

Nell smuttede ud af sengen. »Giv mig lyset. Jeg vil lige se efter, om skriget har vækket drengene.«

Et øjeblik efter kom hun tilbage. »De sov begge som sten. Vi siger ikke noget til dem, vel, Rob?«

»Naturligvis ikke.«

»Jeg gad vidst, om folkene hørte det?«

»Det tror jeg ikke. Det er jo midnat. Ærlig talt, du – skal vi ikke gå ned? Jeg kan ikke sove oven på dette. Jeg laver et par kopper varm chokolade. Du burde alligevel have haft et eller andet efter din tur til byen og kørslen hjem – hvad så du derinde? Var det en god film?«

De tog badekåber på, gik ned i køkkenet, og Rob lavede chokolade – en plade bitter, usødet chokolade, to skefulde sukker og en kop mælk til hver, opvarmet til kogepunktet – en lind, sød og velsmagende drik med flødeskum på toppen.

De satte sig ved bordet, mens de drak den. Nell fortalte om filmen, om tågen og om, hvad hun i øvrigt havde set på sin bytur. Hun syntes aldrig, hun havde oplevet noget helt, før hun kunne dele det med Rob.

Da de en times tid senere på ny gik i seng, var al hendes nervøsitet forsvundet. Da hun pustede lyset ud, sagde hun: »Den pokkers puma – den huggede mit hårbånd!«

30

Da Ken fik skrevet stilen færdig, kørte han til postkontoret sammen med sin mor og lagde selv konvolutten med de tre omhyggeligt renskrevne sider og moderens følgebrev til rektor i postkassen.

Under hjemkørslen til ranchen sad han tavs og behersket af en ny, underlig fornemmelse. Han havde gennemført endnu en opgave, klaret noget vanskeligt, der måske kunne komme til at spille en afgørende rolle. Hans far skulle ikke have noget at vide om dette, før rektor havde svaret på brevet.

»Det er naturligvis ikke helt sikkert, at han svarer,« sagde Nell. »Måske giver han dig blot besked, når du og Howard møder til undervisningen.«

Hendes ord fik Ken til at føle skolen meget nær, og han tænkte på Flicka. Han havde aldrig drømt om, at hun endnu ved sommerens udgang skulle være halt og sløj. Det pinte ham, at han skulle forlade hende i den tilstand. Når han rejste, var der ingen, som ville pleje hende så omhyggeligt. Så måtte hun klare sig selv. Hvis hun skulle tage på igen, måtte hun stadig fodres med havre. Hun var blevet så mager i den sidste tid – det var, som om hun tabte sig for hver dag, der gik. Den skønne farve og glansen blegnede i hendes hårlag.

Da de nåede hjem, bad hans mor ham om at kalde på Howard, så de begge kunne prøve vintertøjet. Hun måtte se, hvor meget nyt tøj hun skulle skaffe inden jul, hvor meget de endnu kunne bruge, hvor mange nye mærker hun skulle have syet på, hvordan det var med sokker og undertøj.

Nell blev færdig med at gennemgå tøjet og fik sendt drengene ud, inden hun tændte op i komfuret og gjorde klar til aftensmaden. Hun tog sin sykurv og mærkestrimlerne med bogstaver til undertøjet, satte sig på en stol ved køkkenvinduet og begyndte at sy mærkerne fast.

Hun tænkte på Ken, og hendes ansigt var straks bekymret. Hvad ville Rob sige, når han hørte, at Flicka stadig blev mere mager? Folkene talte allerede om, hvor meget hun tabte sig. Netop i morges havde Gus sagt: »Det er feberen. Den brænder hende op. Hvis man bare kunne standse feberen, skulle hun nok komme sig.«

Rob ænsede overhovedet ikke andet end høhøsten og vejret. Ekstraarbejderne var rejst; Rob, Tim og Gus havde travlt med at anbringe de pressede høballer i laden, stakke det upressede hø i store kuber med prismatisk grundrids, kæmme staksiderne, til de blev glatte og vandskyende stejle, og tække stakkene, så regn og sne ikke banede sig vej ned i høet. Når en stak var helt færdig, slog de lange stykker bindegarn om den og bandt jernvægte i hver ende af bindslerne, så blæsten ikke kunne lave ravage med det lette hø.

Vejret holdt sig tørt; men de skyer, som hver nat steg op over himlen, blev stedse tungere, og undertiden tordnede det i timevis.

Nell sænkede sytøjet og så ud ad vinduet. Hendes pande var rynket i ængstelse og sorg.

Rob havde oprindelig sagt, at den lille plag ikke ville klare sig gennem skaderne, og han havde allerede dengang haft ret. Flicka var ved at dø. Hvis Rob havde vidst det – hvis han havde været klar over det, lige fra den generelle infektion begyndte – havde han ikke sagt det. Når folkene talte om plagens tilstand, lod han, som om han ikke hørte det. Men Ken – hvordan havde han kunnet undgå at se, at den lille plag blev mere afkræftet dag efter dag. Nell huskede en veninde, hvis barn hentæredes, men som alligevel – måske fordi hun altid var barnet så nær – følte dets små arme, så dets smil – ikke forstod, hvor galt det stod til, før døden indtraf.

Ken forstod heller ikke noget.

Nu tabte Flicka sig så voldsomt, at hun næsten i løbet af en nat skrumpede ind til intet. Man kunne tælle alle hendes skarpe ribben. Den før så blanke lød blev mat, hårlaget dødt og skørt. Hun lignede et omvandrende, overtrukket skelet.

Af rent praktiske grunde blev den store høstvogn hver aften stillet nær ved kreaturfoldene. En morgen, da McLaughlin, Howard og karlene gik ned til vognen – Gus medbragte hestene, som skulle spændes for – fulgte Ken med dem. Han havde en spand havre over armen – Flickas morgenfoder.

Den lille hoppe ventede ham ved leddet.

Da McLaughlin så den, standsede han og så forfærdet ud: »Hvad i Herrens navn er dog dette?« råbte han.

De standsede alle og så på hende. Kens ansigt var fuldstændig hvidt, mens hans blik søgte faderens. »Det er Flicka,« hviskede han. »Hun er blevet skrækkelig mager.«

»Mager!« tordnede McLaughlin.

Gus rystede bedrøvet på sit krøllede hoved. »Jeg har længe været bange for, at hun ikke vil klare sig,« sagde han.

»Klare sig? Hun er jo praktisk talt død!«

McLaughlin så bistert på Ken: »Hvor længe har hun set sådan ud?«

»Hun har tabt sig i rivende fart de sidste dage –,« stammede Ken.

»Det er feberen,« sagde Gus. »Den brænder hende op.«

Tim sagde: »Det er en stor skam. Hun var sådan en fiks hoppe. Det gør mig ondt for dig, Ken.«

McLaughlin så atter på hende. Hun vrinskede sagte kaldende ad Ken og hævede hovedet for at se på ham. Hun var kun et skelet overtrukket med et mat, glansløst skind.

»Nu er det slut,« tordnede McLaughlin. »Jeg vil ikke have sådan et gespenst på min gård!«

Han gik hen for at hjælpe med forspændingen, og Ken listede stille hen til Flicka. Han fortsatte ad stien ned til bækken med det lille, ynkelige væsen haltende efter sig. Han hældte havren op til hende, hun stak mulen i foderkassen og begyndte at æde.

Nell havde oppe fra terrassen set og hørt alt, som var foregået, og løb ned ad stien til Ken.

Da hun nærmede sig ham, så han på hende. Drengens blå øjne var sunket dybt i hulerne, og hans blik var fortvivlet stirrende.

»Hun skal dø,« hviskede han.

»Åh, Kennie, min egen dreng –,« mumlede Nell. Hun lagde en arm om hans skuldre. Med den frie hånd glattede hun plagens glansløse og grove hår. Hendes øjne fyldtes af tårer, men Kens øjne var tørre.

»Hun æder stadig sin havre,« sagde han mekanisk.

Nell sagde intet. Hun kærtegnede den lille plag. »Stakkels lille pige –,« mumlede hun og tænkte ved sig selv: »Hvorfor kunne det dog ikke have ventet, til Ken var rejst –.«

Ved middagsbordet kunne Ken ikke synke en bid. Howard sagde: »Ken rører ikke sin mad – skal han ikke spise noget, mor?«

Men Nell svarede: »Lad ham være i fred.«

Ken havde klart forstået, hvad hans far mente, da han sagde: »Jeg vil ikke have sådan et gespenst på min gård.« Hans far ville aldrig tillade, at et dyr fik en sej og pinefuld død. Flicka skulle skydes.

Han hørte ikke den ordre, McLaughlin gav Gus: »Tag riflen, Gus, og hjælp plagen ud af al denne elendighed; men sørg for at det sker på et tidspunkt, da Ken ikke er i nærheden.«

»Javel, chef –.«

Ken holdt øje med geværstativet inde i spisestuen. Alle geværerne stod der, og McLaughlin havde forbudt karlene at have skydevåben i arbejderhuset. De tre gange om dagen, Ken skulle passere spisestuen på vej til måltiderne i køkkenet, kastede han et blik på skydevåbnene for at sikre sig, at de alle var der. Om aftenen stod de der ikke alle sammen – winchesterriflen manglede.

Ken standsede brat, da han blev klar over det. Han blev svimmel, stirrede på geværstativet og sagde til sig selv, at alle våbnene måtte være der – han talte dem på ny – han så ikke klart.

Så følte han en arm om sine skuldre og hørte sin fars stemme: »Jeg forstår dig så godt, Ken. Visse oplevelser er frygteligt svære at komme over – men man skal nu engang kæmpe sig gennem dem. Det har jeg også måttet.«

Ken greb sin fars hånd og knugede den. Det hjalp ham til en smule åndelig balance, og omsider så han op. Rob mødte hans blik, smilede til ham og gav ham et venligt tryk med sin arm. Det lykkedes også Ken at smile lidt.

»Går det lidt bedre, Ken?«

»Ja – det skal nok gå, far.«

De fulgtes ad til aftensbordet.

Ken tog sig sammen til at spise en smule; men Nell så tankefuldt på hans askegrå ansigt og den lille pulsåre, der hamrede voldsomt på hans hals.

Efter aftensmaden bragte han havre til Flicka, men han måtte kæle for hende og overtale hende indtrængende, før hun rørte foderet. Hun stod med hængende hoved. Da han strøg kærtegnende over det, pressede hun sin pande mod hans bryst og snøftede tilfreds.

Kort efter så Ken, at Gus kom ind i Kalvehaven med riflen. Da den gamle karl opdagede drengen, ændrede han kurs og slentrede videre, som var han på harejagt.

Ken løb hen til ham: »Hvornår gør du det, Gus?«

»Jeg ville have gjort det nu, inden det bliver mørkt –.«

»Skyd hende ikke i aften, Gus. Vent til i morgen. Det er kun en nat, Gus!«

»Ja-ja, så lad det vente til i morgen; men det *skal* gøres, Ken. Din far har givet mig ordre til det.«

»Det ved jeg godt – jeg skal heller ikke plage dig mere.«

Gus gik op mod arbejderhuset, og Ken vendte tilbage til

Flicka.

Ken stod hos hende, strøg over hende og kærtegnede hende. Han plejede også at tale med hende, men det kunne han ikke nu. Hans tanker drejede sig kun om ét, og det kunne han ikke fortælle Flicka. Nu og da hørte han noget stønne sagte – det var ham selv, men han fattede det ikke.

Mørket faldt hurtigt på under poplerne, så det skjulte både Ken og Flicka. Det svøbte sig om dem og holdt dem fast sammen. De kunne ikke se hinanden, men han gik rundt om hende, og hun drejede hovedet efter ham med sin bløde mule mod hans krop – som hun plejede. De var hinanden inderligt nær i aftenskumringen.

Klokken ni sendte Nell Howard ud efter Ken. Howard stod råbende ved leddet.

Den dæmpede stønnen lød på ny. Så kyssede Ken for sidste gang Flickas ansigt og gik op ad skrænten under poplerne.

Flicka stod endnu i sit »barnekammer«, da fuldmånen steg over kimingen ved titiden. Det var »Jægerens måne«, lige så gul som »Høstmånen«, men knap så stor.

Natten var tyst med samme intense stilhed som et stort blankt hav. Selv jordens vante duren – som bruset i en konkylieskal – var dæmpet. Den ventede.

Hvis et levende væsen – menneske eller dyr – har sine sansers fulde brug, vil det føle døden nærme sig. Legemet bereder sig til mødet. De aktive funktioner ophører, livskraften suges ud i en styrtende malstrøm, som nærmer sig udslettelsen.

Man føler alt dette. Og da Flicka oplevede denne følelse, vidste hun, at hendes tid var omme.

Hendes hoved var sænket, og hun stod let skrævende. Skønt vanen bandt hende til foderkassen, havde hun ikke ædt noget af havren. Hver celle i hendes krop sved af hidsig, brændende feber. Undertiden gled hendes tanker over i sejlende delirier, undertiden i lammelse, undertiden var de klare og vidende.

Flickas sår smertede ikke, men suget fra den styrtende malstrøm var som en knugende kval i hendes hele krop. Nu og da havde hendes unge legeme kraft til at kæmpe mod strømmen. Hun satte sig til modværge og hævede hovedet, vendte ansigtet mod stien, hvorfra hun tusind gange i sommerens løb havde hørt rytmen af Kens løbende fødder. Han var alt, hun havde, alt, hun turde sætte lid til; men denne aften hørte hun intet. Der lød ingen fodtrin. Der kom ingen hjælp.

Hun stod sådan nogle minutter og anstrengte sig for at høre, om der ikke var en lyd, som røbede hans komme. Så gav hun sig i seje ryk og sugedes med af svaghedens kviksand, sank sammen i sig selv og stod svajende svag i mørket.

Under en af kampperioderne vrinskede hun.

Milevidt borte i bjergene hørte hendes far denne vrinsken og svarede.

Dyr råber til hinanden i forbifarten som venner eller som vagter, der kræver kendeord: »*Hvem dér?*«- og svaret siger dem, om det er ven eller fjende. Banner, der vidste, at Flicka var en af hans egne, gav plagen det løsen, Ken havde læst højt for hende af »Junglebogen«: »*Vi er ét blod, du og jeg!*« Det høje, kongelige råb, der lød fra fjernheden som dæmpet fanfare over vidder, veje og alle spærrende pigtrådshegn, vakte et stædigt håb i Flicka, skønt feberen brændte hende som hede flammer.

Hun begyndte at bevæge sig i kraftesløse, kejtede spjæt som en marionet, når der trækkes i dens snore. Hun samlede al sin vilje og alle resterende kræfter og travede haltende ned ad strømmen og skrænten.

Hun standsede pludselig og slingrede i rædsel med sænket hoved og skrævende ben, som var hun løbet på et genfærd. Lidt efter forlod rædslen hende, men hun blev stående i sin latterlige stilling, som var hun naglet til jorden. Hun drejede atter hovedet mod gården ... *Kom han?*

Flicka var tørstig. Lugten af frisk, rindende vand drog hende. Hun vadede ud i strømmen og drak. Da hun ikke kunne drikke mere, hævede hun hovedet og så atter op mod gårdens bygninger. Det kolde vand rislede over hendes ben.

Der hørtes ikke en lyd fra gården, ingen løbende fødder ad

stien, og pludselig veg den sidste smule kraft fra hende. Hun vaklede fremover og faldt halvt på bredden, halvt ude i vandet. Dér blev hun liggende og sparkede i krampe.

Til slut lå hun stille.

Nogle minutter senere lød der fra de høje træers tykning over Pole Mountain det mest hjerteskærende hyl, man kender – den grå steppeulvs skrig i natten. Det sejlede højt gennem rummet uden en skælven, højt og skingert, spidst som en nålespids. Lyden fortsatte gennem lange minutter – tragisk og fjern – til den ebbede ud i faldende rytmer og fortvivlet selvopgivelse. Endnu før lyden helt var døet hen, blev den som kvintessensen af nattens mørke stilhed.

Ken havde set Jægerens måne stige over den østlige horisont, inden han gik op på sit værelse. Mens han lå vågen i sengen og uafbrudt dirrede i alle fibre, så han den spejle sig i kammerets åbne rude.

Han havde ikke klædt sig helt af, men havde trukket tæppet op om hagen for ikke at blive afsløret, hvis hans forældre skulle finde på at kigge ind til ham. Han kunne høre dem tale sammen, mens de gik til ro. Hvor var de urimeligt længe om det! Han syntes, der gik timer, inden der blev fred i huset – inden det blev så stille som natten omkring det.

Han havde hørt Flickas vrinsken, men ikke Banners svar. Menneskeøren er ikke fintmærkende nok til at kunne opfange en så fjern hilsen. Han vidste, at Flickas vrinsken gjaldt ham. Han hørte ulvehylet.

Ken ventede endnu en time, til alle sov så fast, at de ikke kunne høre ham. Så sneg han sig ud af sengen og trak i resten af tøjet.

Han holdt skoene i hænderne og listede gennem gangen forbi forældrenes dør. Hvert skridt tog ham et halvt minut.

Ved den fjerneste ende af terrassen satte han sig og tog skoene på. Hans hjerte hamrede, og det var, som ville blodets pres kvæle ham.

Han hviskede uafbrudt: »Jeg kommer, Flicka ... jeg kommer ...«

Så trommede hans fødder over stien. Han løb alt, hvad han kunne.

Der var så sort under poplerne, at han måtte stå stille et øjeblik og prøve at vænne sig til mørket, før han kunne fastslå, at Flicka ikke var der. Hendes foderkasse stod der endnu – men den lille plag var forsvundet.

Han blev slået af desperat rædsel. Et eller andet havde hekset hende bort – han skulle aldrig gense hende – Gus havde skudt hende – hans far –.

Han løb forvirret hid og did. Da han endelig opgav at finde hende på den vante plads, begyndte han en systematisk eftersøgning i hele indelukket. Han turde ikke råbe højt, men hviskede uafladeligt: Flicka – kæreste Flicka – hvor er du? ...

Omsider fandt han hende liggende i bækken. Hendes hoved havde hvilet på bredden, men strømmen havde trukket hende længere og længere ud, og hun havde haft for få kræfter til at holde igen med. Lidt efter lidt var hendes hoved trukket ud i vandet, til kun næsen og mulen lå på tørt land. Hendes krop og ben svajede med strømmen.

Ken lod sig glide ned i vandet, satte sig fast på bredden og trak i hendes hoved. Flicka var tung, og strømmen sugede til. Han begyndte at græde, fordi han ikke havde kræfter nok til at trække hende i land.

Så fandt han støtte for sine hæle mod nogle sten på bunden af bækken, stivede sig af imod dem og halede af alle kræfter. Han fik plagens hoved op på sine knæ og holdt det fast med begge arme lukket om det.

Ken var glad over, at hun havde fået en naturlig død i det kolde vand under månen i stedet for at blive skudt af Gus. Han lagde sin kind mod hendes ansigt, så spejdende ind i hendes øjne og opdagede, at hun levede og gengældte hans blik.

Da brast han for alvor i gråd, knugede hendes hoved ind til sig og mumlede: »Flicka – min lille, elskede Flicka ...«

Den lange nat fik ende.

Månen gled langsomt over himmelbuen.

Bækken rislede over Kens ben og over Flickas krop. Lidt efter lidt forlod feberheden hende, og det kolde, rindende vand vaskede og vaskede hendes sår.

31

Natten tog meget hårdt på Ken, men for Flicka var den en vending til det gode. I samme nu, som drengen tog hende i sine arme og råbte hendes navn, var det, som om den sugende malstrøms kraft blev brudt, som måtte den slippe grebet i sit bytte, og hun forstod det. Livskraften begyndte atter at strømme ind i hendes krop, ganske vist i svage og vekslende bølger, men den rette vej. Det var, som om Ken indgød hende ny styrke. Al hans ungdom, hans kraft, det bedende blik i hans øjne og den vidunderlige magnetisme, der kom fra hans grænseløse kærlighed, drog hende mod livet.

Ken mærkede først en stigende følelsesløshed der, hvor Flickas hoved hvilede tungt på ham. Så fulgte en isnende kulde fra vandet, der løb over hans ben, hans lår, ja helt op til bæltestedet. Bjergbækken kom med smeltevand fra bræerne over Snowy Range mod nordvest, og vandet var meget koldere, end man skulle tro det, når man betragtede den grunde, solplettede strøm. Kens muskler krympede sig og smertede i kramper på grund af kulden. Længe før natten endte, sad han tænderklaprende med rystende, forkommen krop.

Det spillede ingen rolle. Det eneste, som betød noget, var, at han kunne holde fast på Flicka, få liv i hende.

Dagen gryede mørkt. Først kom en grå skumring og dernæst et langvarigt blegt tvelys. Blæsten svigtede, og skyerne fik omsider fri bane.

McLaughlin havde ofte i de sidste døgn nøje studeret himlen, navnlig over Shermanbjergenes rand, og havde sagt: »Det brygger sammen til rigtigt uvejr, men skyerne kan ikke slippe op over bjergene.«

Nu var det lykkedes dem at komme over. Der var ikke plads til dem alle. De bunkedes sammen i zenit, dyngede sig sammen lag over lag.

Ken anede intet om vejret – han så kun Flicka, følte hendes krops feberhede, der brændte mod hans arme. Henad morgen vidste han, at feberen havde forladt hende, og at hun ikke var død. Da han talte til hende, søgte hendes blik hans. Han var dybt taknemmelig.

Mens den lange nattevagt randt ud, sløvedes hans sanser til et mellemstadium af søvn og bevidstløshed. Gang på gang sejlede alle omgivelser for ham. Hans hoved sank forover. Han hørte støj, brøl af køer, snerrende vræl og et ungt dyr, der skreg af angst. Ken hævede sine tunge øjenlåg og så henne ved skrænten under de tre fyrretræer, hvor han i begyndelsen havde bragt foder til Flicka, en lille hvidgul jerseykvie – en af åringerne, der havde opholdt sig i Kalvehaven om natten sammen med malkekøerne – i et brungult vilddyrs kløer.

Ken iagttog scenen uden angst og uden større bevægelse. Også malkekøerne så til, samlet i en flok på passende afstand af kampen. De brølede nu og da. En del af dem stampede og skrabede i jorden, slog med hovederne og så sig om efter hjælp. Hvor var tyren, som skulle have beskyttet dem? Uden dens nærværelse turde de ikke gå til angreb. De var alle afhornede. Skønt de kunne sænke hovederne og lade, som om de stangede, var de våbenløse. Pumaen havde fejlet i første spring. Den lille kvie, som rullede og spjættede på jorden, fik held til at rive sig løs. Den flygtede, mens den brølede hysterisk og vild af skræk. Pumaen forfulgte lavt over jorden som Pauly, når den jagede en fugl. Den sprang på ny, fløj i en elegant bue gennem luften, og denne gang så Ken det »smarte kneb«, Ross havde skildret for ham. Samtidig med, at vildkatten fra sit spring landede på kviens ryg, blev kreaturets hoved drejet helt rundt. Dets mule vendte lige i luften. Dets vræl stoppede brat, og det tumlede omkuld.

Kampen var endt. Kvien blev omgående dræbt. Pumaen greb kadaveret i en skulder, slæbte det lidt bort og strakte sig så, ophidset af blodsmagen, på jorden og holdt om byttet med begge forpoter. Først flåede dens klør kviens bug, dernæst et af de buttede lår og omsider struben.

Ken så det som i en drøm. Det vedkom ikke ham. Længe før vilddyret havde endt sit blodige måltid, lukkede han atter øjnene og gled hen i en tilstand, hvor lammelse og smerte forsvandt, mens han følte sig gennemrislet af livsalig varme.

32

Vækkeuret skingrede i den tidlige morgens stilhed. Dets kimen fortsatte et halvt minut oppe i arbejderhuset.

Inden det standsede, sad Tim og Gus på deres sengekanter, gabede og gned øjne.

Gus rakte ud efter sit tøj, begyndte at klæde sig på og huskede, at der ventede ham noget ubehageligt. Det varede nogle øjeblikke, inden han blev helt klar over, hvad det var – han skulle skyde Flicka!

Da det stod ham helt klart, støttede han hænderne mod sine knæ og sad tavs. Der var ingen vej uden om – det *skulle* gøres. Man kunne have ladet plagen dø af sig selv, men det stred mod sæd og skik på Goose Bar Ranch – og for øvrigt på alle ordentlige gårde. Et dyr, som alligevel ikke kan leve, skal ikke pines unødigt. Desuden var det chefens ordre, og McLaughlin tog aldrig en ordre tilbage, når først den var udstedt.

Svenskeren trak sokker på, stak i sine tunge sko og lærredsbukserne og gik ud i køkkenet for at vaske sig.

Tim skyndte sig ud til skyllerummet efter mælkespandene.

Gus afsluttede påklædningen, tændte op og dækkede bord til morgenmåltidet. Når alt var parat og han kun manglede at spejle æg, stege flæsk og lave kaffe, ville han tage riflen og gå ned i Kalvehaven. Det kunne kun tage et øjeblik. Han havde winchesterriflen hos sig i huset. Den stod ladt i et hjørne. Han kunne nå tilbage, inden Tim fik malket køerne, og endda have rigelig tid til at gøre det sidste af morgenmåltidet klar.

Tim var imidlertid nået ud til malkekøerne, som roligt og drøvtyggende ventede på ham. De skyndte sig i pæn orden gennem leddet til malkefolden, da han åbnede det for dem. Dyrene længtes efter deres kraftfoder. Det var den vante flok. Goldkøer og kvier vidste, det var unyttigt at trænge sig på. De ventede uden for leddet. Der var intet kraftfoder til dem.

Gus gik ned til stuehuset, stillede riflen fra sig mod muren og tændte op i komfuret. Da pindene havde fænget, og flammerne slikkede op om kulstumperne, lukkede han det bageste spjæld og gik ud. Han tog riflen og vandrede langsomt over grønningen mod leddet ind til Kalvehaven.

Nogle få minutters gang bragte ham til Flickas »barnekammer« og viste ham, at hoppen ikke var der. Han gik ned mod bækken og fandt Ken siddende i vandet med Flickas hoved i sine arme.

Et enkelt blik på drengens ansigt sagde ham alt.

Gus passerede bækken og lagde riflen fra sig. Han tog fat om plagens hoved og slæbte den op på breddens græs, som lægen trækker et lille barn ind i denne verden ved hovedet – det er den eneste sikre måde at tage spæde og svage skabninger på.

Ken kunne ikke røre sig. Gus løftede ham op i sine arme og passerede atter bækken. Kens hoved faldt tungt mod svenskerens skulder, da drengen sendte Flicka et afskedsblik.

»Farvel, lille Flicka.« Han kunne kun hviske hæst og svagt.

Rob stod ved vinduet i færd med at spænde sin livrem, da han så forkarlen komme med Ken. Han tænkte: »Flicka er skudt, skønt jeg ikke har hørt noget knald af riflen – Ken har fundet hende død – han er besvimet.«

McLaughlin skyndte sig ned ad trappen og tog drengen i sine arme. Nu så han Kens hærgede, indfaldne, fortrukne ansigt og mærkede hans voldsomme kulderystninger. Dette var noget andet og værre end en besvimelse. Gus fortalte, hvordan han havde fundet Ken, og McLaughlin bar drengen op ad trappen for at lægge ham i seng.

Rob og Nell rullede Ken ind i varme tæpper og prøvede at få ham til at synke noget cognac.

Gus vendte tilbage til Kalvehaven efter riflen. Flicka lå, som han havde forladt hende, men da Gus nærmede sig, hævede hun hovedet. Karlen knælede ned hos hende, følte på hendes hoved, på halsen og så på hendes øjne. »Se – se, Flicka – lille pige –.« Han var forbavset over, at hendes krop ikke føltes hed som før. Feberen havde forladt hende. Han undersøgte hendes to sår. Sårrandene var rene og hævelsen forsvundet. Han kunne se på hendes ansigt, at hun havde det bedre, som man kan se i et barneansigt, at en sygdom er på retur. Man ser, at liv og kræfter er ved at vende tilbage, selv om patienten kan være nok så afpillet og udmattet.

Han rejste sig langsomt med riflen i hånden og stod ubeslutsom. Han havde fået en klar ordre om snarest at skyde Flicka, når Ken ikke var i nærheden. Der var faktisk ikke noget mere passende øjeblik end dette.

Der gik et par minutter, mens svenskeren stod tøvende, betragtede Flicka og overvejede situationen. Så rettede han ryggen, stak riflen under venstre arm, kiggede op mod himlen for at se, hvordan vejret ville arte sig og begyndte mekanisk at rode i lommerne efter pibe, tobak og tændstikker. En smule røg i munden ville måske kunne klare begreberne for ham. Det var ikke meget sandsynligt, at den lille hoppe kom sig helt. Han spekulerede på, hvor længe Ken mon havde holdt Flicka oppe – det lod sig ikke uden videre fastslå. De kendte alle Kens vaner, og det var højst sandsynligt, at han havde siddet i det kolde vand lige fra daggry.

Den store forkarl stod lidt åndsfraværende tankefuld, mens hans blå øjne, hvis blik var fjernt som alle slettefolks, søgte efter vejrvarsler i rummet. Det var vindstille. Himlen var tæt overskyet. Hvis blæsten ikke snart rejste sig, ville de få regn. Det var ikke overraskende – han havde længe ventet et omslag i vejret.

I en af poplerne sad en sværm skvadrende skader. De fløj og fartede op og ned, kredsede rundt om træet og lavede en farlig støj. Der må være noget spændende i træet eller i nærheden af det, tænkte svenskeren – en hare måske eller en præriemus –. Hans blik gled videre, til han så kvæget – de gule og hvide jerseykøer – de unge kvier og goldkøer, som roligt græssede hist og her over marken. Han bemærkede deres foderstand – de var ved godt huld og kødfulde. Der var også meget græs i Kalvehaven – det holdt længe i år –.

Han lagde mærke til, at det røg af skorstenene på stuehus og arbejderhus, og dette gjorde en ende på hans drømmerier. Han måtte tilbage for at gøre morgenmaden færdig – Tim ville snart komme fra malkning.

Gus konstaterede, at han havde taget en beslutning, mens han stod hensunket i vage spekulationer. Han ville *ikke* skyde Flicka netop nu. Det var muligt, at Ken, når han var blevet varm og havde spist morgenmad, kunne sige et eller andet til McLaughlin, der fik kaptajnen til at ændre sin beslutning.

Gus gik langsomt tilbage ad den smalle sti – op mod arbejderhuset.

33

Dr. Rodney Scott var en tre alen og tre tommer høj, mager mand med et næsten drenget ansigt, skønt han var veteran fra verdenskrigen. Hvert år købte han en ny, meget kraftig bil, brugte en tredjedel af sit liv til at krydse rundt på Wyomings bjergveje fra patient til patient med en gennemsnitlig hastighed af hundrede og tredive kilometer i timen – folk påstod, at han aldrig kørte på mere end to af vognens fire hjul ad gangen – og opholdt sig den anden tredjedel af tiden på en golfbane eller ved et fiskevand, helst ved kolde ørredelve, som dannedes af bræsmeltningen på Snowy Range. Sidste tredjedel af tiden benyttede han til en læges egentlige kald: at redde menneskeliv, lindre smerte og kval.

I dag, lørdag, kørte Rob i Studebakeren til Cheyenne, kom på spor af lægen og fulgte sporet i mange timer. Ved tretiden om eftermiddagen nåede han dr. Scott. Lægen stod på en stor klippeblok og kastede sin line med en grå flue fyrre meter ned ad strømmen til en strime mørkt vand, der skyggedes af en stor, fremspringende brink.

To timer senere tordnede de to biler – Rob i den ene og lægen i den anden – op ad bjergskrænten til ranchen.

Kens tilstand havde jævnt hen forværret sig. Trods de hede tæpper gennemrystedes han gang på gang af så voldsomme kuldegysninger, at hans tænder klaprede. Da Nell puttede ham i seng, var hans temperatur 39,5, men ved middagstid var den steget til over 40.

Han sov den meste tid eller var i hvert fald uden klar bevidsthed, mente Nell, der sad ved hans seng og holdt en af hans små magre, kraftesløse hænder i begge sine.

Hun havde opdaget, at Ken slet ikke havde haft sin pyjamas på om natten. Den lå endnu pænt sammenlagt fra gårsdagens morgen. Han var gået op på sit værelse til sædvanlig tid, men havde tilsyneladende ikke klædt sig af. Hun prøvede at forestille sig, hvad der var sket. Det var Flickas sidste nat. Ken var listet ud til hende, da alt i huset blev roligt. Han havde sikkert tilbragt hele natten kæmpende for at holde Flickas hoved over vandet.

Mon Flicka var død, eller levede hun endnu? Det forekom

Nell et under, at den lille hoppes og drengens liv var så uløse-
ligt sammenknyttet.

Når Ken vågnede af sin søvn eller bevidstløshed, så han
undertiden på sin mor, som kunne han kende hende, men til
andre tider var det, som om hun var ham fremmed. Nu og da
lyttede han anspændt, drejede hovedet, så mod vinduet og lå
ubevægeligt stille.

Han lytter efter Flicka, tænkte Nell – efter hendes vrinsken
– eller måske efter knaldet af et riffelskud ...

Dagen blev mørkere og mere skummel. En enkelt gang lød
det, som blev der slået dæmpede hvirvler på mange trommer
– men det var en svag og fjern lyd – næsten kun en hvisken.
Nell gik til vinduet og så, at det regnede. Dråbernes enstonige
musik steg til et crescendo og døde bort som mumlen – bygen
havde næppe varet et minut. Himlen var fuld af tunge, lave
skyer.

Mens Nell stod ved vinduet, hørte hun skarpe, ophidsede
hundeglam fra Kalvehaven. Hundene havde åbenbart rejst
noget vildt. Sådan glammede de altid, når jagtinstinktet tog
overhånd.

Hun så i retning af lyden og lagde mærke til, at nogle høn-
sehøge kredsede i randen af skyerne over de tre fyrretræer.

Hun gik atter hen til Ken, satte sig på sengekanten og bø-
jede sig over ham, mens hun nøje iagttog hans ansigt. Han
havde en rolig periode, men lå alligevel anspændt til det yder-
ste og lyttede –. Mon han overhovedet kunne tænke klart?
Drømte han? Hans øjne var halvt åbne.

»Kennie,« mumlede hun sagte. »Kære, lille Ken ...«

Men det var ikke hendes stemme, han lyttede efter. Han
hørte hende ikke. Regnens dæmpede trommen lød med kor-
tere og kortere mellemrum. Bygerne drev forbi.

En læges indflydelse gør sig gældende i samme nu, som han
træder ind i patientens hus.

Nell hørte mandsstemmer neden for trappen og tunge trin,
da hendes mand og lægen gik op til værelset. Hun gemte an-

sigtet i sine hænder. Men hun tog sig atter sammen og gik hen mod døren for at møde dem.

Ken mumlede og kastede sig uroligt frem og tilbage. Han genkendte ikke lægen.

Mens dr. Scott undersøgte drengen, fortalte Nell, hvad der var sket – at Kens hest var syg og døende – at Ken var listet ned til den sent om aftenen og åbenbart havde siddet i det kolde vand næsten hele natten med plagens hoved i sit skød.

»Hans skole begynder på mandag – i overmorgen,« sagde Rob i et tonefald, der lød som et spørgsmål.

Lægen rystede på hovedet. »Det lader sig slet ikke gøre.« Han trak tæpperne bort fra Ken, knappede drengens pyjamas op, løsnede bukserne og blottede den lille, brune krop. Han bankede på brystbenene.

»I løbet af ugen?« spurgte Rob.

»Det tror jeg desværre ikke,« svarede Scott ubekymret. »Undertiden kan børn narre, få et anfald af en eller anden sygdom og lige så hurtigt overstå den. Men drengen har en temperatur på over 40. Han fejler *noget* – jeg ved blot ikke endnu, hvad det er.«

»Kan det være en infektion?« spurgte Nell.

»Det er muligt. Man får ikke så høj feber uden infektion.«

»Kan plagen have smittet ham? Han var altid hos den.«

Lægen trak på skuldrene og dækkede Ken til. »Det tør jeg ikke udtale mig om, men det er muligt. Mennesker kan jo godt blive smittet af dyr – for eksempel af miltbrand fra får. Men der er megen influenza rundt omkring for tiden – mærkeligt nok mere ude på landet end inde i byerne. Jeg må se drengen i halsen, og vi skulle gerne have ham til at hjælpe med. Prøv at tale til ham, mrs. McLaughlin – børn hører næsten altid deres mor, selv om de er temmelig uklare.«

Rob løftede sin søn op, og Nell talte til Ken med den moderlige ro og mildhed, der altid indgød dr. Scott respekt og gjorde ham ydmyg. Langsomt kaldte Nell sin dreng tilbage fra egne, hvor hans tanker vandrede vildt, til det lille, kendte værelse og nøddetræssengen, der var hans personligste del af hjemmet.

Han blev næsten klar, gabede og lod lægen undersøge halsen.

»Dér fejler han intet,« sagde dr. Scott og lagde Ken tilbage mod puderne. Drengen vendte sit hoved om på siden, og Nell forstod, at han atter lyttede.

Lægen sad med sin store, stærke næve om Kens tynde håndled, mens han iagttog drengens ansigt.

Nogle øjeblikke var der ganske tyst i værelset.

Det blev stadig mørkere. Pludselig oplystes det af et stort, flammende fladelyn. Lægen kiggede ud ad vinduet og sagde: »Det bliver nok hårdt vejr.«

I mørket, som fulgte efter det blændende glimt, kom et voldsomt vindstød med sugende brøl gennem slugten. Det bøjede alle bjergets træer og hamrede køkkendøren i.

Nell tændte petroleumslampen, lægen rejste sig og så endnu engang nøje på Ken. Drengen havde lukket øjnene. Han lå ubevægelig. Vejrtrækningen kom overfladisk og stødvis mellem hans tørre læber.

»Han er meget syg,« sagde Scott. »Hvad *er* der dog sket med ham i sommer? Jeg så ham nu i foråret, og jeg ville ikke have kendt ham igen – det er ikke alene kulden og feberen, som har ændret ham, vel?«

Nell og Rob så på hinanden. Spørgsmålet var ikke let at besvare. Der var så meget, man måtte gøre rede for.

De fulgtes med lægen ned ad trappen, og Rob sagde: »Det er denne plag, som har knust drengens hjerte.«

Lægen forstod ham ikke: »Har han da været længe syg?«

»Ikke just syg,« svarede Nell, »men han har levet under et voldsomt nervepres, fordi *hesten* var syg.«

Scott kunne se, Nell længtes efter at vende tilbage til Ken. Han trak i frakken. »Jeg skal ikke holde på Dem, for De vil jo helst op til drengen. Han skal snarest muligt have noget medicin, Rob.«

»Jeg kører med ind til byen efter det,« sagde McLaughlin, tog Nell i sine arme, knugede hende ind til sig og kyssede hende. »Du må ikke være bange, kæreste. Ken skal nok blive rask.«

»Ja, naturligvis,« sagde Nell. »Jeg går op til ham.«

Lægen gav hende nogle gode råd med hensyn til Ken. Så gik han ud sammen med kaptajnen.

34

Ude i Kalvehaven lå det sønderflængede kviekadaver uset af Tim, Gus og Howard. Ingen af dem var kommet i nærheden af det.

Da uvejret nærmede sig, og chefen var borte, havde Gus kørt den lille lastbil ned i engene, hvor han og Tim spændte presenninger over høstakkene og sikrede dem med liner, holdt nede af tunge jernvægte.

Kun hundene havde været i Kalvehaven, og *de* var ikke sultne, da Howard fodrede dem ved middagstid.

Goldkøerne og kvierne vandrede uanfægtet rundt om kadaveret og passede deres græsning. Pumaen, der hvilede elegant og smidig på en poppelgren et godt stykke nord for Kalvehaven, var for fjern til, at nogen bemærkede den. Ikke engang hundene fik fært. Den var mat og overmæt. Når det blev nat, ville den enten æde resten af kadaveret eller dræbe nyt bytte blandt de unge kvier. Pumaer foretrækker frisk og blodig føde. Her var der nok at tage af.

Ved middagstid lod den sig dumpe ned fra grenen og gik til bækken for at drikke. Goldkøerne og kvierne fik øje på den, løb sammen i en klump, gjorde front mod vildkatten, sænkede panderne, stampede og skrabede i jorden.

Pumaen vendte tilbage til stedet, hvorfra den var kommet,

krøb gennem tæt underskov og mellem store sten, til den nå-
ede en hule ved klippens fod. Dér lagde den sig til at sove.

En af de pludselige styrtregnbyger kom hvislende og trom-
mende. Kvæget fandt sig gladeligt i den. Det var, som løsnede
køer og kvier huden og rejste hårlaget for at blive vasket grun-
digt – omtrent som når fugle hæver vingerne og rejser fjer til
storvask.

Gus havde under hele dagsarbejdet tænkt på Flicka, men
havde ikke været i Kalvehaven for at se til hende. Han havde
ikke fået ny ordre. Levede hun, stod ordren om at skyde hende
stadig ved magt. Men Kennie var syg, og McLaughlin, der at-
ter var kørt til byen – denne gang efter medicin – kunne ikke
nå hjem, før det blev mørkt. Gus vidste ikke, hvad han skulle
gøre.

Efter at han og Tim havde spist aftensmad i arbejderhu-
set, gik de ned til bækken. De talte ikke, da de nærmede sig
plagen, der lå fladt strakt på breddens græs, nøjagtig som Gus
havde forladt den. De spejdede derimod ivrigt for at se, om
den levede eller var død i dagens løb.

Flicka hævede hovedet, da de nærmede sig.

»Det var pokkers!« udbrød Tim. »Dér er hun jo!«

Flicka sænkede hovedet, men hævede det atter, spjættede
med benene og gjorde øjensynlige forsøg på at rejse sig. Kar-
lene opmuntrede hende. Hun rullede sig om på bugen, strakte
forbenene og kom halvvejs op.

»Min salighed, om hun ikke har en del kræfter i behold
endnu,« sagde Gus.

»Hov!« råbte Tim. »Nu kom hun op!«

Men Flicka svajede på benene, gled atter omkuld og lagde
sig på siden. Hun viste dem klart, ved at udstøde et dybt suk
og lukke øjnene, at hun ikke ville gøre nye forsøg.

Gus tog piben af munden og tænkte sig om. Uanset den
ordre, han havde fået, ville han prøve at redde plagen. Ken
havde strakt sig for vidt til, at han skulle svigtes.

»Jeg laver en slynge af et dækken, som hun kan hænge i,

Tim. Vi skal have hende på højkant. Hvis hun kan leve, vil det være en hjælp, når hun kan hænge med bugen i dækkenet uden at støtte på benene. Dør hun, er der ingen skade sket ved at hjælpe hende.«

Mens de hentede redskaberne, styrtede regnen atter ned, og nu var det ingen kortvarig byge. Karlene gik ind i arbejderhuset og fik olietøjet på. De tog også et par staldlygter med.

Flicka lå akkurat som før.

»Hun bliver ordentlig gennemblødt,« sagde Tim.

»Det skader hende ikke,« sagde svenskeren. »Hun har rendt ude i det skrappeste tordenvejr, fra hun blev født.«

Det tog dem en time at lave hængekøjen til Flicka. Stolpehullerne blev fyldt med sten og jord, så stolperne stod solidt fast. Flicka lå på græsset en ubetydelighed over bækkens vandspejl. På den anden side af hende steg terrænet stejlt i en lille, brat bakke, på hvis top der lå store skredsten – som mangfoldige steder på ranchen.

Karlene anbragte et par solide asketræsstolper under Flicka og rullede hende med vugtebevægelser ind på dækket. De samlede dækkenhjørnerne og bandt rebet fast deri med en knude, der strammedes mere og mere jo større træk, den blev udsat for. Der var nedsavninger i stolpeenderne, og koben blev lagt over dem i disse hak. Rebenderne blev ført gennem huller i stolperne et lille stykke under nedsavningerne, og da alt var klar, halede de i rebene, til dækkenet, der strammede under plagens bug mellem forben og bagben, hævede den i vejret. Da de havde hevet hvert reb tot og surret det med nogle rundslag omkring kobenet, hang Flicka i dækkenet, så hun lige netop kunne nå at røre ved jorden med hovene.

Det passede hende åbenbart godt at hænge støttet således, for da Tim bragte hende vand i en spand, drak hun af det.

»Nu hænger vi også på den,« sagde Tim. »Jeg havde ikke troet, hun kunne leve.«

»Det var godt, vi fik lagt presenninger over stakkene,« sagde Gus. »Høet er noget let pakket.«

Da de nåede gården, overlod han Tim de redskaber, han havde båret. »Jeg går lige ind til Missus, Tim, for at høre, om jeg kan hjælpe hende med noget – og få besked om, hvordan knægten har det –.«

Tim gik videre alene, mens Gus lukkede sig ind i køkkenet, hvor petroleumslampen hang på et søm ved komfuret. Han tog oliefrakken af.

Nell hørte ham trampe rundt og skyndte sig ned til ham. »Er det Dem, Gus?«

»Ja, Missus – hvordan går det med den lille fyr?«

»Åh, Gus – bare vi vidste det – han har det rigtig elendigt.« Nells ansigt var hærget og ængsteligt. Som hun stod der i sin grå flonelskimono, lignede hun et barn. Håret hang udslået om hendes skuldre, og hun strøg det tilbage med en træt håndbevægelse. »Gus – er Flicka død?«

»Nej, Missus. Tim og jeg har hængt hende op i en dækkenslynge. Hun kan ikke holde sig på benene uden støtte. Men der er liv i hende, og hun drak af det vand, vi gav hende.«

Nell så mod gulvet og stod et øjeblik tavs, mens hun mekanisk slog takt med en skosnude. »De skød hende altså ikke,« sagde hun, som tænkte hun højt. »Gus, har han – har kaptajnen sagt, at De ikke skulle skyde hende?«

»Nej, Missus. Han sagde i aftes, at jeg skulle gøre det, når Ken ikke var i nærheden; men da jeg så fandt dem – Ken og Flicka – i morges, så –.«

»Jeg forstår det, Gus,« sagde Nell hurtigt. »Jeg ved godt, hvad De mener. Jeg – jeg skal sige det til Ken. Måske kan det hjælpe ham – han vil blive så lykkelig, hvis han forstår, at Flicka stadig lever. Nu da De er her, Gus, vil jeg bede Dem stille en feltseng op til mig i Kens værelse, så jeg kan sove derinde og passe ham. Den står i kælderen – vil De hente den?«

»Jeg ved, hvor den er,« sagde Gus beroligende. »Gå De nu bare op til den lille fyr, så skal jeg hente feltsengen og rigge den op for Dem.«

Nell løb op ad trappen og fandt Ken lysvågen. Han var

urolig, vendte og drejede sig. Han trak vejret overfladisk og ofte med lange mellemrum.

Hun satte sig på sengekanten og bøjede sig over ham. Hun så ham smilende og kærligt i øjnene. Han takkede med et svagt smil. Hun strøg håret bort fra hans pande, tog en af hans hænder mellem begge sine og sagde: »Kennie – du ved vist ikke, at Flicka har det lidt bedre, vel? Gus har fået hende til at hænge i en dækkenslynge, de fik hende på benene, og hun drak noget vand af en spand, de holdt for hende.«

Drengens ansigt fik et nyt, forklaret udtryk; hans læber bevægede sig, men han kunne ikke endnu forme ordene, han ønskede at sige.

»Måske – det *kan* være, min dreng – at hun ikke dør. Vi skal gøre vort yderste for hende – men du må ikke håbe alt for sikkert på det.«

Ken bevægede atter læberne, og omsider hørte hun ordene: »Men – far – gav – jo – ordre –.«

Netop da kom Gus ind med feltsengen. Han hentede derefter en madras, og mens de riggede sengen til, fulgte Kens øjne deres bevægelser.

Gus listede sig hen til hans leje og så på ham.

»Flicka er kommet på benene, Kennie – nu skal du være en rask dreng og skynde dig med at komme op til hende –.«

»Gus –.«

»Ja?«

»Sagde far, at du ikke behøvede at skyde hende?«

»Nej, Kennie – men jeg har ikke gjort det – måske vil han ombestemme sig.«

Kens udtryk ændredes pludseligt. Han lukkede øjnene, og der kom et drag af smerte og gru om hans mund.

Gus listede ud, og lidt efter hørte Nell en hvisken fra sengen: »Mor.«

»Ja, min kære dreng.«

»Hvor er far?«

»Han er kørt til byen efter medicin til dig, Kennie.«

Ken sagde ikke mere. Han sov tilsyneladende. Nell redte så lydløst som muligt sin feltseng.

Kort efter spurgte Ken: »Kommer han snart?«

»Jeg tror, han kan være her når som helst, min dreng.«

Ken lukkede atter øjnene, men når Nell så på ham, var hun klar over, at han lå anspændt lyttende. Han ventede at høre bilen køre op til gården.

35

Sherman Hills bjergskanser blev omsider stormet, og det var ikke ét uvejr, men fem, seks, der samtidig vældtede op over horisonterne og tørnede sammen.

Enorme dynger af purpurmørke skyer eksploderede med øredøvende brag, der rullede som endeløs buldren gennem rummet. Det var som spærreild fra talløse tunge kanoner. Glødende lynkugler løb ad jernbaneskinner og hegnenes pigtråd. Flammesværd førte i hurtig rækkefølge gnistrende stød mod jorden. Det var, som ufattelig store og urimeligt stærke gigantvæsener kæmpede i rummet, mens flammer og ildkugler fløj omkring dem.

McLaughlin var på hovedvejen i nærheden af sin ranch, da det frygtelige vejr ramte ham med fuld styrke.

I samme nu fik han meget svært ved at styre vognen. Dens bumpen og hoppen sagde ham, at et hjul måtte være punkteret.

Selv i det fineste vejr og under de bedste betingelser kunne McLaughlin ikke skifte hjul uden eder og forbandelser. I et sådant vejr som dette – oven i købet uden en oliefrakke – –.

Fuldstændig gennemblødt, halvdrukken og næppe i stand til at holde sig på benene i regnkaskader og stormstød, bøjede han sig over baghjulet, mens han bandede om kap med tordenbragenes øredøvende rabalder. Han var vild af raseri. Han rasede over vognen, over uvejret, over Ken, der absolut skulle pådrage sig en lungebetændelse af at sidde i koldt vand med Flickas hoved på sit skød, netop nu, da han om få dage skulle vende tilbage til skolen.

McLaughlins raseri koncentreredes om Flicka. Flicka, Flicka, Flicka – han havde hørt om hende hele den lange sommer ... Havde den infame plag ikke eksisteret, var Ken ikke blevet syg, og han selv havde ikke været nødt til at stå her på en øde vej med vandet rindende ned ad ryggen og ind i støvlerne.

Han huskede, at Gus på dette tidspunkt burde have skudt Flicka – men var det sket? *Havde han pareret ordre?* Måske var Flicka endnu i live?

Da han nåede hjem og steg ud af bilen, ventede Gus på ham for at meddele, at han havde taget presenningerne og lagt over høstakkene.

Rob skyndte sig ind i huset med Gus i hælene. Forkarlen måtte råbe højt for at overdøve tordenbragene og den hylende storm.

De gik ind i køkkenet, og Rob smed sin gennemblødte frakke og strøg vandet af hår og øjenbryn. Nell kom ned til dem.

»Hvordan går det Ken?« spurgte Rob, inden han svarede Gus. Han rodede i sin våde frakkes lommer efter medicinen til drengen.

»Han har det en smule bedre,« svarede Nell. »Han har i hvert fald talt lidt til mig, og han var ikke uklar.«

»Skød De Flicka, Gus?« spurgte McLaughlin henvendt til svenskeren.

»Nej, kaptajn,« svarede Gus, »det gjorde jeg ikke.«

»Jeg gav Dem en bestemt ordre til at skyde hende, og De har haft rigelig tid til at nå det.«

»Jeg – jeg – kunne ikke gøre det.«

Rob tog sin våde frakke og begyndte at trække i den. »Hvor er riflen?« spurgte han.

»Oppe i arbejderhuset.«

»Hent den.«

Gus gik langsomt ud ad døren.

Nell klyngede sig til sin mands arm. »Lad være med at gøre det, Rob! Kennie ved, at hun lever. Han tror, hun kommer sig. Lad ham bevare håbet.«

»Jeg har givet en klar ordre,« sagde han, »og jeg kan ikke se nogen grund til at kalde den tilbage. Det havde været meget bedre for plagen, hvis vi havde skudt hende for flere uger siden. Hun har kun bragt os sorger og bekymringer. Hvad er der ikke sket Ken?«

»Bare du ville lade være!«

»Han behøver ikke at vide det.«

»Han vil høre skuddet.«

»I dette uvejr? Han vil tro, det er tordenskrald.«

»Nej. Han vil være ganske klar over, at det er knaldet af riflen.«

»Hvorfor?«

»Han vil vide det.«

Gus kom ind i køkkenet med riflen i den ene hånd og en patron med langskarp i den anden.

»Der er kun denne patron, kaptajn.«

»Hvor er de andre? Jeg havde en hel æske.«

»Officererne skød dem bort den søndag, de var her.«

Rob snappede patronen fra Gus. »En er nok.«

Gus sagde: »De vil finde plagen i en dækkenslynge på bækkens anden bred. Tim og jeg riggede dækkenet op til hende, da vi så, hun levede.«

Rob tog en elektrisk lommelygte fra hylden og gik. Gus så bedrøvet på Nells hvide ansigt. »De må ikke være ked af det, Missus,« sagde han dæmpet. »Chefen har ret. Man skal ikke holde liv i syge dyr.«

Nell drejede ansigtet bort fra ham, pressede hånden mod munden og tvang gråden tilbage. Lidt efter vendte hun sig atter mod Gus og sagde mere behersket:

»Gå blot i seng, Gus. Det er sent, og det går nok alt sammen. De skal ikke være bekymret for mig.«

»God nat, Missus,« sagde han ærbødigt og gik ud ad køkkendøren, idet han trykkede hatten fast på sine grå krøller.

Nell løb op til Ken. Hun håbede inderligt, at han sov – men han var lysvågen. Han havde sat sig op mod puderne, og der var et spørgende glimt i hans blik.

»Var det far, som kom med bilen?«

»Ja, min dreng – nu er han hjemme.«

Nell faldt på knæ ved sengen og tog Kens hoved i sine arme, så hun lukkede for hans øren.

Rob smækkede patronen i riflen. Han gik med geværet under venstre arm og holdt lommelygten i højre hånd. Han kendte vejen så nøje, som han kendte sin egen stue, men lommelygtens lys hjalp ham til at finde bedst muligt fodfæste.

Hans vrede havde lagt sig, men Flicka skulle dø. Han gik gennem grønningen, forbi kostalden og over Kalvehaven.

Mens han fulgte stien langs indhegningen, bøjede han hovedet, så den piskende regn ikke ramte ham i øjnene. Hvor var det, Gus havde rigget dækkenslyngen op? Han standsede, prøvede at se gennem mørket – lyttede – ventede på et lysglimt.

Et vældigt, blændende lyn flammede – flere fulgte, og de oplyste hele græsgangen klart. Før mørket atter lukkede sig om ham, havde Rob set tre ting: først plagen ved bækken, med de fjeldskredne stenblokke bag sig, dernæst det vagtsomme, skræmte kvæg samlet ved indhegningen. Hvad var det, kreaturerne stirrede på? Jo, nu fik han øje på noget hvidt, som lå i græsset nær de tre fyrretræer med en vældig stor puma over sig.

Rob stod ganske stille i mørket og tænkte sig om. Mon vildkatten havde set *ham?* Næste lynglimt gav ham svar. Pumaen var forsvundet.

Hvad var det hvide, der lå i græsset? Rob ville gerne have undersøgt det, men han turde ikke bevæge sig. Han havde kun en enkelt patron i riflen.

Han stod stille i lang tid med alle sanser spændt, lyttede og spejdede ind i mørket med riflen skudklar og hanen spændt.

Lynglimtene viste, at kvæget stadig stod i hob og gloede stift på det hvide i græsset, hvorfra pumaen var forsvundet. Da så McLaughlin to lysende øjne rettet mod sig. Han kunne ikke afgøre, hvor nær de var, før endnu et lyn afslørede, at vildkatten sad sammenkrummet under nogle buske. Den havde hurtigt søgt skjul i buskadset og iagttog ham fra sit gemmested.

De grønne, lysende øjne rørte sig. Rob lagde riflen til kinden, sigtede og skød.

I samme nu, som han trak af, forsvandt øjnene.

Han sænkede riflen, stod årvågent lyttende og spejdede.

Da der var gået nogen tid, gik han dristigt over til buskadset, råbte og svingede med riflen. Ved hjælp af lommelygten afsøgte han buskene og konstaterede – som ventet – at han havde skudt forbi. Der var intet tegn til nogen puma.

Han undersøgte kadaveret under fyrretræerne og så, det var resterne af en dræbt jerseykvie. Der var ikke meget tilbage af den, og den var ikke nydræbt. Rob kom i tanker om, at han om eftermiddagen, da han kørte op til ranchen bag lægens vogn, havde set nogle hønsehøge kredse over de tre fyrretræer.

Mon vildkatten ville dræbe nyt bytte denne nat? Var den sulten – eller havde den ædt sig mæt? Det spillede i øvrigt kun en underordnet rolle, for den ville dræbe, selv om den ikke var sulten – for at skaffe yderligere kød, fordi det morede den, eller fordi den var ophidset. Der var både køer, kvier og hestekød i Kalvehaven – der var Flicka, som stod bundet, så hun ikke kunne røre sig, selv om hun havde kræfter til det. Robs letvakte raseri blussede atter op. Sådan var det, mennesker behandlede dyr! Man berøvede dem deres naturlige forsvarsmidler og ydede dem ingen anden beskyttelse i stedet – ja ja – han måtte altså være Flickas vogter i nat.

Først skulle kvæget drives i stald.

Han ordnede det hurtigt, medens han hele tiden tænkte ængsteligt på den lille plags skæbne. Så snart kreaturerne var lukket ind, skyndte han sig hen til Flicka, og hun hilste ham velkommen med en dæmpet, gryntende vrinsken. Han klappede hendes hoved. »Du vinder, Flicka!« Dækkenet havde strakt sig nogle tommer på grund af regnen. Rob så, at plagen selv bar vægten af sin krop, og for første gang fattede han håb om, at Flicka kunne komme sig.

Tordenvejret drev bort med stormen, som højt oppe i rummet flåede skyerne i laser. Rob så en stjerne skinne klart mellem to skyer, men så svandt den atter.

»Vi hænger på den, Flicka,« sagde han og strøg over plagens mule. »Vi kommer til at døje en nat sammen – begge to så våde som druknede mus. Jeg ville befinde mig nok så godt, hvis jeg havde lommen fyldt med patroner – hvis jeg kunne få en *drink* – og noget tørt tøj –.«

McLaughlin havde tændstikker i skjortelommen og en pung tør tobak. Han fik ild på piben og ville gerne have tændt bål, men alt træ i nærheden var drivende vådt.

Mens han røg, tænkte han på, hvad der kunne ske. Nell havde hørt skuddet og vidste, at han kun havde én patron. Hun undrede sig sikkert over, at han ikke kom tilbage, ville huske pumaen og ængstes – og Nell var ikke den kvinde, som ængstedes længe uden at foretage sig noget.

Han havde lige sagt dette til sig selv, da han så en lygte svinge i takt med et menneskes hurtige gang ad stien.

»Hallo, Nell!«

»Rob! Er du kommet noget til? Hvor er du?«

»Her – på den modsatte bred af bækken.« Han svingede lommelygten.

Kort efter skimtede han hendes bekymrede ansigt i skæret fra den lygte, hun hævede højt. Hun havde den tunge expressriffel under den anden arm og var iført et par gamle khakibukser og en sweater.

»Du er en knop –.« Han hjalp hende over bækken, hvor der lå en del store sten i strømmen, og tog lygten og den tunge riffel fra hende.

»Hvad er der sket? Jeg hørte et skud – det var Flicka?«

»Nej. Det var pumaen.«

»Åh! Fik du den?«

»Nej.«

»Jeg tænkte på det afskyelige bæst, da du ikke kom tilbage.«

»Derfor tog du altså en riffel med dig – lige præcis, hvad jeg ønskede. Nu har jeg det betydelig bedre.«

»Læg engang mærke til Flicka,« sagde Nell. »Hun kan ikke begribe, hvad det er, vi leger. Se, hvor interesseret hun iagttager os.«

Nell gik hen til plagen og strøg kærtegnende over dens ansigt. »Se, Rob – hun kender mig.« Nell vendte sig mod Rob. »Hun ser absolut raskere ud. Tror du, hun har en mulighed for at klare sig?«

»Jeg ved det ikke. På forhånd ville jeg ikke tro det, men det gale blod, hun har i kroppen, er ikke nemt at få bugt med.«

Nell strøg stadig over plagens ansigt og talte sagte til den.

»Jeg ville sådan ønske, hun kunne komme sig, Rob –.«

»Hvorfor siger du det på den måde?«

»Det er – Ken. De er så nær knyttet til hinanden. Hvis Flicka kommer sig, tror jeg også, Ken gør det.«

Der var en vred undertone i Robs stemme, da han sagde: »Sådan noget må du ikke sige! Ken bliver i alle tilfælde rask. Du tror da ikke, han er i alvorlig fare, Nell? Både han og Howard har ofte haft forkølelsesfeber.«

Nell stod tavs nogle øjeblikke og rystede så på hovedet. »Aldrig som denne gang, Rob. Dr. Scott kommer igen i morgen, og du ved, at han ikke ville gøre det, hvis der ikke var grund til det. Desuden – Ken ser så underlig ud –.«

Rob sagde lidt barsk: »Han kommer sig. Vent blot og se. I morgen har han det helt anderledes.«

»Han hørte skuddet.«

»Hvordan tog han det?«

»Åh – *han tog det!* Han spurgte ikke om noget og reagerede heller ikke – hvad skal jeg sige – trodsigt. Jeg holdt om ham og prøvede at dække hans ører, men netop da du skød, var der ingen tordenskrald, og han havde lige bevæget sig en smule, idet riflen knaldede – og du ved, et geværskud lyder anderledes end alt andet.«

»Ja. Hvad gjorde han?«

»Hans ansigtsudtryk forandredes. Han trak sig fri af mine arme, satte sig ret op, sank tilbage, gemte ansigtet i puden og blev tavs. Jeg gav ham et af de sovepulvere, lægen havde skrevet op til ham – det virker meget kraftigt. Han faldt i søvn, og nu sover han tungt – derfor kunne jeg forlade ham.«

Det varede nogle øjeblikke, inden Rob sagde: »Hvis Ken skulle vågne og spørge om Flicka, tror jeg, det er klogest ikke at fortælle ham, at plagen endnu lever. Hun har været ved at dø så mange gange, at han ustandselig har været spændt på uvishedens pinebænk. *Måske* dør hun i morgen – det skulle ikke undre mig. Nu har Ken affundet sig med, at hun er død, og han sover. Tror han først, at Flicka er skudt, vil han rimeligvis sove en hel måned, men ved han, at hun lever, skal han gennem en ny nervekrise.«

Nell samtykkede: »Jeg skal ikke fortælle ham det.«

Rob fortalte Nell om den dræbte kvie.

»Jeg vidste, der måtte være noget ovre ved fyrretræerne,« sagde hun. »Hundene har glammet derovre hele dagen, og der var en bunke skader i træerne.« Hun så sig ængsteligt om.

»Tror du, vildkatten er i nærheden?«

»Nej, jeg tror ikke – jeg ved det.«

»Kan den se os nu?«

»Den har, som bekendt, gode øjne.«

»*Men holder den øje med os og Flicka?*«

Rob lo. »Det kan du være vis på. For øjeblikket er det *os!*«

Nells skræmte blik spejdede ind i mørket omkring dem, og hun gøs.

Rob undersøgte riflen og konstaterede, at den var ladt.

»Jeg ladede den,« sagde Nell kort, »og her –.« Hun førte hånden til sin hoftelomme og rakte Rob hans revolver.

Han lo atter, idet han tog imod den. »Du ville nok ikke løbe nogen risiko, hvad? Du er et omvandrende arsenal,« sagde han, da Nell halede revolver- og riffelpatroner op af de andre lommer.

»Bare den ville vise sig, så vi kunne få den skudt,« sagde Nell. »Hvad tror du, den foretager sig?«

»Måske ser vi den aldrig mere. Der er skudt på den én gang, og når den ser, at jeg stadig er her, flygter den måske op i skoven.«

»Men, hvis den ikke gør det – så – *er Flicka her.*«

»Ja. Jeg har i sinde at tilbringe natten hos Flicka. Jeg kan ikke få hende op i stalden. Hun kan ikke stå på benene.«

»Det vidste jeg, du ville gøre,« sagde Nell. Hun tog Robs hånd. »Min ven! Du er jo kold som is!«

»Ja – jeg var helt gennemblødt, og stormen var kold.«

»Nu regner det ikke mere. Kan vi ikke tænde bål og tørre dig?«

»Det havde jeg egentlig tænkt mig. Hov! Hvor skal du hen?«

»Op efter tørre pinde og noget brænde.«

»Nej – du kan ikke slæbe alt det herned! Bliv her, så skal jeg hente det – skønt nej – for pokker! Du må gå, og jeg bliver.«

De drøftede, hvem der skulle have lommelygten, staldlygten, revolveren og riflen. Der var fare både ved at gå og ved at blive. Det endte med, at Nell drog af med revolveren og lommelygten. Rob råbte efter hende: »Tag havre med til Flicka. Vi må prøve, om hun vil æde!«

Nell var belæsset som et pakæsel, da hun vendte tilbage. Hun havde en sæk optændingspinde og brændeknuder på ryggen, et badehåndklæde og tørt tøj til Rob over den ene arm, en tyk, ærmeløs og gummiforet ridekappe, tæpper og en pude over den anden og i baglommerne en revolver og en flaske whisky.

»Det var en køn en, hvis jeg nu mødte pumaen,« tænkte hun. Hun lo ved tanken, da Rob hjalp hende over vadestedets store sten.

Da hun lagde byrderne fra sig, sagde Rob bebrejdende: »Hvor kunne du glemme havren til Flicka?«

Nell lagde hånden på sin barm, der var usædvanlig svulmende. »Må jeg spørge, om jeg plejer at se sådan ud?«

Rob kom hende alvorligt nærmere. »Hvad *er* der sket med dig, Nell?«

Hun krængede sweateren op og halede en lærredspose frem med havre.

Han grinede lidt skævt, da han tog den og gik over til Flicka med den.

Plagen åd havre af hans hånd og rejste ivrigt ørerne.

»Det var som fanden!« bandede Rob.

»Ja, ikke sandt?« sagde Nell, som strøg Flicka over næsen. »Nu æder hun igen – *og* kommer sig. Så bliver Ken også rask!«

»Det er noget snak,« sagde Rob.

Han gjorde bålet klar en halv snes fod fra Flicka. »Hold øje med hende. Hun har aldrig før set ild. Snak med hende.«

»Hun har lugtet røg fra vore skorstene,« sagde Nell, mens hun kælede for plagen. »Har du ikke også, min tøs? Ken kom til dig oppe fra huset med røgen. Derfor synes du om den. Du er jo – trods alt – en klog lille tøs – ikke?«

Flickas ører var så rejste, hendes øjne så store og hendes ansigt så tydeligt præget af forbløffelse og intens nysgerrighed, at Nell brast i latter. Flammerne knitrede og blussede højt op. Flicka stirrede på dem og vendte sig omsider mod mørket og Nell, som om hun spurgte: *Hvad er dog dette?*

»Nu kommer det store spørgsmål, om jeg skal drikke en slurk whisky straks eller vente, til jeg har skiftet tøj,« sagde Rob.

»Drik den straks,« svarede Nell omgående.

Rob drak nogle store slurke af flasken og rakte den til Nell: »Vil du have en dram?«

Hun rystede på hovedet, fordi hun huskede, at hun skulle våge hos Ken hele natten.

Rob bad hende om at overtage riflen, mens han skiftede tøj.

Han stod nøgen ved bålet og gned sig med håndklædet. Den stærke spiritus glødede gennem ham, og han følte sig gennemrislet af et sjældent velvære. Hvis det ikke var for Ken – og det forbandede, luskende udyr i nærheden –.

»Lad mig gnide din ryg,« sagde Nell. Hun tog det grove håndklæde fra ham og gned ham hårdt på ryggen. Mens han trak i tørt tøj, sad hun på hug ved bålet og så ind i flammerne.

»Rob – tror du, han ser dette?«

»Hvem?«

»Pumaen.«

Rob lo. »Det har jeg jo sagt dig. Han passer sit – men jeg tror, ilden generer ham mere, end den generer Flicka.«

»Jeg kan ikke lide, du skal være her hele natten. Måske falder du i søvn – og hvis så pumaen æder dig –.«

»Prøv at forestille dig det –.«

»*Hvad* skal jeg forestille mig?«

»Hvad udyret tænker.«

»Jeg ved ikke, hvad sådan et bæst tænker – det er kun dig, der ved, hvad dyr spekulerer på. *Hvad* tænker bæstet?«

»Først og fremmest er Flicka her, ikke sandt? Det ved fyren.«

»Ja. Han ved, at Flicka er her, at hun er en hest, og at hestekød er lækkert.«

»Akkurat. Selv om der ikke er meget sul på hende, er hun dog en hest. Men se engang på hende! Der er et koben tværs over stolperne – der er reb og dækken og stivere ved hendes sider – tror du, vildkatten nogen sinde har set mage til hest?«

Nell lo.

»Så er der bålet,« fortsatte Rob. »Det skal blive et bragende stort bål. Pumaen har aldrig set noget lignende, og alle vilde dyr er bange for ild. Når Flicka ikke er bange, skyldes det kun, at hun efterhånden har en så ubetinget tillid til *os,* at det er i orden, når bare vi siger god for en ting. Pumaen er derimod sikkert rådløs og rædselsslagen i øjeblikket. Jeg tror ikke, den tør vove sig i nærheden af bålet.«

Nell tav nogle øjeblikke, før hun spurgte:

»Hvor vil du egentlig slå dig ned?« Hun havde rejst sig og taget den tykke, gummiforede ridekappe op fra græsset.

»Tæt op ad skreddet, midt mellem Flicka og bålet, så jeg nemt kan holde øje med dem begge. Dér kan jeg få rygstød. Hvis bæstet er frækt nok til at ville angribe os, må det nærme sig frontalt. Skrænten er lodret her bag mig. Prøver pumaen at springe på mig oppe fra, vil den ubetinget suse forbi.«

De arrangerede ridekappen og tæpperne ved foden af den lodrette skrænt. Mens Rob havde travlt med at sanke grene og brændeklodser til tørring ved bålet, så Nell op ad klippen, mod træerne og mod skyernes vilde jag over himlen. Nu og da glimtede enkelte stjerner, og pludselig kom månen til syne.

»Se, Rob! Der er blod i månen!«

Rob standsede med en favnfuld brænde. Nogle øjeblikke viste månen sig mellem to skyer, og det så ud, som der var trukket et rødt slør over den.

»Det skal du ikke bryde dig om, Nell! Der er ingen, som skal dø! Du har så mange ideer.«

Nell ventede lidt på, at månen atter skulle vise sig; men en stor, mørk sky dækkede den. »Måske – men nu må jeg gå. Kennie kunne vågne.«

Atter drøftede de fordelingen af skydevåben. Nell mente, at Rob måske ville få mest brug for revolveren, hvis vildkatten listede sig nær ind på ham. På den anden side ville hun ikke kunne gøre brug af den tunge expressriffel, hvis hun pludselig mødte pumaen på sin korte hjemtur over den mørke Kalvehave og grønningen.

Det endte med, at hun tog lommelygten i venstre hånd og den skudklare revolver i sin højre. Rob stod og kiggede efter hende, mens hun smuttede over vadestedets sten og ilede hjem ad stien. Snart så han kun skæret fra lommelygten. Hans blik fulgte det langs stien, da det stoppede op ved leddet, søgte skråt over grønningen og omsider forsvandt ved gården.

Rob fik pumaen på skudhold kort før solopgang.

Han havde sovet en del i nattens løb. Da Nell var gået, anbragte han sig, så han uden besvær kunne passe bålet og holde øje med Flicka. Ved hjælp af ridekappen og tæpperne havde han fået ordnet en bekvem og lun siddeplads op ad skrænten med plagen til den ene side og bålet til den anden. Den ladte expressriffel lå på ridekappens gummistof ved hans side. Han følte sig som situationens herre.

Flere gange i nattens løb rejste han sig, kastede ved på bålet og så sig om. Skyerne var tyndet ud, og stormen lagde sig. Den røde måne skinnede frit fra himlen. I Kalvehaven, hvor der ikke skulle være andre levende væsener end ham selv og Flicka, var alt meget stille.

Vi må have Flicka op i stalden i morgen, hvordan det så skal ske, tænkte Rob. Og så skal jeg jage den infame vildkat til døde med hunde, gift eller fælder. Bæstet skal af med livet!

Han bestemte sig for at anvende fælder, fordi det nok var den simpleste løsning. Han ville lave et passende stort bur af askerafter, anbringe nogle høns i det og lægge en ring af godt skjulte bjørnegrave uden om buret. Pumaen skulle lokkes af hønsenes kaglen. Når den sneg sig hen til buret, ville den antagelig gå i en af fælderne. Vildkatte var hverken så snu eller så forsigtige som prærieulve.

Dagen gryede, og Rob sov atter med hagen mod brystet, da Flickas vrinsken vækkede ham. Endnu før han åbnede øjnene og fik grebet riflen, var han klar over, at det var et rædselsvrinsk, plagen udstødte. Han så over bækken mod fyrretræerne. Dér opdagede han pumaen i færd med at æde af kvieådslet.

Skønt pumaen var et vældigt udyr, mindst de fem fod og tre tommer, som han havde regnet sig til på grundlag af dens spor, blev han dog slået af, hvor påfaldende dens smidige krop mindede om Pauly. Den lignede en stor kat, da den flåede kødet af kviens knogler, stemte imod med én pote, skrævede bredt og trak til sig med alle kroppens muskler. Kviekødet flænsedes af dens lange, skinnende hvide rovdyrtænder, og vildkattens hale piskede frem og tilbage over jorden.

Rob lagde riflen til kinden, sigtede nøje og skød.

Han havde aldrig før skudt en puma, men havde ofte hørt om dyrets enestående sejlivethed og om, hvordan det dødeligt såret, ja selv med flere projektiler i kroppen, endnu kunne have energi til at angribe og kæmpe desperat. Nu fik han muligheden for selv at konstatere, om det havde sin rigtighed.

Da projektilet traf pumaen, sprang den ti fod i vejret, vred sig rundt og dalede med krummet ryg. Den landede som en bold, slog flere kolbøtter, snerrede og kom atter på benene. Den fulgte sit instinkt, sprang hen til det nærmeste fyrretræ for at dække sig, slog kløerne i barken seks – otte fod over jorden og blev hængende dér et øjeblik — det første tegn på, at dens kræfter begyndte at svigte. Så entrede den ved hjælp af sine stærke kløer op ad stammen og nåede hurtigt ud på den nederste, tykke gren.

Rob var overbevist om, at han havde ramt den i hjertet, men begyndte nu at spekulere på, om han alligevel skulle have fejlet eller kun strejfskudt bæstet.

Han hævede atter riflen for at sende pumaen et nyt skud, da den gled ned fra grenen og var stendød, før den ramte jorden.

36

Da McLaughlin sagde, at Ken nok ville sove en måned, hvis han troede, Flicka var død, tog han ikke meget fejl. Når drengen ikke sov, lå han enten ganske sløvt hen eller vrøvlede i febervildelse. Han var meget alvorligt syg – for syg til at kunne køres på hospitalet i Cheyenne. Inden længe havde han fået lungebetændelse, og lægen tilbragte mange nætter ude på ranchen for om morgenen at køre ind til sin praksis i byen.

Flicka derimod kom jævnt og støt til kræfter. Hun kunne snart holde sig på benene uden hjælp, og Gus fjernede slyngen. Hun kunne ligge og stå, gå de få skridt ned til bækken og drikke, når hun havde lyst, og åd sit foder med god appetit.

»Det slår alt, hvad jeg hidtil har set,« hævdede Tim, mens han og Gus spiste aftensmad i arbejderhuset. »Der kan altså stadig ske mirakler.«

»Nej, det var det kolde vand, som vaskede feberen ud af hendes krop,« sagde Gus. »Men det var i virkeligheden Ken, som reddede hende – det tror du måske ikke? Du kan stole på, det betød noget, at drengen sad hos hende hele natten og sagde: Hold ud, Flicka – Hold ud! Jeg er hos dig! Jeg svigter ikke! Vi to skal nok klare det hele ...«

Tim gloede tavs på Gus, mens han spekulerede over sagen. Gus stoppede piben. »Joh –,« sagde Tim omsider. »Joh – det er vel rigtigt.«

»Nu gælder det drengen,« sagde Gus langsomt. »Den lille er skrækkeligt syg.«

Nell veg næsten aldrig fra Kens side. Rob og Gus tog sig af husholdningen og bragte mad op til sygeværelset. En gang hver dag satte Rob sig ved Kens seng og krævede, at Nell skulle trave en tur i frisk luft – allermindst et kvarter.

Når det skete, løb Nell i reglen ned til Flicka i Kalvehaven, holdt sig tæt op ad plagen og prøvede at tage varsler for fremtiden. Hvordan stod det til med Flicka? Kom hun sig?

Plagens øjne var klare og forskende. Den drejede hovedet hurtigt, når Nell nærmede sig. Dens øren var rejste. Nu og da så den op mod stien og vrinskede i længsel efter Ken.

Nell løb så hurtigt tilbage, hun kunne. Hun vendte hjem til sygeværelset med røde kinder, gispede af anstrengelsen, men var fyldt af nyt håb.

Når hun knælede ved sin drengs leje, kunne det ske, at

synet af ham fik hende til at græde. Det var ikke bare sygdommens hærgen, hans indfaldne kinder, feberen og det gispende åndedræt eller hans tørre, blålige læber, men mest den opgivende træthed, som prægede ham. Sommeren havde været for streng. Det havde taget for hårdt på ham at måtte opgive alle dagdrømme og tilpasse sig kendsgerningernes verden.

Da skolen åbnede, fulgte Rob Howard til byen og havde en samtale med rektor Gibson om Ken. Da han kom hjem til Nell, var han forbavset og rørt over Kens indsats.

»Læste du Kens stil, »*Historien om Sigøjner*«? spurgte han dæmpet Nell, mens de sad ved vinduet i drengens værelse.

»Nej. Vi var enige om, at den helt skulle være Kens eget værk. Hvis jeg havde læst den, var jeg måske kommet med forslag til forbedringer, og det syntes jeg ikke var rigtigt, da stilen faktisk var en eksamensopgave.«

Rob rakte hende Kens stil. Da McLaughlin første gang læste den, følte han den mærkeligt knugende ømhed, som hans yngste dreng undertiden fremkaldte i hans sind.

Nell læste følgende:

»Flicka er datterdatter af Sigøjner, der var en engelsk, fuldblods polohest. Min far købte hende, mens han gik på officersskolen i West Point.

Flicka ligner ikke Sigøjner, der var kulsort, men hun ligner sin far, hvis lød er rødgylden. Han hedder Banner. Flickas mor hed Raket. Hun var den hurtigste hest, vi nogen sinde har haft, hurtig nok til at kunne sejre på en væddeløbsbane, men hun duede ikke til noget, fordi hun var *loco*, og hun omkom ynkeligt. Flicka er ikke *loco*.

Grunden til, at Raket blev *loco*, var, at hendes far var en vild mustang, der hed Albino, fordi han var helt hvid og en skør kule, der stjal hopper fra alle ejendomme her. Han stjal også Sigøjner og beholdt hende hos sig i fire år, og da vi fik hende tilbage, havde hun fire plage med sig, og den ene af dem var Raket.

De var så smukke, at min far beholdt dem og prøvede at

tæmme dem, men det lod sig ikke gøre. De ville ikke lade sig kue, og far var ked af, at han havde beholdt dem og fået deres blod blandet med vore egne hestes, for Banner bedækkede dem, og de fik føl, og Flicka er et af disse føl.

Flickas lød er ligesom Banners (han er stambogsført avlshingst og fuldblods), og hendes skabelon er omtrent som moderens. Hun er meget hurtig, fordi det, der gør en hest hurtig, er lange ben og en lang krop, og Flickas er næsten en smule for lang, men det er det, som gør hende så hurtig. Hun kan slå alle etåringer i løb.

Flicka er min hest. Jeg passer hende og dresserer hende, og når hun bliver tre år gammel, kan jeg tilride hende. Hvis hun bliver from og omgængelig, kan hun godt blive en væddeløbshest, for hun er meget hurtig, og hun er ikke *loco*.

Dette er historien om Sigøjner.«

Nell så op på Rob, da hun havde afsluttet læsningen: »Flicka – Flicka – Flicka –,« sagde hun.

Han nikkede. »Ja – det samme sagde rektor. I betragtning af, at stilen skulle skildre Sigøjner, er det en glimrende historie om Flicka!«

Ken mumlede usammenhængende og slog med en arm over tæppet. Nell gik hen til sengen, så et øjeblik på ham og strøg håret væk fra hans pande. Han kunne tilsyneladende altid mærke, når det var hendes hånd, som rørte ham. Den beroligede og lindrede.

Hun vendte sig atter mod Rob. »Hvad sagde rektor Gibson ellers om sagen?«

»At det var en god stil. Han siger, at Ken er særdeles godt begavet, og spurgte mig, om jeg var klar over det.«

»Hvad svarede du?«

»Jeg svarede nej. Jeg har altid regnet ham for noget sløv; men rektor påstod, at det ikke så sjældent hørte sammen med en særlig god begavelse.«

Nells trætte og hærgede ansigt lyste op i et smil. »Jeg anede ikke, rektor var så skarpsindig, at han kunne se det,« hviskede hun.

»Vidste *du* da, Nell – at Ken er særligt begavet?«

»Jeg havde det på fornemmelsen.«

»Hvor i alverden får du den slags fornemmelser fra? Han har altid forkludret, hvad han fik med at gøre – lige til nu i sommer.«

»Åh ja, han var en dagdrømmer,« Nell talte langsomt og eftertænksomt – »men det vil kun sige, at han så videre end den håndgribelige verden. Ken kan, som han selv siger, leve i en anden tilværelse, gå ind i et billede og leve der – i en vanddråbe – en stjerne – i alt –.«

Rob kiggede ud ad vinduet, men tav.

»Hvad bestemte rektor Gibson sig til?« spurgte Nell.

»Han sagde, at han ville lade ham fortsætte – på prøve, da Ken havde gjort en virkelig indsats for at hævde sig.«

Rob forlod værelset. Nell sad ved vinduet og så ud over grønningen. De unge poplers blade var blevet gyldne og hvirvledes bunkevis til jorden med sagte hvislen, hver gang der kom et vindpust. Nells blik søgte videre, og det gik pludselig op for hende, at alle landskabets stærke farver var svundet. *Det* skete – altid overraskende – om efteråret. De dybe, sommerlige farver: himmelblåt, grønt og rødt var borte. Landskabet blev trist, og det var, som alt skrumpede ind i gråhed, indtil vintersneen gav det en ny, blændende skønhed.

Efter tre ugers sygdom begyndte Ken så småt at komme sig. Feberen aftog, hans hjerne blev klar, og han kunne genkende sine forældre. Han var rastløs om natten. Nell, der stadig sov på feltsengen i hans værelse, blev ofte vækket ved, at han kaldte på hende. Hun stod da op, satte sig på hans sengekant, holdt hans hånd eller strøg ham over håret, til han atter faldt i søvn.

Han talte aldrig om Flicka.

Nu, da han ingen pligter havde, nu, da der ikke blev stillet noget krav til ham, og han havde sin mor om sig døgnet rundt, virkede han meget lille og barnlig.

En morgen spurgte han: »Sover du aldrig, mor?«

»Jo, naturligvis sover jeg, Kennie – hvorfor spørger du?«

»Når jeg kalder på dig, svarer du altid lige med det samme – og din stemme lyder, som om du er lysvågen.«

»Jeg sover med det ene øre åbent.« Nells smilehul viste sig.

Han så træt men nysgerrig op på hende og spurgte: »Hvilket øre, mor?«

Undertiden lå han længe vågen om natten. Så talte de sammen. Hans tanker strejfede vidt omkring og beskæftigede sig jævnligt med emner eller begivenheder, Nell for længst havde glemt.

»Mor, kender du gamle Mrs. Perkins?«

»Ja, min dreng.«

»Hun er kolossalt gammel, ikke?«

»Jo, hun er højt oppe i årene.«

»Mor – bliver du også gammel?«

»Ja, naturligvis.«

»*Ligesom hende?*«

Nell lo.

»Du må ikke forandre dig, mor.«

»Det gør jeg heller ikke, Ken – ikke så det betyder noget.«

»Men dit ansigt gør det måske.«

»I så fald er det kun en maske for mit rigtige ansigt – som de fastelavnsmasker I køber inde i byen.«

»Er det sandt? Er det *rigtig* sandt, mor, at du ikke forandrer dig – sådan indvendig?«

»Ja, min dreng.«

»Så gør det ikke noget med masken.«

En anden gang spurgte han: »Kan du huske, mor, at du en gang sagde, der var noget, du ønskede dig *forfærdelig* meget et par år efter, at jeg blev født – hvad var det?«

Nell svarede ikke straks. Hun vidste ikke, om hun overhovedet ville svare drengen. Hun lå på feltsengen med ansigtet vendt mod Ken. Over natbordet brændte en lampe med svagt lys.

»Mor?«

»Jeg ønskede mig så brændende en lille pige, Ken.«

Ken lå længe tavs, til han med drømmende stemme sagde: »Så ønskede vi os nøjagtigt det samme, mor.«

»Hvordan det?«

Han lå atter længe uden at svare, så længe, at hun troede, han var faldet i søvn. Så hørte hun hans spæde stemme sige: »Ved du, hvad *lille pige* hedder på svensk?«

Hun åbnede øjnene helt og var lige ved at tale, men undlod det. Hun havde aldrig før været så fristet til at fortælle om Flicka.

Han sov ind, men hans søvn blev urolig og plagsom. Han råbte flere gange højt, og til sidst svingede han benene ud over sengekanten, stak i sin badekåbe og sad søvndrukken og strøg sig over håret.

Ude galede en ivrig hane, skønt klokken kun var to. Ken åbnede øjnene og begyndte at tale om spektakelmageren. Han var irriteret og klynkende.

»Man siger, at de kun galer, når der er sket noget *godt* ...«

»Det er kun en stor kylling, Ken. Den har endnu ikke lært gode manerer.«

»Galer haner ustandseligt, mor? Holder de aldrig pause?«

»De galer, fordi morgenen nærmer sig,« sagde Nell og bøjede sig over ham.

»Men når der nu sker noget *ondt?*«

»Så bliver det alligevel morgen.«

»Men hvis nu en eller anden *er død?*«

Hun svarede ikke.

»Hvad da, mor?« insisterede han.

»Selv da kommer der en ny morgen.«

Hanekyllingen galede atter med en skinger pibestemme, som en drengs i overgangsalderen.

Nell prøvede at interessere Ken for hverdagens begivenheder på ranchen, for karlenes arbejde og hans fars planer; men det interesserede ikke drengen. Hun forstod, at det var for nærværende, for virkeligt – han var endnu for svag til at kunne bære kendsgerningernes åg.

Han talte om sit værelse og dets billeder, om alle de kendte, personlige ting, som omgav ham, og han undrede sig over, at alt var så ændret.

»Hvordan mener du, Ken?«

»Det er det. Ingenting er som før.«

»Det må være dig selv, der er blevet anderledes, min dreng. Så synes man, tingene har forandret sig.«

Han drejede sig rundt i sengen for at se på sagerne, først og fremmest på billederne til højre. Der var den lille, nøgne dreng, som blev dyppet i vandet mellem ællingerne. Der var manden med de broderede seler. Han spillede på fløjte for en kvinde i broget bondedragt. Længere til venstre så han billedet af en mor, der fremviser et nyfødt barn for sine to andre børn. Intet af billederne sagde ham det ringeste. De havde mistet noget afgørende og betydningsfuldt.

Hans blik dvælede længere ved billedet på værelsets ene kortvæg; det der havde citatet trykt i det ene hjørne.

Også dette billede var ændret, men på en anden måde. Tidligere syntes han, der var noget mystisk ved det, noget han ikke forstod. Nu forstod han det. Han lukkede øjnene for ikke at se på det.

Nell ventede på det rette tidspunkt til at fortælle, at rektor Gibson ville tage Ken tilbage i klassen, at poloponyerne var blevet solgt for en god pris, og navnlig, at Flicka ikke blot levede, men dag for dag fik flere kræfter. Dr. Scott sagde:

»Lad ham hellere fantasere lidt endnu. Han får stadig flere kræfter. Når der er gået nogen tid, begynder han at blive interesseret, og så er det tidligt nok at fortælle ham sådanne nyheder.«

En aften sad de ved kaminen i dagligstuen. Ken sov. Vejret var blevet koldere, og Rob havde fyldt kaminen med brændeknuder. Flammerne buldrede op i skorstenen.

De drøftede indgående den forandring, som var sket med Ken, efter at han havde fået Flicka, grunden til at de havde givet ham plagen, og hvor Ken ellers havde svigtet.

Samtalen blev brudt af lange pauser, hvor de bare sad hyggeligt og bekvemt og så ind i ilden.

Efter en sådan pause sagde Nell impulsivt: »Der er noget, jeg ikke kan forstå. Hvorfor begyndte Ken pludselig at drømme om natten – onde drømme? Det har han aldrig gjort før.«

Lægen så overrasket på hende. »Det er egentlig højst interessant – men tænker man lidt nærmere over det, er det ikke så mærkeligt.«

»Hvorfor ikke?«

»Tidligere gav han sin fantasi frit løb i dagdrømme – og et eller andet sted måtte den bryde sig vej, når det vante løb spærredes. Nu får hans fantasi afløb i natlige drømme.«

Nells ansigt lyste af interesse: »Er det grunden til, at han aldrig før har drømt om natten?«

Dr. Scott nikkede. »Ja. Det er faktisk en nok så alvorlig sag – dette at gøre en dagdrømmer til et praktisk tænkende og handlende menneske. Det er en opgave, som jævnlig løses af psykiatere – i hvert fald *prøver* de at løse den. I reglen mislykkes det vist. Dagdrømmeri er lige så døvende og vanedannende som morfinisme. Når man først kommer i vane med giften, bliver man offer for fantasterierne. Sådan går det masser af børn. Desværre sker det vist alt for sjældent, at man opdager det og forstår, hvad der er i vejen med dem, mens der endnu er tid til at skride ind. I reglen fortsættes dagdrømmene til ind i de voksne år – undertiden hele livet. Når læger og psykiatere stilles over for problemet, er det *resultatet,* man konfronteret dem med: Uduelighed, upålidelighed, uærlighed, bristende evner til at klare kampen for tilværelsen. Så er det ofte for sent at udrydde vanen. Hos Ken har vi et tilfælde, hvor man har erkendt svagheden i tide og anvendt nogle af den moderne psykologis bedste metoder –.«

»Vi har nu kun brugt gammeldags, sund fornuft,« indskød

Nell.

Lægen smilede sit drengede smil. »Det er, mellem os sagt, nøjagtig det samme – og ærlig talt tror jeg, at den gode gammeldags fornuft måske stadig er mere værd. Men De har i hvert fald gjort det, og kuren har hjulpet Deres dreng gennem de fleste vanskeligheder, som følger livets største oplevelser: Forelskelse, saligheden ved at føle sin kærlighed gengældt, fortvivlelse, offervilje og dødsangst. Kunne man behandle alle dagdrømmere sådan, ville de antagelig blive kureret.«

»Vi har såmænd slet ikke gjort det med overlæg,« sukkede Nell. »Det skete ligesom af sig selv.«

Da lægen rejste sig for at gå, sagde hun til ham: »Ken tror stadig, at Rob har skudt Flicka. Må jeg fortælle ham sandheden?«

Dr. Scott tøvede med svaret: »Undertiden virker gode nyheder lige så rystende som dårlige. Han har åbenbart skubbet alt dette fra sig.«

»Men kan det ikke netop være grunden til, at han ikke vil beskæftige sig med noget virkeligt – er det ikke, fordi han tror, Flicka er død?«

Lægen sagde: »Jeg vil overlade afgørelsen til Deres intuition. Når De synes, det rette øjeblik er inde, og De føler trang til at give ham besked – så gør det.«

Nell hviskede det ofte til Ken, mens drengen sov. Hun gentog det gang på gang, stod ved hans seng, bøjede sig over ham og sagde: »Kennie, min kære dreng, ved du, at Flicka lever og er ved at komme sig?«

Ken var blevet så vant til hendes nærhed og lyden af hendes stemme, at den aldrig vækkede ham.

Vinterens første knitrende snevejr drog over ranchen. Ude på Svajet dækkedes græsningerne, og de små, lodne ungplage klynkede, fordi de ikke fandt andet end noget isnende, hvidt stof på markerne i stedet for græsset, som udgjorde næsten alt deres foder.

Banner forklarede dem, at barndomstiden var forbi, og at de nu måtte begynde kampen for tilværelsen. Han lærte dem, hvordan de skulle bære sig ad. Den store hingst stillede sig ved siden af en lille, forkommen plag og skrabede kraftigt i sneen med sine forhove, til græsset viste sig. Det lille dyr stak hovedet ind under Banners hals og gnavede af græsset. Banner skrabede sneen bort fra et større område, mens han stadig drev plagen til at følge eksemplet. Efterhånden lærte hele det sidste kuld at bruge deres spinkle hove, som de havde set faderen gøre det. De gik alle rundt og krattede ivrigt i sneen.

Det gode vejr kom tilbage med tre ugers *indian summer*, og Ken genvandt hurtigt sine kræfter.

En dag, da Nell ryddede op i hans værelse, spurgte han: »Hvor er Flicka egentlig?«

»Nede i Kalvehaven, Kennie – vi flyttede hende ikke. Hun befandt sig så godt dernede. Vil du gerne se hende?«

Efter lang tids tavshed sagde han træt: »Åh, jeg ved ikke –.«

Nell tørrede omhyggeligt støvet af dragkisten. Hun sendte Ken et sideblik: »Du har aldrig helt troet, at Flicka blev skudt, vel, Kennie?«

Skønt Ken gav sig god tid, før han svarede, lød hans ord alligevel famlende: »Jeg ved ikke rigtig – jeg drømte så meget, og jeg kunne ikke holde styr på, hvad der var drøm eller virkelighed – jeg troede vist ikke, hun var skudt – men jeg hørte et højt knald af en riffel –.«

»Det var dengang, din far skød vildkatten nede i Kalvehaven – den nat, du blev syg.«

»Fik han pumaen?« spurgte Ken og viste sig for første gang interesseret.

»Ikke med det skud, du hørte, men han fik den om morgenen. Han vågede hos Flicka hele natten nede i Kalvehaven, så pumaen ikke kunne gøre hende fortræd.«

Ken stirrede ud ad ruden, mens han forestillede sig nattevagten, og der kom virkelig et skær af smilende interesse over hans ansigt.

»Vil du ikke gerne se hende?« spurgte Nell atter; men Ken vendte ansigtet bort fra sin mor og svarede sløvt: »Åh, jeg ved ikke rigtig –.«

Med lægens tilladelse blev Ken kørt en kort tur i bilen, men turen trættede ham uhyre. Der var for meget at se. Luften var for stærk, og han havde alt for meget at spekulere på. Det varede længe, før han atter fik lyst til en køretur.

»Det ser ud, som om han helt har tabt modet,« sagde Rob ængsteligt til Nell.

Da der nogle dage senere var faldet et let, tyndt snelag, og landskabet var som en radering i brunt og hvidt, pakkede Rob drengen godt ind, sagde til Nell, at der var noget ude på bjergene, Ken burde se, kørte ud ad vejen med ham og standsede vognen. Gennem ruderne kunne de se over markerne til bjergets jævne stigning mod skoven.

»Se, Ken,« sagde McLaughlin og pegede gennem ruden.

I skovbrynet stod en meget stor hjort med talrige ender på sit flotte gevir. Dens lød faldt så nøje sammen med landskabets hvide og brune kontraster, at man havde svært ved at se den. Hjorten vendte flanken mod bilen, men drejede hovedet mod dem. Den knejsede stolt. Dyrets blik var rettet roligt og spejdende imod dem. Linjerne i dets hals fortsatte med det prægtige gevir i ubeskriveligt skønt, harmonisk forløb.

Kens udtryk blev næsten måbende af betagelse, mens han betragtede hjorten. Den stod ganske stille. Der var i ordets bedste forstand fornem adel og lysende mod over dyret.

McLaughlin så på sin søn. Kens mund stod stadig åben.

»Hvorfra vidste du, hjorten var dér?« spurgte han.

»Jeg opdagede den, da jeg drejede af fra hovedvejen.«

»Hvorfor står den så længe på samme sted uden at røre sig?«

»Fordi den har en hind liggende i skovkanten. Den beskytter sin mage. Derfor rokker den sig ikke af pletten.«

Drengen så længe på det pragtfulde dyr, inden han vendte sit blik mod faderen. »Er det fordi *den har ansvar for hinden.*«

»Netop.«

McLaughlin startede motoren, vendte bilen og kørte hjemad.

Kens blik veg ikke fra hjorten, så længe han overhovedet kunne se den. Det sved i hans øjne, og han havde fornemmelsen af en klump i halsen. Der gik hede ilinger gennem hans krop.

Da han ikke længere kunne se krondyret, lod han blikket glide over bjerge og skove. Han vidste ikke, hvad det var, som havde gjort en ende på hans kolde, triste isolation og i et nu genforenet ham med den rigtige verden. Han vidste kun, at den atter var blevet hans, at den var skøn og levende, og at han længtes efter at se Flicka. Han pressede ansigtet mod sin fars ærme og græd.

Hen på eftermiddagen smækkede Ken døren i efter sig og trampede, varmt klædt i en tyk sweater, ind over grønningen. Han åbnede leddet til Kalvehaven og så den helt forandret. Der var sne over græsset, nøgne træer og den orangegule glød af en rigtig vintersolnedgang over vesthimlen. Og Flicka –.

I de svundne uger havde hun spejdet efter ham hver eneste dag. Hun stod længe ved indhegningens led med rejste, lyttende ører, gjorde så skuffet omkring med en lille, utålmodig vrinsken, travede rastløs rundt om højden, gjorde atter omkring, spidsede ører og lyttede ivrigt som før.

Hun var blevet et par tommer højere og så ud til at ville vokse sig meget stor, en flot hest med fart, temperament og styrke. Hun havde fået sin vinterdragt af lang, tæt pels, og der var ikke mere nogen hævelse fra sårene. På kolde morgener stak hun næsen i sneen og slog bag ud, så det peb, vred sig, lavede bukkespring eller galoperede i fuld fart over Kalvehaven med den blonde manke og hale vajende i luften. Når det sneede, og foget piskedes over jorden af en bidende kold storm, rejste hun hovedet og snusede mod kulden med spilede næsebor.

Hun hørte smækket af stuehusets dør, da Ken knaldede den i, og travede nysgerrigt op mod foldene.

Kens rappe fødder trommede over grønningen, og leddet knirkede.

Drengen løb ned ad stien, mens han råbte: »Flicka – åh Flicka!« Da klang Flickas vrinsken ud i den kolde luft, og der var en fanfare i lyden, som den lille plag aldrig før havde kunnet præstere.